MONSTRUM

MONSTRUM

Le Sanctuaire des Monstres

1

M. A. Pronossard

éditions

Éditeur : François Doucet
Direction littéraire : Patrice Cazeault
Révision linguistique : Daniel Picard
Correction d'épreuves : Carine Paradis, Nancy Coulombe
Conception de la couverture : Mathieu C.Dandurand
Photo de la couverture : © Thinkstock
Mise en pages : Mathieu C.Dandurand
ISBN papier 978-2-89733-515-1
ISBN PDF numérique 978-2-89733-516-8
ISBN ePub 978-2-89733-517-5
Première impression : 2013
Dépôt légal : 2013
Bibliothèque et Archives nationales du Québec
Bibliothèque Nationale du Canada

Éditions AdA Inc.
1385, boul. Lionel-Boulet
Varennes, Québec, Canada, J3X 1P7
Téléphone : 450-929-0296
Télécopieur : 450-929-0220
www.ada-inc.com
info@ada-inc.com

Diffusion
Canada :   Éditions AdA Inc.
France :   D.G. Diffusion
                Z.I. des Bogues
                31750 Escalquens — France
                Téléphone : 05.61.00.09.99
Suisse :   Transat — 23.42.77.40
Belgique :   D.G. Diffusion — 05.61.00.09.99

Imprimé au Canada

Participation de la SODEC.

Nous reconnaissons l'aide financière du gouvernement du Canada par l'entremise du Fonds du livre du Canada (FLC) pour nos activités d'édition.

Gouvernement du Québec — Programme de crédit d'impôt pour l'édition de livres — Gestion SODEC.

À ma famille et mes amis qui m'ont supporté
et ont toujours cru en moi.

Le nouveau Monstre

Le soleil ne se cachait plus à présent et réchauffait le village. Les fleurs sortaient de terre, et plusieurs étudiants séchaient leurs cours en raison du beau temps. Les parents n'en étaient pas fiers, mais ils ne pouvaient pas empêcher Mère Nature de travailler. De plus, l'hiver était fini depuis un moment, et la chaleur avait tardé à arriver. Pourquoi s'en plaindre?

Durant les fins de semaine, les enfants jouaient dehors, riaient, couraient, mangeaient avec leurs amis et ne s'inquiétaient pas du temps qui passait, ni de rien d'autre d'ailleurs. Tout ce qu'ils voulaient, c'était s'amuser. Toutefois, l'école n'était pas terminée. Les examens de fin d'année, ou les Bilans, approchaient à grands pas, et presque personne n'était prêt. Tous préféraient rigoler plutôt que d'étudier.

Seth Langlois faisait pourtant exception à cette règle. Il était un enfant studieux qui se souciait de ses notes. Comme il terminait sa dernière année avant le grand saut, Seth savait qu'il jouait son avenir et qu'il ne s'agissait pas d'un sujet de plaisanterie. Non, Seth passait son temps à étudier, car il n'avait pas beaucoup de camarades. Seth avait seulement deux meilleurs amis : Tommy et Joanne. Et le reste de l'école *voulait* être son camarade. Mais pas pour les bonnes raisons.

Les Bilans approchaient plus rapidement que jamais. Il ne restait plus beaucoup de jours d'école avant les vacances. Seth attendait impatiemment que l'été arrive. Durant ces congés, il passerait du bon temps avec ses amis. Sauf qu'en ce moment, Seth était en cours de français, et non avec ses amis à relaxer.

La professeure révisait avec ses élèves les notions dont ils auraient besoin pour passer l'épreuve de fin d'année. S'ils échouaient, ils n'obtiendraient pas leur diplôme.

Il faisait si chaud dans la classe qu'une fille avait saisi ses notes pour s'en faire un éventail. L'enseignante ne fit aucun commentaire, même qu'elle semblait envier l'ingéniosité de la jeune fille. Toute la classe copia l'invention.

— N'oubliez pas, répéta la professeure, sujet amené, posé puis divisé.

— Mais madame, commenta un étudiant du nom de Mathieu, nous avons déjà fait notre production écrite.

— Oui, bien sûr !

La chaleur n'importunait pas seulement l'enseignante de français. Le professeur de mathématiques aussi se trompait à cause de l'écrasante chaleur. Avec les fenêtres ouvertes et un ventilateur dans un coin de la classe qui ne soufflait que de l'air chaud, il donnait des explications de dernières minutes.

— À cette étape-là, il faut diviser par deux.

— Non, monsieur, répliqua Antoine, il faut diviser par trois.

Les journées semblaient de plus en plus longues. Même Seth ne trouvait plus d'intérêt à être assis sur un banc d'école, ce qui en disait long sur l'ambiance qui régnait partout dans l'établissement ! Habituellement, durant l'année scolaire, lorsqu'un élève séchait les cours, la secrétaire téléphonait à la maison pour en avertir les parents. À ce stade-ci de l'année, la secrétaire ne prenait plus la peine de téléphoner aux parents. Après tout, il ne restait qu'une semaine d'école.

La cloche sonna pour annoncer la fin du cours de mathématiques. Seth ramassa son cartable, quitta la classe au pas de course sans regarder le professeur et se dirigea vers son casier. Heureusement, celui-ci était situé sous la climatisation. Un pur bonheur! Une fille s'approcha de Seth, s'adossa sur le casier à côté du sien (empêchant Ariane d'y avoir accès) et lui sourit à pleines dents.

— Salut, Seth.

Aussitôt, Seth reconnut Miranda. Elle était belle, grande, attirante. Ses longs cheveux roux cascadaient sur ses épaules, et ses yeux d'un noir d'encre étaient rivés sur ceux de Seth, d'un brun chocolat.

— Salut, Miranda.

Contrairement aux autres gars de l'école, Seth n'était pas attiré par Miranda. Car celle-ci, comme tous les étudiants mis à part Tommy et Joanne, aimait Seth pour la *mauvaise raison*.

— J'ai entendu dire que tu n'avais pas encore de cavalière pour le Bal de fin d'année, reprit Miranda. Est-ce vrai?

— Oui.

— J'ai donc pensé qu'on pourrait y aller ensemble.

— Tu n'y vas pas avec ton petit ami Josh?

Miranda soupira.

— Lui? Ce n'est qu'un idiot. Je l'ai laissé ce matin. Alors, tu as envie d'y aller avec moi?

Seth referma son casier et verrouilla son cadenas. Du coin de l'œil, il vit Tommy et Joanne qu'il voulait rejoindre.

— Désolé, Miranda, mais je ne vais *pas* au Bal. Voilà pourquoi je n'ai pas de cavalière.

— Tu ne vas pas au Bal ? Mais cet événement n'arrive qu'une fois dans une vie !

— La varicelle aussi, et tu aurais bien aimé l'éviter, non ?

Sans ajouter un mot, Seth planta Miranda là. En se dirigeant vers ses amis, il entendit Ariane s'exclamer :

— Désolée, mais tu es devant mon casier ! Et si tu ne veux pas te faire rejeter une deuxième fois aujourd'hui, je te conseille de déguerpir !

Seth rejoignit ses amis et ils sortirent de l'école le plus rapidement possible. Comme la fin de l'année cognait aux portes, Seth avait invité Tommy et Joanne au restaurant. Au début, ses amis avaient protesté, mais devant l'air suppliant de Seth, ils avaient fini par accepter l'invitation.

Une fois à l'extérieur de l'institution, Seth se sentit bizarre. Pas à cause de la chaleur, mais plutôt parce qu'il avait l'impression que quelque chose ne collait pas au décor qu'il voyait. De l'autre côté de la rue, deux hommes étaient assis sur un balcon. Seth les dévisagea un bon moment avant de dire :

— Ce n'est pas la maison de madame Gilman ?

— Si, dit Tommy.

— Qui sont ces hommes sur son balcon ?

Madame Gilman, surnommée la « Folle de la ville », vivait seule dans sa maison. Un peu dérangée, elle ne laissait jamais personne s'approcher trop près de sa demeure. La présence de ces deux inconnus troublait Seth. Devait-il prévenir madame Gilman ? Non, elle devait sûrement savoir qui étaient ces hommes.

L'un des étrangers avait de longs cheveux blancs et paraissait très vieux. Ses mains jointes devant lui donnaient l'impression qu'il priait. L'autre individu était petit et rondelet. Ses yeux perçants fixaient étrangement Seth. Un frisson fort désagréable le traversa.

— Je crois que j'ai déjà vu l'homme aux cheveux blancs, dit Joanne. Si je ne me trompe pas, c'était au zoo. Il parlait à un animal.

— Il y a des gens bizarres, parfois, commenta Tommy.

Seth ne répliqua pas. Pendant qu'il marchait, il avait l'impression que les hommes ne le quittaient pas du regard, jusqu'à ce qu'une haie le dissimule enfin. Dès cet instant, le jeune homme se sentit beaucoup mieux.

Ils gagnèrent enfin le restaurant. La majorité des tables étaient occupées par des adultes qui profitaient également de leur pause du midi pour relaxer avant de terminer leur épuisante journée. Seules les tables près des fenêtres, couvertes par les rayons du soleil, restaient vides. Sans doute parce que personne ne souhaitait suer en mangeant. Ils passèrent leur commande et se trouvèrent une table afin de discuter librement, loin des regards indiscrets de certains adultes qui n'appréciaient pas voir les jeunes traîner ailleurs qu'à l'école.

Seth n'arrivait pas à penser à autre chose qu'aux deux hommes. Pourquoi madame Gilman ne leur demandait-elle pas de quitter sa cour comme elle l'avait fait des centaines de fois lorsque ses voisins osaient mettre leur nez dans son jardin ? Seth n'y voyait aucune logique. Si ces hommes connaissaient réellement Gilman, pourquoi ne se réfugiaient-ils pas dans la maison pour échapper à cette chaleur étouffante ?

— Tu vas bien, Seth ? s'inquiéta Joanne. D'habitude tu parles avec nous, mais là tu sembles distrait.

— Je vais bien, mentit Seth. C'est juste que les Bilans m'inquiètent un peu.

— Moi aussi, avoua Tommy. Plus qu'une semaine de cours… en fait, deux jours de classe et trois d'examens ! Ensuite *hop !* les vacances !

— Moi, j'ai peur de rater l'examen de mathématiques...

Tommy et Seth échangèrent un regard puis roulèrent les yeux.

— Tu ne vas pas nous refaire le coup du «j'ai-peur-sans-aucune-raison-valable», j'espère, s'exaspéra Tommy.

— Mais...

— Joanne, soupira Seth, tu t'inquiètes chaque année! Et ta plus basse note à un Bilan a été de 93 %!

— Quelle mauvaise note, ricana Tommy. Avec ça, tu risques de finir ta vie comme la vieille Gilman!

Seth et Joanne éclatèrent de rire. Leurs voisins de table se tournèrent vers eux et leur lancèrent des regards désapprobateurs.

— Désolée, murmura Joanne.

L'heure fila et, bientôt, ce fut le moment pour les trois amis de retourner à l'école. Pour gagner du temps, Seth, Tommy et Joanne décidèrent de passer par le parc.

— Il fait beau, non? demanda Tommy.

— Ouais, fit Seth.

— Ne voudriez-vous pas rester ici pour l'après-midi?

— Tu veux dire..., s'indigna Joanne, tu veux dire *sécher les cours*!

Tommy hocha la tête. Bizarrement, Seth en avait envie. Son après-midi (éducation physique et anglais) allait être ennuyant, et le parc lui paraissait plus attrayant. Après tout, il n'avait jamais sécher un cours depuis sa première journée de classe; il pouvait bien se le permettre.

— Tu es fou? demanda Joanne. Les Bilans approchent; on ne peut pas manquer de cours!

— Pour se faire répéter tout ce qu'on a entendu tout au long de l'année, tu parles!

— Tommy! Que va dire ta mère quand...

— Elle n'en saura rien : l'école n'appelle plus à la maison. À moins que tu me dénonces.

Joanne luttait intérieurement. Seth la connaissait trop bien pour savoir qu'elle était bel et bien capable d'appeler la mère de Tommy pour tout lui raconter. Elle ne voulait pas nuire à Tommy ; elle s'inquiétait seulement de sa réussite. Au grand étonnement de Seth, Joanne répondit :

— Non, je ne vais pas te dénoncer, car tu vas le faire toi-même. Mais je t'en prie, n'invite ni Seth ni moi dans ta folie !

— Moi, j'ai le goût de sécher les cours.

— *Seth Langlois !*

Joanne était scandalisée. Visiblement, elle ne s'attendait pas à ce que Seth dise cela, mais plutôt à ce qu'il l'approuve.

— Dans ce cas, fit-elle, restez ici. Je vous préviens : ne me posez *pas* de questions sur ce que le professeur dira cet après-midi, d'accord ? Si jamais il donne une information essentielle à l'examen, vous vous en passerez !

D'un mouvement brusque, Joanne tourna le dos à Seth et à Tommy et partit vers l'école. Seth la suivit des yeux et il aperçut au loin la maison de madame Gilman. Par chance, il ne distinguait pas le balcon ; il ne pouvait donc pas voir les deux hommes étranges qui l'effrayaient.

— Parfois, je la trouve susceptible, dit Tommy.

— Je dirais plutôt perfectionniste.

— Tu gages combien que, si le professeur mentionne *réellement* quelque chose d'important, elle va nous le dire ?

— Je sais qu'elle va le faire.

— Alors, tu manques vraiment l'école avec moi ?

Seth analysa de nouveau la question. Si jamais ses parents l'apprenaient... Seth rit en son for intérieur. Ses parents se moquaient de lui, de toute façon. Tant qu'il ne tuait personne, eux, ils vivaient en accord avec les choix de leur enfant. Et, pour le peu de temps que Seth les voyait, il n'oserait pas se priver pour eux.

Encore ce matin, Seth s'était disputé avec sa mère. Celui-ci mangeait quand elle était entrée dans la cuisine.

— Bon matin, Seth.

Au même moment où Kim, sa mère, avait dit cela, le four à micro-ondes avait sonné, avertissant son père que son croissant était prêt. Le *bip* avait camouflé la réponse de Seth. Kim avait alors cru que Seth avait délibérément choisi de ne pas lui répondre. Elle s'était alors mise à lui faire tout un sermon. Au beau milieu, Seth lui avait coupé la parole :

— Bien sûr, maman, je suis un monstre, un *monstre*!

Maintenant qu'il avait 17 ans, Seth ne se gênait plus pour faire comprendre à ses parents comment il se sentait. Effectivement, depuis un bon moment, Seth avait l'impression d'être un monstre. Il avait seulement deux vrais amis, et ses parents ne s'occupaient pas de lui. De plus, ils s'amusaient à l'accuser de tous leurs malheurs. Seth en avait assez, mais il restait poli avec eux. Dans moins d'un an, il partirait en appartement et serait enfin libre.

— Oui, répondit Seth, je fais l'école buissonnière avec toi!

— Parfait! Où on va?

La question fatale. Maintenant qu'ils avaient plus de deux heures trente devant eux, Seth ne savait pas quoi en faire. Le mouvement des branches du buisson le plus près fit sursauter Seth. Un chat en sortit et s'avança lentement vers eux, se frotta sur leurs jambes et partit. Seth suivit le félin du regard. Il monta sur le balcon d'une maison, gratta sur la porte. Une dame vint lui ouvrir et le fit entrer.

Seth avait toujours voulu avoir un animal, mais sa mère prétendait être allergique. Seth doutait de cette affirmation : comment pouvait-on être allergique à toutes les bêtes à la fois?

Il n'osait cependant pas exprimer son point de vue devant ses parents. Seth préférait tout gober et attendre. Puis, quand quelqu'un s'échappait, il remettait la «vérité» sous le nez de la personne. Il attendait avec impatience le moment où sa mère dirait quelque chose du genre «Je suis allée à l'animalerie...» pour qu'il puisse répondre «Par chance que ton allergie ne t'a pas tuée!».

— On pourrait aller magasiner, suggéra Seth.

— Si tu avais proposé cela avant que Joanne nous fasse son petit discours, fit Tommy, elle aurait sûrement accepté de nous suivre.

— Peut-être. Mais elle nous aurait obligés à trouver une librairie.

Tommy éclata de rire.

— Avec Joanne, nous aurions atterri là, c'est sûr.

Les deux gars rebroussèrent chemin jusqu'à la rue principale. Ils examinèrent les commerces, de chaque côté de la route, avant de traverser. Seth, qui aimait la lecture, opta pour une pharmacie où on vendait des bouquins. Tommy accepta d'y aller sans broncher.

Une fois dans le magasin, Seth se dirigea immédiatement vers le rayon de livres et se mit à en feuilleter quelques-uns. Tommy, quant à lui, s'amusait à fouiner dans les rangées. Après un moment, il revint vers Seth avec deux ballons de plage coincés sous son t-shirt.

— Tu me trouves comment? avait demandé Tommy.

— Hideuse, vraiment!

La caissière s'esclaffa.

— Avez-vous un bikini pour aller avec ça? se moqua-t-elle.

— J'en cherche un, continua Tommy. Avez-vous des suggestions à me faire?

— Rayé blanc, rouge et bleu pour aller avec vos ballons.

Seth rit de plus belle. Avec Tommy, on ne s'ennuyait jamais.

Après être sortis de la pharmacie (Seth avait acheté cinq livres pour l'été), les garçons allèrent au club vidéo. Seth avait eu l'idée de faire une soirée cinéma.

— Quand? demanda Tommy.

— Ce soir, si tu peux.

— Mes parents ne sont pas au courant.

Seth sortit son cellulaire et le passa à Tommy.

Tommy ne perdit pas de temps et téléphona à sa mère, qui accepta qu'il aille dormir chez Seth.

— Mais est-ce que tes parents à *toi* veulent, Seth?

— Ils ne diront rien, tu les connais.

Seth regarda sa montre. Les cours allaient commencer dans cinq minutes. Un sentiment de culpabilité l'envahit. Il devrait être en classe. Au lieu de cela, il se pavanait d'un magasin à l'autre.

Au club vidéo, Seth et Tommy choisirent trois films : un d'action, un autre de style fantastique et un d'horreur.

— Les as-tu vus? demanda Tommy.

— Non, mentit Seth.

Oui, il les avait vus. Cependant, il adorait ces films. Et il savait que Tommy voulait les voir. Pourquoi ne pas faire plaisir à son ami?

Le temps filait, et les meilleurs amis s'amusaient. Ils allèrent dans un magasin pour acheter des ballons remplis d'hélium. Une fois de retour au parc, ils aspirèrent l'air des ballons et répliquèrent n'importe quoi avec leur nouvelle voix.

— *Si tu ne finis pas tes haricots, tu n'auras pas de dessert!*

— *Vous devez terminer la page 243 pour demain sans faute!*

— *Tais-toi, ou je vais prévenir ta mère!*

Ils pouvaient lancer les phrases les plus banales, mais ils riaient quand même. À un moment donné, Tommy imita même Joanne.

— *Je dois absolument aller à la bibliothèque pour emprunter le livre que j'ai lu 30 fois. Tu ne vas pas faire ça, n'est-ce pas ? Ta maman ne sera pas contente, crois-moi.*

Seth n'en pouvait plus. Il se roulait dans l'herbe en se tenant l'abdomen. Il avait des crampes tellement il riait. Pour une fois dans sa vie, il s'amusait réellement. Il n'avait jamais osé sortir de ce qu'il appelait sa « zone de confort ». Aujourd'hui, il flânait dans le parc au lieu d'être à l'école, en train d'inhaler de l'hélium avec son meilleur ami. Quoi rêver de mieux ?

Le chat que Seth avait aperçu plus tôt revint voir les garçons. Il se frotta une fois de plus contre leurs jambes avant de partir. Peut-être qu'il espérait qu'un des garçons se mette à jouer avec lui ? Tommy se laissa tomber sur l'herbe près de Seth.

— Trop bien comme après-midi, dit-il.

— Ouais, affirma Seth en regardant sa montre. Dommage qu'il ne reste que 30 minutes avant de retourner à l'école pour prendre l'autobus.

— Dommage. Il va falloir refaire ça ! Demain, peut-être.

— Je ne sais pas. Joanne marquait un point en disant que les professeurs pouvaient dire des choses importantes. Et si nous ratons ces informations, nous risquons d'échouer nos Bilans.

Tommy laissa échapper un gémissement et se coucha dans l'herbe.

— Parle pour toi ; moi, je les échoue déjà. Je ne comprends rien en mathématiques, ma production écrite en français est mauvaise…

— Ton oral était excellent !

— Bof.

Le plus gros défaut de Tommy était son manque de confiance en lui. Seth faisait tout ce qu'il pouvait pour l'encourager, mais si Tommy ne voulait pas s'aider, personne ne pouvait l'y contraindre.

— Ressaisis-toi, dit Seth, le pire qu'il puisse t'arriver serait de devoir suivre des cours d'été.

— Justement, je n'en veux pas.

— Alors force-toi à l'école pour passer tes examens. C'est simple, non?

Seth avait arraché un brin d'herbe sans s'en rendre compte et jouait avec. Il le passait entre ses doigts, le courbait, le tournait. Il s'aperçut de ce qu'il faisait seulement quand il eut brisé la brindille. Machinalement, sa main alla en chercher une deuxième.

De retour à l'école, Seth se dirigea immédiatement à son casier. À son grand étonnement, une douzaine d'élèves occupaient le corridor. Pour ne rien arranger, un enseignant parlait avec eux. Au début, Seth croyait qu'il les grondait. Mais non. Le professeur parlait de tactiques de golf avec les élèves. Un sourire aux lèvres, Seth ouvrit son casier. Même les enseignants ne se souciaient plus de voir les étudiants en cours : tout comme ces derniers, les enseignants avaient hâte aux vacances.

Seth prit son agenda et regarda son horaire pour voir quel cartable il pouvait rapporter à la maison. Il décida d'emporter ceux de français, de maths et de monde contemporain lorsque Tommy vint le retrouver, son sac à dos plein à craquer.

— As-tu vidé tout ton casier? demanda Seth.

— Ouais. Demain, je ne vais pas aux cours. À quoi ça sert si les professeurs nous enseignent ce qu'il faut savoir durant nos cours *réguliers*?

— Le problème, Tommy, c'est que demain on a encore des cours *réguliers*.

— Seth, ne dis pas de bêtise. Pense à demain. As-tu envie de venir à l'école ?

— Comme tous les autres jours de l'année, non.

— Pourquoi y aller, alors ? Écoute, quand nous allons arriver demain, et nous arriverons en même temps puisque je vais dormir chez toi, nous partirons pour une autre journée comme cet après-midi.

Au fond de lui, Seth en avait très envie. Que dirait Joanne lorsqu'elle l'apprendrait ? Téléphonerait-elle à ses parents pour tout colporter ?

— Nous devrions demander à Joanne si elle veut venir, non ? conclut Seth.

Si Joanne décidait de venir, ce qui serait surprenant, Seth ne risquerait rien : Joanne n'oserait pas appeler les parents de Seth puisqu'elle se dénoncerait du même coup.

— Si tu y tiens, soupira Tommy, visiblement peu convaincu.

La cloche sonna, et des bruits de pas vibrèrent dans les corridors. Seth vit les portes s'ouvrir, et les étudiants se précipitèrent dans le passage. Tous étaient épuisés. Leurs visages exprimaient tous la même chose : plus qu'une seule journée de cours avant les épreuves de fin d'année, puis les vacances.

Tommy et Seth allèrent attendre Joanne à son casier. Quand elle arriva, Joanne fit bien attention de ne pas croiser leur regard.

— Alors ? fit Tommy.

— Alors quoi ?

— On a manqué quelque chose ?

Joanne réfléchit un moment avant de répondre.

— De jugement, je crois.

— De quoi parles-tu ?

— Vous avez manqué de jugement et décidé de sécher les cours, voilà de quoi je parle. Si les professeurs avaient donné…

— Si? coupa Seth. Tu avoues donc qu'ils n'ont rien mentionné d'important, je me trompe?

Joanne ouvrit grand les yeux. Elle ne voulait rien avouer aux garçons, mais elle venait d'en révéler trop. Elle s'empara de quelques cartables et les fourra dans son sac. Après trois essais, tellement elle était enragée contre elle-même, elle réussit à verrouiller son casier.

— Bonne soirée, cracha-t-elle avant de partir sans leur adresser un dernier coup d'œil.

— Parfois je me demande ce qui lui passe par la tête, confia Tommy quand il fut sûr que Joanne ne pouvait plus l'entendre.

— Allez, viens.

Seth et Tommy montèrent dans l'autobus. Ils s'installèrent sur un banc et, malheureusement pour Seth, le soleil plombait sur son visage. Il leva une main en visière et eut une très nette vision de la maison de la vieille Gilman. Toujours assis sur le balcon, les hommes fixaient intensément Seth. Pourtant, ce dernier était loin d'eux. Comment pouvaient-ils le voir? Surtout qu'il se trouvait dans l'autobus! Seth en avait la chair de poule.

*

L'autobus s'ébranla quand le chauffeur le mit en marche, et ils partirent. Les deux hommes ne quittèrent pas le garçon des yeux jusqu'à ce qu'il disparaisse. À ce moment-là, le plus petit regarda celui aux cheveux blancs.

— C'est lui?

— Oui.

Le petit homme regarda celui qui lui avait tant appris. Comment pouvait-il croire que ce jeune étudiant était l'un des leurs ?

— Wilson, vous devez vous tromper.

— Je vous en prie, Gary, appelez-moi par mon prénom.

Le dénommé Gary roula des yeux.

— Craig, dans ce cas, corrigea-t-il d'un ton brusque, perdant patience. Le Monstre-ô-mètre s'est sûrement trompé.

Craig Wilson claqua la langue en secouant la tête.

— S'il y a une chose certaine sur cette planète, c'est bien que le Monstre-ô-mètre ne peut *pas* se tromper.

La porte de la maison s'ouvrit, et madame Gilman sortit la tête.

— Monsieur Wilson, dit-elle, j'ai un téléphone pour vous.

Wilson se leva et entra dans la demeure, laissant Gary seul dehors. Gilman resta sur le seuil de la porte. Elle ne voulait déranger ni Wilson ni Gary.

Après un moment, Wilson ressortit et remercia chaleureusement Gilman.

— Ça ne fait rien, voyons, fit-elle, s'empourprant.

— De toute façon, Gary et moi étions sur le point de partir. Nous ne vous dérangerons pas plus longtemps…

— Partir ? *Déjà* ? Je vous en prie, restez pour le souper, ça ne me dérange aucunement.

— J'insiste, madame Gilman. Vous nous avez été d'une aide inestimable, aujourd'hui.

Gilman gloussa.

— Je vous ai *aidés* ? Rien de plus facile : vous avez seulement emprunté mon balcon pour la journée. Après tout ce que vous avez fait pour moi, je ne pouvais pas vous le refuser.

— Mais nous devons *vraiment* y aller, pressa Gary, les dents serrées.

— Toujours le même, Gary, n'est-ce pas ? souffla Gilman, le regard désapprobateur. J'aurais cru que l'âge vous aurait apporté la sagesse. Mais non. Cette qualité est strictement réservée pour vous, monsieur Wilson.

Wilson hocha lentement la tête.

— Ne soyez pas modeste ! dit Gilman avant qu'il puisse dire quelque chose. Si ce n'était de vous, je crois que Monstrum ne serait pas ce qu'il est devenu.

— Il serait peut-être meilleur, approuva Wilson.

— Meilleur ? J'en doute.

Gary sentait sa patience s'effriter.

— On peut y aller, Craig ?

— Oui, oui.

— Il m'est impossible de vous retenir, si je comprends bien.

— C'est exact, Anne.

Fatigué de ce bla-bla sans fin, Gary attrapa Wilson par le bras et le tira vers les marches en lançant un « Au revoir, Gilman, et merci ! » par-dessus son épaule. Une fois dans la rue, ils s'assurèrent de s'éloigner suffisamment avant de reprendre leur conversation.

— Qui était-ce, au téléphone ? voulut savoir Gary.

— Alicia.

— Quoi ? Elle vous appelait d'où ?

— Du Sanctuaire, quelle question ! Où voulez-vous qu'elle soit ?

— J'ignorais que vous aviez installé des téléphones à Monstrum.

Wilson soupira. Il croisa les bras et se mit à analyser le paysage. Gary était un homme très borné. Il n'acceptait pas que les temps changent et qu'il faille s'y adapter.

— Oui, Gary, j'ai installé un seul téléphone à Monstrum. De cette manière, les nouveaux peuvent appeler leurs parents pour les rassurer, pour éviter qu'ils s'inquiètent.

— Pour éviter qu'ils s'inquiètent… Ne pas leur révéler la vérité ne les inquiète pas, vous croyez ?

— Nous ne leur cachons pas la vérité, nous la camouflons temporairement. C'est à la personne concernée de choisir quand la divulguer, rien de plus. Nous ne voulons pas traumatiser nos jeunes gens, vous le savez très bien, Gary.

Le petit homme soupira. Il avait appris cette dernière règle à sa première année d'enseignement à l'école du Sanctuaire Monstrum. Cette année-là, un jeune garçon s'amusait à effrayer toute sa classe. Gary, quant à lui, avait décidé de donner une leçon au gamin. Il était allé chercher les parents du garçon et les avait emmenés au Sanctuaire. Quand les parents avaient vu ce qu'était réellement l'Académie Magistrale, ils avaient aussitôt voulu ramener leur fils à la maison. Wilson avait eu beaucoup de travail cette journée-là. Faire comprendre la situation à des parents n'était jamais facile.

— Est-ce que les parents sont au courant pour le… *voyage* de leur enfant ? s'empressa de demander Gary, voulant absolument changer de sujet.

— Alicia leur a téléphoné pour leur dire que leur fils décrochait des notes assez fortes pour être admis à l'Académie Magistrale.

— Ils ont mordu à l'hameçon ?

— Comme des centaines d'autres.

— Je n'en reviens toujours pas : de la technologie à Monstrum.

Wilson se gratta pensivement le menton.

— L'ère que nous avons connue est révolue, Gary. Les Monstres ont droit au même confort que les Humains.

— À vous écouter parler, Craig, on croirait que les Monstres sont identiques aux Humains !

— C'est exact. Nommez-moi une différence.

Gary ouvrit grand les yeux.

— Vous plaisantez, j'espère ? Une différence ? Laissez-moi y réfléchir. Ah, ça y est ! Peut-être parce qu'à Monstrum, il y a des centaures, des hommes ailés, des animaux mutants et toutes sortes de créatures que l'on rencontre habituellement dans les contes pour enfants ! Voyons, Craig, vous pensez vraiment que nos deux mondes ne sont pas différents ?

— En apparence, oui. Mais au fond, chaque Monstre, comme chaque Humain, a une vie à vivre.

Gary prit une profonde inspiration. Ce que Wilson disait correspondait exactement à l'idéologie d'une ancienne association qui avait menacé de détruire le monde entier.

— Craig, soutenez-vous l'idéologie de... la Secte des Cauchemars ?

— La Secte des Cauchemars ? Pas du tout ! Je prétends que les personnes ne sont pas différentes, pas que nous devons unir les deux mondes, loin de là.

Gary parut soulagé. Le souvenir de la Secte des Cauchemars, à lui seul, suffisait à le terrifier. Il y avait à peine 40 ans, la Secte avait presque atteint l'apogée de ses pouvoirs et s'apprêtait à révéler au monde des Humains l'existence des Monstres. Si cela devait se produire un jour, les Humains déclencheraient assurément une guerre pour tuer tous ceux qui ne se conformaient pas à leurs normes : deux bras, deux jambes, deux yeux, un nez, des cheveux, deux oreilles, etc. L'ennui était que peu de Monstres répondaient à ces critères.

— La Secte est bel et bien éteinte, au moins, souffla Gary, cherchant l'approbation de Wilson pour être rassuré.

— Peut-être. Mais rappelez-vous, mon cher Gary, que n'importe qui peut reprendre leur idéologie et replonger le monde des Monstres dans le chaos.

Gary devint aussi blême qu'il était possible de l'être. Wilson lui tapota l'épaule (il eut même besoin de se pencher pour y arriver) dans l'espoir de rassurer son ami.

— Pour l'instant, elle est disparue, oui.

— Ce n'est qu'une question de temps, devina Gary.

— De temps, oui. Cette fois, nous serons prêts et couperons l'herbe sous les pieds de ces vauriens. Ne t'inquiète pas, Gary, nous y arriverons.

Une dame, qui entretenait son jardin, dévisagea les deux hommes. Elle avait dû les entendre parler et trouvait leur conversation assez étrange.

— Bonjour, madame, lança poliment Wilson.

La femme ne répondit rien. Elle retourna à ses légumes et continua à arracher les mauvaises herbes qui empêchaient ses carottes de pousser. Gary garda le silence jusqu'à ce qu'ils aient distancé la jardinière.

— Quand allons-nous chercher le nouveau Monstre?

— Selon mes sources, on ne peut pas avant samedi. Il doit d'abord terminer ses cours ici. Nous ferons alors croire aux parents que l'Académie Magistrale ne se soucie pas des examens de fin d'année et qu'elle accepte leur fils. Cela nous donne au moins une semaine pour apprendre de quel type de Monstre il s'agit.

— S'ils refusent? S'ils refusent de nous envoyer leur fils?

Sur leur droite, un homme sortit de sa maison, les clés de sa voiture en main. Par prudence, Wilson se tut. Mieux valait ne pas attirer l'attention du voisinage sur eux. Une poursuite policière ne serait pas la bienvenue. L'homme arriva à sa voiture, entra à l'intérieur en claquant la portière excessivement fort et fit vrombir le moteur un moment avant de partir à toute vitesse. Wilson put répondre :

— Nous le prendrons de force, dans ce cas. Un Monstre ne peut pas rester en liberté dans le monde des Humains tant qu'il n'a pas suivi sa formation.

— L'avez-vous regardé comme il faut, bon sang ? Il n'a rien de particulier. Je crois sincèrement que le Monstre-ô-mètre a fait erreur.

— J'ai été clair sur ce point ; n'en parlons plus.

Wilson sentit une vibration dans sa poche. Gary le regarda, les sourcils levés.

— Pas un cellulaire, j'espère !

Non, il ne s'agissait pas d'un cellulaire. Wilson fit signe à Gary de le suivre. Ensemble, ils trouvèrent une cachette dans une haie. Quelques mégots de cigarettes par terre laissaient entendre qu'ils n'étaient pas les seuls à connaître cet endroit.

— Ces humains sont malpropres, commenta Gary.

Wilson sortit un miroir de sa poche. Les côtés de l'objet émettaient une lueur bleue. Au centre, Wilson vit son visage : une face de singe poilue blanche.

— Miroir, miroir, murmura le vieil homme, connecte-moi à celui qui essaie de me rejoindre.

Toute la surface du miroir devint bleue, et le visage de singe changea pour se transformer en celui d'une femme à la peau claire. Ses oreilles pointues et ses yeux mauves firent sourire Wilson.

— Alicia, dit-il. Tout va bien ?

— Oui, monsieur Wilson.

— Pourquoi m'appelles-tu ?

Alicia déglutit.

— Le Monstre-ô-mètre m'affiche un autre Monstre. Vous imaginez ? Deux en une journée ! Ce n'était plus arrivé depuis un siècle !

— Ouais, maintenant, c'est un par année, si on est chanceux, souffla Gary.

— C'est une fille, continua Alicia en ignorant parfaitement l'intervention. Son nom est Fay. Elle habite à environ 200 kilomètres de vous.

Wilson hocha la tête.

— Est-ce que le Monstre-ô-mètre a détecté son anomalie ?

— Oui. Des ailes lui ont poussé dans le dos cet après-midi. Comme à tous ceux à qui c'est arrivé, elle n'a rien senti et n'est pas au courant. J'ignore comment vous allez faire, monsieur Wilson.

Gary soupira devant l'ampleur de leur tâche.

— Il ne faut pas attendre pour elle, conclut-il. Dès ce soir, avant d'aller au lit, elle découvrira ses ailes, et tout le voisinage sera au courant en moins de deux !

— Dois-je connecter votre miroir à celui de la jeune Fay ? demanda Alicia.

— Oui, s'il vous plaît, dit Wilson.

Pendant un moment, l'image d'Alicia se brouilla. Gary croisa les bras. D'un coup de pied, il envoya valser un mégot de cigarette hors de leur cachette.

— Vous avez une idée, Craig ?

— Des tonnes. Mais je ne sais pas laquelle choisir. Peut-être le fameux enlèvement.

— Vous savez très bien que cette tactique n'est pas appréciée. Les parents se feront un sang d'encre pour leur enfant et envisageront le pire alors que Fay sera en sécurité avec nous.

— Dans ce cas, nous dirons la vérité aux parents sans tarder. Si nous leur assurons que nous sommes en mesure d'aider leur enfant, ils accepteront certainement de nous laisser partir avec elle.

— Peut-être. Ou alors ils voudront faire appel à la médecine pour régler l'anomalie de leur fille.

— Nous leur expliquerons que, s'ils font ça, Fay mourra.

Alicia réapparut sur l'écran.

— La connexion est établie, monsieur Wilson. Vous avez encore quelques minutes de repos : Fay n'est pas encore rentrée de l'école.

— Vous imaginez si elle avait fini sa journée en éducation physique ? railla Gary.

— Très bien ; merci, Alicia.

— Il n'y a pas de quoi, monsieur Wilson. Si je peux encore vous être utile, ne vous gênez pas.

— Pour l'instant, non. Merci quand même.

Alicia s'apprêta à disparaître du miroir lorsque Wilson l'interpella.

— Alicia ?

— Oui ?

— Est-ce que les étudiants sont bruyants ? Habituellement, quand je ne suis pas là…

— Non. J'avoue cependant qu'ils sont un peu excités à l'idée d'avoir bientôt de nouveaux amis. Le seul qui reste indifférent à tout cela est Pachyderme. Vous le connaissez ; il reste dans son coin et n'interagit avec personne. J'ai hâte qu'il s'intègre.

— Avec une trompe d'éléphant à la place du nez, ce n'est pas facile, fit valoir Gary.

— Tout de même, répliqua Alicia. Il est comme ça depuis la naissance. Et il va débuter l'école bientôt !

— Il ne l'avait pas commencée ? interrogea Wilson.

— Oui, en Accueil. Il devait s'intégrer au groupe, ce qu'il n'a pas fait. Les vrais cours pour lui débuteront au mois de septembre avec les deux nouveaux Monstres.

— Alicia, coupa Craig Wilson, pourrais-tu me montrer la chambre de Fay ?

— Bien sûr.

La surface de l'objet miroita encore une fois, et le visage d'Alicia disparut, faisant place à l'image d'une pièce peinte en rose avec des affiches partout sur les murs. Gary analysa également la chambre, à la recherche d'indices pour attirer la jeune fille.

— Tu sais, dit Gary, si quelqu'un passait et voyait le miroir, il croirait que c'est de la magie.

— Il n'aurait pas tout à fait tort. Mais le terme « magie » n'est peut-être pas le meilleur. Tu vois quelque chose ?

— Nous pourrions improviser, pour une fois. Regarde par toi-même ; il n'y a rien qui donne des idées !

— Tu as raison. Va pour l'improvisation. Et ne te trompe pas dans nos mensonges.

— Alors on cache la vérité, à présent ? Je croyais qu'on ne faisait pas cela.

La chambre s'estompa peu à peu, et Alicia réapparut.

— Conclusion ? voulut-elle savoir.

— Improvisation, lança fièrement Gary.

— Plus de travail, fit remarquer Alicia. Au moindre soupçon, elle ira prévenir la police.

Wilson toussota.

— Résumons, reprit Craig : nous allons leur dire la vérité sur la situation et improviser au sujet de ce que nous ne voulons pas aborder pour l'instant. Il faudra aussi s'inventer une identité ; sinon ils essaieront de nous retracer si quelque chose va de travers.

— Juste, approuva Gary. Mon Dieu, je me sens comme un vrai malfaiteur !

— C'est un peu ça, aussi. Nous enlevons ceux qui peuvent perturber la société pour que tous puissent vivre heureux.

Alicia cogna dans le miroir.

— Quand reviendrez-vous à Monstrum ?

— Ce soir, évidemment. Gary et moi en avons pour quelques heures tout au plus. Nous reviendrons samedi pour le cas du petit Seth.

— Parfait. À plus tard.

Le miroir clignota une dernière fois, et le visage du singe réapparut. Wilson serra l'objet dans sa poche.

— Pour Fay, remarqua Gary, je veux bien croire qu'elle va accepter de venir. Mais pour ce qui est de Seth, j'en doute.

— Nous lui laisserons tout l'été avec ses amis, s'il le demande. S'il veut partir maintenant, il viendra. Une chose est sûre : ne jamais prononcer le mot *monstre* devant Seth et sa famille. Ses parents croient que nous sommes les représentants de l'Académie Magistrale et que nous venons pour évaluer Seth de nos propres yeux.

— Ils ont vraiment cru ça ?

— Disons qu'on a embelli la phrase pour qu'ils ne saisissent rien. Comme d'habitude, les parents ont accepté, trop heureux que leur enfant aille immédiatement à une Académie.

— Ils ne trouvent pas cela étrange ?

— Dites-moi, Gary, qu'est-ce qui n'est pas étrange dans ce monde ? J'aimerais bien le savoir…

Une étrange journée

Seth et Tommy descendirent de l'autobus juste devant la maison de Seth. En fait, il s'agissait d'un manoir. Les parents de Seth étaient riches, et c'était pour cette raison que la plupart des gens voulaient être amis avec Seth : il avait de l'argent. Alors, à tous ceux qui prétendaient que l'argent ne faisait pas le bonheur, Seth leur riait au nez : la richesse faisait le bonheur. C'était vrai ; si une personne n'avait pas les moyens, elle ne trouvait pas son bonheur dans une télévision à écran plat, mais si elle le pouvait, elle ne se privait pas.

Des fleurs exotiques entouraient l'entrée pavée qui menait jusqu'au garage. Au-dessus de la porte d'entrée en chêne, en lettres dorées, on lisait : « *Le Manoir Langlois* ». Seth monta les marches de marbre et entra dans sa demeure avec son ami.

Imperméable à ce décor, qui ressemblait à un paradis pour les autres, Seth entra dans sa maison avec Tommy. Le plancher en pierre noire du hall d'entrée laissait toujours les invités sans voix. Devant eux, un grand escalier montait vers le deuxième étage. Au-dessus de leur tête, un énorme lustre de cristal pendait tout en réfléchissant la lumière du soleil. La garde-robe était ouverte. Seth enleva ses chaussures et les y lança. Tommy, plus poli, les délaça et les posa devant la garde-robe. Seth s'approcha d'une table de chevet où un petit mot l'attendait.

Je suis dans la cour arrière.
Si tu as faim, il y a de la tourte dans le fourneau.
Sinon, j'apprécierais que tu m'aides.

Maman

Seth fit lire le mot à Tommy, qui hocha la tête. Les garçons abandonnèrent leur sac à dos par terre, près de la table d'appoint, et suivirent un long couloir. Le plancher de céramique grise s'agençait bien aux peintures accrochées tout au long du mur. Seth aimait bien appeler ce corridor le « Couloir de la Mort ». Chaque fois qu'il passait par là, Seth sentait la détresse l'envahir. La couleur grise lui faisait toujours cet effet ; ce n'était pas sa faute.

Ils arrivèrent dans la salle de séjour. Seth s'éternisait rarement là. Il n'avait rien à faire dans cette pièce. Les étagères de livres l'attiraient, mais ses parents lui refusaient l'accès à ces œuvres. Il le croyait trop jeune pour lire des livres de cette envergure.

Seth ouvrit la porte-patio et vit sa mère à quatre pattes en train de s'occuper de ses fleurs.

— Seth ! s'exclama Kim.

— Maman, coupa Seth. Tommy est ici. Est-ce que ça dérange ?

— Pas du tout. Vous êtes venus m'aider ?

— En fait, j'étais venu te prévenir. Nous allons souper, d'accord ?

— D'accord.

Seth referma la porte et retourna dans le fameux corridor suivi de près par Tommy.

— Trop cool ta mère, dit Tommy.

— *Cool*? Simplement quand il y a des invités. Si tu n'avais pas été là, elle m'aurait obligé à l'aider, même si j'étais sur le point de mourir de faim.

— Tu exagères.

— Je ne crois pas.

C'était le problème avec les «amis à la maison». Chaque fois qu'ils rencontraient les parents de Seth, ils ne comprenaient pas pourquoi Seth se plaignait. La réalité restait tout de même évidente pour Seth : ses parents étaient plus préoccupés par l'apparence de la maison, par leur fortune et par leur bien-être personnel que par leur fils. Parfois Seth se surprenait à se demander pourquoi ses parents avaient voulu avoir un enfant si ce n'était pas pour l'aimer et s'en préoccuper. N'était-ce pas le rôle des parents? Prendre soin de son enfant et l'aimer, voilà ce qui devait être primordial dans une famille normale. Pas chez les Langlois.

Les deux jeunes hommes arrivèrent dans la cuisine. Il y avait un énorme fourneau et beaucoup d'armoires. Tous les appareils électroniques existants apparaissaient sur les comptoirs ici et là. Seth serait surpris d'apprendre qu'ils avaient tous été utilisés. À son souvenir, pas plus de 10 % des appareils dans cette salle avaient été utilisés une fois. Tel que promis, la tourte était dans le fourneau. Seth la sortit, s'empara de deux assiettes et des ustensiles, servit Tommy avant lui, et ils commencèrent à manger assis sur un banc, se servant du comptoir comme d'une table.

— On ne va pas dans la salle à manger? demanda Tommy.

— On pourrait. L'ennui est que la salle à manger offre une belle vue sur la cour arrière. Si ma mère nous aperçoit quand nous aurons fini de manger, nous serons obligés d'aller l'aider.

— Ça ne me dérange pas.

— Tu veux écouter les trois films ou la moitié d'un, car nous aurons perdu notre temps dehors?

Tommy ne répliqua pas. Ils mangèrent leur part de tourte en silence. Quand il eut terminé, Seth prit les assiettes et les ustensiles et alla les rincer dans l'évier avant de les ranger dans le lave-vaisselle.

— Ma mère serait stupéfaite de voir un homme faire ça, ricana Tommy.

Ils décidèrent d'aller dans la chambre de Seth qui se trouvait au deuxième étage. Ils s'apprêtaient à commencer un film quand la porte de la chambre s'ouvrit à la volée. La mère de Seth, couverte de terre, entra sans s'annoncer.

— J'ai oublié de te dire, fit-elle. J'ai reçu un appel aujourd'hui, et tu es admis à l'Académie Magistrale.

— La quoi? s'étonna Seth.

— L'Académie Magistrale. Des représentants viendront vendredi soir pour nous expliquer en détail ce qu'est l'Académie. Donc, ne prévois rien pour vendredi. Et merci beaucoup pour ton aide.

Elle referma la porte au moment où Tommy se tournait vers Seth.

— L'Académie, vieux! Tu rentres déjà à l'Académie!

— Je trouve ça louche. Tu en connais beaucoup des gars de 17 ans qui vont à l'Académie?

— Non. Tu seras le premier!

Ils commencèrent leur film, l'Académie Magistrale loin de leurs pensées. Non, ce qui inquiétait le plus Seth était les deux hommes qu'il avait aperçus chez madame Gilman. Leur visage s'était gravé dans sa mémoire, et il ne pouvait penser à autre chose. C'en était presque une obsession. Pourquoi le regardaient-ils comme cela ? Pourquoi madame Gilman ne les chassait-elle pas ? Que voulaient-ils ? Tant de questions, mais si peu de réponses.

Les films finirent à 23 h. Tommy et Seth n'étaient pas du tout fatigués. Pour cette raison, ils restèrent debout une bonne partie de la nuit à se raconter des histoires de peur. Après un moment, Tommy demanda :

— Tu as le numéro de téléphone de Joanne ?

— Oui.

— Pourquoi on ne l'appelle pas ?

— À cette heure-ci ? Tu es malade ? Elle va vouloir nous tuer, c'est certain ! N'oublie pas qu'elle compte passer la journée à l'école demain. Ne la mets pas en rogne pour rien.

— Tu as peut-être raison...

Seth se mordilla la lèvre inférieure. Depuis un moment, déjà, la relation entre Tommy et Joanne l'agaçait un peu. Ce fut plus fort que lui, et il demanda :

— Seriez-vous amis si je n'étais pas là ?

— Je ne sais pas. Tu es un peu comme la colle qui unit Joanne et moi. Si nous ne t'avions pas rencontré, nous ne nous serions jamais parlé. Un coup de chance, j'imagine.

Le visage de Tommy s'assombrit. Seth se sentait un peu mal à l'aise d'avoir demandé cela.

— Tu connais l'histoire du monstre du Loch Ness, j'imagine, dit-il pour changer de sujet.

— Le mythe, tu veux dire, répliqua Tommy, soupirant de bonheur à l'idée de changer de sujet. Oui, je le connais. Il faut vraiment être imbécile pour croire à ça !

— J'y croyais quand j'étais jeune !

— Moi aussi. Mais maintenant je sais que rien de tout cela n'est réel. Un *monstre*! Tout le monde sait que les monstres n'existent pas.

— Attention, il y en a peut-être un en dessous de mon lit!

Ils éclatèrent de rire.

— Avec de la bave et des dents pointues?

— Oui. Il ressemble à la vieille Gilman! Sans maquillage, je veux dire!

— Là c'est vrai : c'est un monstre!

Les plaisanteries sur madame Gilman faisaient partie du quotidien de tous les étudiants de leur école. Gilman, surnommée affectueusement «la vieille», leur tapait tellement sur les nerfs que tous se moquaient d'elle. La pauvre vieille femme n'en savait rien et serait sans doute blessée d'apprendre tout ce qui se racontait sur elle, mais personne n'osait lui dire. De toute façon, elle ne laisserait personne l'approcher. À moins que...

Le lendemain, Seth et Tommy se préparèrent pour leur deuxième journée d'école buissonnière. Seth ne comptait pas aller à l'école, et ce, même si Joanne y allait et le suppliait d'en faire autant. La dernière journée de cours n'était jamais importante, de toute façon : les professeurs laissaient le cours libre et s'occupaient d'autres paperasses pour un projet d'été ou quelque chose comme ça. Un projet d'été...

Une idée s'empara de Seth. Oui, il lui fallait un projet d'été. La main suspendue dans les airs avec sa rôtie, il regarda pensivement Tommy et annonça :

— Tu as envie de faire quoi, cet été?

Tommy fut un peu pris au dépourvu.

— Cet été? Je ne le sais pas. Toi?

— On pourrait aller en voyage. Cuba, ça te tente?

— Trop, vieux!

— Il faudra demander à Joanne si elle veut venir aussi. Je ne veux surtout pas qu'elle se sente mise de côté. Comme tu l'as dit hier, elle est susceptible.

Une fois à l'école, les deux gars ne partirent pas immédiatement. Ils attendirent que Joanne arrive avant de la rejoindre à son casier.

— Joanne, soupira Seth, un peu nerveux, nous avons deux propositions à te faire.

— Oui?

— Tu veux venir à Cuba avec nous cet été?

— Quoi?

— Tu veux venir à Cuba avec nous cet été?

Joanne fit la moue.

— J'avais compris, Seth; c'est juste que je ne le sais pas. Je veux dire… je n'ai pas l'argent pour ça.

— Je vais te payer le voyage, comme je vais payer celui de Tommy.

— Non! Je ne veux pas que tu…

— Pourquoi? J'ai une fortune qui n'attend qu'à être dépensée.

Joanne se mordit la lèvre inférieure. Elle cherchait une excuse.

— Nous partirions seulement nous trois?

— Seulement nous trois.

— Mais Seth, ne faut-il pas être accompagné d'un adulte?

— On a 17 ans, Joanne. Mon père viendra nous conduire à l'aéroport, et je crois que c'est suffisant.

— Je… dans ce cas… pourquoi pas! Ce pourrait être amusant. C'est quoi la deuxième proposition?

Cette fois, ce fut Tommy qui prit la parole.

— Tu sèches les cours avec nous?

— Pas question!

— Allez, Joanne, supplia Seth. C'est notre dernière année. Ce sera ton baptême en la matière.

— Ouais! En plus, on a toutes sortes de choses à te raconter!

— Comme quoi?

— Bah... Seth s'en va à l'Académie.

Joanne ouvrit grand les yeux.

— C'est impossible. Comment as-tu...?

— Tu dois venir avec nous pour le savoir.

Se dandinant d'un pied à l'autre, Joanne réfléchissait. Elle n'avait jamais enfreint le règlement. Ce serait une première. Elle savait également que les professeurs ne donneraient pas de notions aujourd'hui puisque la plupart des étudiants ne se présenteraient pas à leur cours.

— Vous me le payerez cher un de ces jours.

— Tu viens?

— Oui.

De peur que Joanne ne change d'idée, Tommy et Seth la tirèrent hors de l'école et l'emmenèrent au parc. Une trentaine d'élèves y traînaient déjà.

— Explique-moi cette histoire d'Académie, s'empressa d'exiger Joanne.

— Mes parents ont reçu un appel, hier. Je suis admis à l'Académie Magistrale.

— L'Académie Magistrale? Tu sais ce que c'est?

— Non.

Devant le regard sceptique de Joanne, il s'empressa d'ajouter :

— Je trouve ça louche également. N'empêche qu'un représentant va venir chez moi samedi pour tout m'expliquer. J'en saurai plus à ce moment-là.

— Tu nous expliqueras, dans ce cas.

— Ne t'inquiète pas, vous serez les premiers informés.

Ils reprirent leur chemin vers un petit restaurant chaleureux, qui dégageait une sublime odeur de café lorsqu'on s'aventurait trop près, pour s'acheter quelque chose à boire. Seth entendait Joanne marmonner Académie... Académie Magistrale... Académie... Visiblement, Joanne avait de la difficulté à avaler cette histoire. Seth aussi, d'ailleurs. Comment une Académie pouvait-elle accepter un jeune de 17 ans ? C'était étrange. Même très étrange.

Ils commandèrent trois jus d'orange pour emporter. Le soleil plombait sur la ville, et ils ne voulaient pas rester enfermés dans un restaurant. Leur jus en main, ils retournèrent au parc, désormais vide, et s'assirent sur un banc pour déguster leur boisson. Contrairement à Tommy, qui buvait d'énormes gorgées, Joanne et Seth sirotaient le contenu de leur verre en carton.

— Belle journée, vous ne trouvez pas ? fit Tommy en lançant son gobelet près d'une cachette dans la haie.

— Je continue de croire qu'on devrait être à l'école. À cette heure, nous serions en chimie.

— Justement, la chimie ou se la couler douce, le choix n'est pas difficile. Pas vrai, Seth ?

— Vrai. Joanne, tu ne vas pas mourir. Dis-toi que nous soulignons la fin de notre année. Bientôt, nos vies prendront un autre tournant, et nous repenserons à cette journée en riant, je te le jure.

— En riant ou en pleurant ? Car en ce moment, la deuxième option me semble plus réaliste.

Les bras croisés, Joanne observait au loin. Seth suivit son regard et vit le même chat qu'hier. Il s'approchait d'eux d'un pas joyeux. Cette fois, il se colla seulement sur Seth, comme s'il l'avait toujours connu.

— Ce chat est en manque d'affection, ricana Tommy.

— Ou d'éducation, répliqua Joanne.

— Ne me dis pas qu'on va finir comme ça pour une simple journée, Joanne. Ça n'a pas de sens.

— Je...

— Silence, vous deux! Ça ne vous est jamais arrivé de discuter *normalement*?

— Si, une fois, ironisa Tommy. Au téléphone.

— Sauf que je t'ai raccroché la ligne au nez.

Seth se prit la tête à deux mains. S'ils ne se taisaient pas, il allait hurler à mort. Il avait imaginé une belle journée tranquille à rire avec ses amis, au lieu de quoi ses amis s'obstinaient sur des sujets qui ne méritaient même pas qu'on s'y attarde.

— Ah! les *femmes*, marmonna Tommy. Elles doivent *toujours* avoir le dernier mot.

— Tommy, tu es une femme?

— Joanne!

Seth en avait plus qu'assez, mais il ne put contrôler le sourire qui s'étira sur son visage. La réplique de Joanne était trop bien placée. Surtout que Tommy ne savait pas quoi répondre. Les yeux grands ouverts, la bouche à moitié fermée, on aurait dit un hibou qui risquait de tomber de sa branche à tout moment. Devant l'expression de son meilleur ami, Seth éclata de rire. Joanne ne se retint pas non plus, et Tommy les imita.

Quand leur fou rire fut passé, Joanne et Seth terminèrent leur jus, et ils décidèrent d'aller magasiner un peu. Seth devait rapporter les films au club vidéo (ce qui ne prit que quelques minutes), et Joanne voulait absolument aller à la librairie du coin.

— Je te l'avais dit, fit Tommy à l'adresse de Seth.

L'avant-midi passa extrêmement vite. Seth prit promptement goût à cette journée. Personne ne venait lui poser des questions ridicules en espérant devenir son ami pour profiter de son argent. Il vivait enfin une journée comme un garçon de son âge était censé la vivre. Tout semblait aller pour le mieux pour Seth.

Joanne s'était acheté quatre livres d'études. Un sur les sciences, un autre sur l'art des mathématiques, et les deux derniers sur les phénomènes paranormaux. Seth trouvait cette situation assez amusante : il ne croyait ni aux fantômes ni aux esprits. Selon lui, il ne s'agissait que d'une simple hallucination de la part de ceux qui ne savaient pas gérer leur imagination. Même que Seth avait toute une théorie là-dessus.

À son avis, le cerveau devait avoir une sorte de cavité réservée exclusivement à l'imagination. Cette cavité agissait un peu comme un réservoir. Plus le réservoir se remplissait, plus la personne était apte à imaginer des choses, soit pour écrire, pour peindre, ou pour toute autre forme d'art, d'ailleurs. Par contre, ceux qui n'utilisaient pas leur créativité risquaient une inondation d'imagination dans leur crâne. À ce moment-là, la créativité entrait en contact avec le subconscient, et les deux se mélangeaient pour ne plus faire qu'un. Les personnes se mettaient à voir des gens qui faisaient partie de leur passé ou qui étaient le fruit de leur imagination. Mais l'existence d'êtres paranormaux paraissait impossible à Seth. Il préférait croire en sa théorie.

Sa montre indiquait 12 h 30 quand Seth invita ses amis au restaurant où il était allé avec Tommy la veille (Joanne insista pour payer elle-même son repas). Ils commandèrent le plus de choses qu'ils pouvaient ingurgiter. Ils ne voulaient pas se rendre malades (surtout pas avec les examens du lendemain), mais ils souhaitaient faire de cette journée quelque chose de mémorable. Et, pour ça, ils allaient réussir.

Par curiosité, Seth, Tommy et Joanne décidèrent de marcher devant l'école pour voir s'il y avait beaucoup de personnes en cours. Lentement, ils avançaient sur le trottoir, leur attention uniquement braquée sur la bâtisse quand ils entendirent une porte s'ouvrir.

Madame Gilman sortit de sa maison, le regard menaçant. Par inadvertance, Tommy avait osé mettre un pied sur son terrain. Le poing dans les airs, Gilman renifla et… sourit.

— C'est donc toi, murmura-t-elle en regardant Seth. Je n'y aurais jamais cru. Viens, entre !

D'un geste, Gilman invita Seth à s'approcher. Ne sachant pas comment réagir, Seth se laissa guider par son corps, qui décida d'entrer dans la maison de la vieille dame. Tommy et Joanne le suivirent. Tommy avait la bouche à moitié ouverte et avançait un peu comme un automate. Joanne, pour sa part, fronçait les sourcils et prenait de courtes respirations saccadées. Une fois à l'intérieur, Gilman referma la porte derrière elle et lissa sa robe rose à pois mauves.

— Je ne crois pas m'être déjà présentée, dit-elle. Je me nomme Anne Gilman. Et vous êtes ?

— Je suis Seth Langlois. Voici mes amis Joanne et Tommy.

Anne Gilman ne s'occupait pas du tout de Joanne et Tommy. Elle n'avait d'yeux que pour Seth. Étrangement, Seth se remémora les deux hommes de la veille à ce moment précis. Peut-être que Gilman lui réservait quelque chose. Peut-être qu'elle était une ancienne meurtrière qui préparait son prochain coup et qu'elle s'apprêtait à choisir sa prochaine victime.

— Désirez-vous une tasse de thé ?

Avant même d'obtenir une réponse (qui aurait été négative), Gilman courut jusqu'à la cuisine et revint avec une théière et quatre tasses (au moins, elle n'avait pas oublié Tommy et Joanne). Elle remplit les tasses à ras bord et servit ses invités.

Seth profita de cet instant pour analyser la maison. Une forte odeur d'urine de chat émanait du tapis. Les murs étaient remplis de photos de personnes que Gilman avait dû rencontrer dans le passé. Une commode rongée par les mites s'adossait à un mur. Un énorme miroir était accroché au-dessus de la cheminée. Sur le cadre du miroir, en lettres d'or, on pouvait lire : *Miroir, miroir.* Seth se souvint d'un vieux conte pour enfants, et un sourire se dessina sur ses lèvres. Gilman le remarqua, car elle se positionna à côté du miroir, une main sur les hanches, l'autre tenant sa tasse.

— Il est beau, pas vrai ?

Elle disait cela comme si le miroir était sa plus grande fierté. Seth n'aurait pas été surpris si elle lui avait dit qu'il avait un nom.

— Oui, il est très beau.

— Ces miroirs, expliqua Gilman, sont très, très rares. Plus utiles qu'un téléphone.

Elle s'approcha de Seth et lui passa une main dans les cheveux.

— Tu vas apprendre tout ça, là-bas.

Seth plissa les yeux. À voir leur expression, Tommy et Joanne ne comprenaient pas plus que lui. Pour ne pas offusquer Anne, Seth prit une gorgée de son thé. La chaleur de ce dernier l'étouffa. Joanne lui donna quelques tapes dans le dos pour l'aider à récupérer. Tommy vint à la rescousse de Joanne et l'imita. Seth perdit l'équilibre et se cogna le genou sur la commode. Un tiroir de cette dernière s'ouvrit et tomba sur le sol. Une pile de paperasse se répandit sur le sol. Les yeux pleins d'eau, Seth déchiffra seulement un mot sur une des feuilles : *Monstrum.* Vive comme l'éclair malgré son âge, Gilman se dépêcha de ramasser le dégât.

— Je suis désolé, dit Seth en reprenant son aplomb.

— Ce n'est pas grave, voyons ! Des accidents, ça arrive à tout le monde.

Replaçant les papiers pêle-mêle dans le tiroir, Gilman le remit en place dans la commode.

— Voilà, fit-elle. Comme si de rien n'était.

Le regard de Seth devait être lourd, car elle changea immédiatement de sujet.

— L'école finit bientôt ?

— Notre dernier examen est vendredi, expliqua Joanne.

— Vraiment ? Avez-vous hâte aux vacances ?

— Oui, murmura Seth.

Les yeux perçants de Gilman trouvèrent ceux de Seth quand elle ajouta :

— Croyez-moi, cet été sera très mouvementé.

— Pourquoi dites-vous cela ?

Le cœur de Seth battait de plus en plus fort. Il savait que celui de Gilman en faisait autant, comme si leurs cœurs s'amusaient à battre à l'unisson.

— Intuition.

La question s'échappa avant que Seth ne puisse la retenir :

— Qu'est-ce que *Monstrum*, madame Gilman ?

— Je t'en prie, appelle-moi Anne.

— Anne, qu'est-ce que signifie *Monstrum* ?

Il y eut un silence. Peut-être qu'Anne cherchait ses mots ou alors essayait-elle de trouver un mensonge qui soit cohérent. Après un moment, elle souffla :

— Monstrum est un endroit assez étrange. C'est là que j'ai acheté mon miroir. Tu iras sûrement là-bas, un jour.

— C'est où ? s'enquit Joanne. Je n'ai jamais entendu parler d'une ville du nom de Monstrum.

— Ce n'est pas une ville, ma belle, dit Anne, le regard toujours rivé sur Seth, mais un Sanctuaire.

— Un Sanctuaire?

La cloche d'une horloge retentit dans la pièce. Seth bondit sur ses pieds. Il ne s'attendait pas à ce qu'une horloge sonne à ce moment précis.

— Il est 13 h. Vous ne devriez pas être en classe?

— Euh... oui, mais...

— En fait... vous savez, nous ne...

— Quoi? Bah... non. Congé.

— Je vois, coupa Gilman en levant une main pour imposer le silence. Vous allez pouvoir rester plus longtemps, dans ce cas. Enfin un après-midi en compagnie de vrais humains! Il faut dire que les chats ne parlent pas beaucoup ces temps-ci.

— Mais il y avait deux hommes, hier.

Seth ne se contrôlait plus. Ce qui lui passait par la tête quittait sa bouche avant même qu'il ait songé à le dire. Lentement, Anne Gilman tourna la tête vers le balcon.

— Oui, deux hommes. Deux vieilles connaissances. Ils ne venaient pas pour moi, évidemment. Vous savez, le travail. Quand vous serez plus grands, vous comprendrez. Pour l'instant, vos examens doivent occuper votre esprit.

— Pas tellement, avoua Tommy. C'est identique à des examens durant l'année. Sauf que...

— Sauf que ces examens sont déterminants pour savoir si tu réussis ton année ou si tu l'échoues, Tommy, s'indigna Joanne. Comment peux-tu penser qu'ils ne sont pas importants?

Madame Gilman soupira. Elle s'approcha de Joanne et posa une main ridée sur son épaule.

— Il n'a jamais dit que les examens n'étaient pas importants. Il a dit ce qu'il pensait. Vois-tu, jeune fille, il n'a pas tort, comme il n'a pas raison de penser ainsi. Dans le monde dans lequel nous vivons, il n'y a aucune vérité. *Aucune*. Tout dépend de notre interprétation.

— Il y a des vérités, objecta Joanne en fronçant les sourcils. Par exemple, si je ne respire pas, je meurs.

— Oh! fit Gilman en ouvrant grand les yeux. En voilà toute une. Le seul bémol à cette vérité, comme je l'ai dit, est l'interprétation. Et je vais te contredire : entre deux respirations, j'arrête de respirer au moins une seconde et je ne meurs pas.

Joanne se défit de l'emprise d'Anne du revers de la main. Elle se frotta le front et hocha pensivement la tête.

— Ce que vous dites n'a pas de sens, madame Gilman. Je voulais dire que, si j'arrête de respirer *pendant des minutes*, je meurs.

Les mains croisées dans le dos, Anne eut un petit rictus narquois.

— Encore de l'interprétation, très chère. Un poisson ne respire pas d'air comme nous, et il ne meurt pas, même après des années sous l'eau.

— Je veux dire : Si un humain ne respire pas d'air pendant un moment et qu'il reste là sans bouger, il meurt !

— Toucherait-on une vérité ? Peut-être… Jusqu'à preuve du contraire.

Joanne fit la moue.

— Qu'est-ce que vous voulez dire par «jusqu'à preuve du contraire »?

— Je veux dire par là qu'un jour nous allons peut-être découvrir que ce n'est pas l'air qui nous fait vivre, mais une autre substance qui flotte au-dessus de nous. Et cette substance entre dans nos poumons quand nous respirons. Là, ta «vérité » ne fonctionnerait plus.

— Ça suffit, railla Seth. Nous ne sommes pas dans un cours de philosophie.

— Crois-tu pouvoir décider quand une discussion se termine dans ma propre maison, Seth Langlois ?

Un malaise s'installa. Seth n'avait pas voulu offenser Anne. Tout ce qu'il espérait était de faire taire Joanne, car elle ne l'aurait jamais fait d'elle-même jusqu'à ce qu'elle ait raison sur le sujet. Et, de la manière dont la discussion s'était amorcée, elle n'aurait jamais le dernier mot.

— Non, ma... Anne. Je ne voulais pas...

— Ce n'est pas grave, Seth Langlois. Je te pardonne.

Comme s'il en avait quelque chose à faire de son pardon ! La seule chose qu'il voulait maintenant était de sortir de cette affreuse maison. Comme cette pensée traversait son esprit, la porte d'entrée s'ouvrit toute seule.

— Maudit vent, murmura Anne, fixant intensément Seth.

Il ne fallait pas être prophète pour savoir qu'il ne ventait pas à l'extérieur.

— Nous devons y aller, madame Gilman, dit Seth, la voix tremblante. Merci pour le thé. Oui, merci pour tout.

Seth, suivi de ses deux amis, sortit de la demeure. Une fois sur le trottoir, il détala jusqu'au parc. Une main sur le côté, Seth reprenait son souffle peu à peu.

— Elle... est bizarre... cette vieille folle ! commenta Tommy. Pourquoi est-ce qu'on est entrés chez elle, hein ?

— Je ne sais pas, avoua Joanne. En tout cas, on sait qu'elle est vraiment cinglée.

— Et cette histoire de Monstrum, renchérit Seth. Personne n'en a entendu parler, non ?

Les deux autres hochèrent la tête.

— Je serais curieux de faire une recherche là-dessus, reprit Seth. Monstrum... un *Sanctuaire* ? Qui sait, elle est peut-être devenue aussi folle que ses chats.

— N'insulte pas les chats, blagua Tommy. Eux, au moins, ils sont normaux.

— Ça reste à prouver.

La magie de cette fabuleuse journée venait de tomber. Anne Gilman avait tout saccagé.

— La vraie question est : *Pourquoi* elle nous a laissés entrer dans sa maison ? remarqua Joanne.

— C'est évident ! Elle voulait voir Seth.

— Qu'est-ce qui te fait croire ça ?

— Tu as vu comme elle le dévorait des yeux ! Sérieusement, vieux, j'ai cru qu'elle allait te sauter dessus à un moment.

— J'y ai cru aussi.

— Plus jamais, plus *jamais* je ne vais accepter d'entrer chez cette vieille folle. À mon avis, Monstrum se trouve dans sa tête. Il y a tellement d'espace qu'il est possible qu'elle y ait déniché un miroir.

L'image du miroir refit surface dans la mémoire de Seth. Le plus étrange chez ce fabuleux objet était ce qu'il y avait d'écrit dessus : *miroir, miroir*. N'y avait-il pas un conte pour enfants où la vieille sorcière se posait devant un miroir et disait : « *Miroir, miroir, dis-moi qui est la plus belle.* » ? Seth imaginait très mal Anne Gilman en train de réciter cette phrase devant la glace.

— Et, dites-moi, elle a combien de chats ? continua à se plaindre Tommy. L'odeur d'urine empestait toute la pièce.

— Dis-toi qu'elle doit couvrir toute la maison, consola Joanne. Et son thé, y avez-vous goûté ?

— Son thé ? s'étonna Seth. Il était un peu chaud, mais il était bon.

— Bon ? s'écrièrent Tommy et Joanne à l'unisson.

— Tu plaisantes, vieux ?

— Seth, il goûtait la vomissure de chat ! Comment as-tu pu trouver *bonne* cette infâme boisson ?

Seth fronça les sourcils. Il chercha dans sa mémoire le goût du thé, mais n'y trouva rien d'anormal.

— Peut-être qu'il y avait de la vomissure de chat dans vos tasses *pour de vrai*, se moqua Seth. Parce que mon thé était bon.

— Parfois j'ai l'impression que tu viens d'une autre planète, s'exaspéra Joanne.

— Avec les parents que j'ai, c'est normal.

— Compte-toi chanceux de ne pas avoir Vieille Folle Anne Gilman.

— Très beau nom, Tommy.

— Merci, Jo.

La main de Seth prit automatiquement une brindille lorsqu'il s'assit par terre.

— Je me sens mal, recommença Joanne. Nous devrions être à l'école.

— Relaxe, conseilla Tommy. N'y pense plus. Moins tu te concentres là-dessus, mieux tu te sens.

— Comment dois-je faire pour ne pas y penser, Monsieur Je-Ne-Pense-À-Rien ?

— Fais comme moi.

— Non, merci. Je préfère stresser plutôt que devenir comme toi.

Seth pouffa de rire.

— Voilà, fit Tommy en souriant, tu y parviens.

— Parviens à quoi ?

— Te relaxer, Jo ! Quand tu fais de l'humour, c'est pour…

— C'est pour évacuer le stress, Tommy, rien d'autre. Vous allez me le payer cher, vous deux.

Seth leva la main comme pour répondre à une question du professeur.

— Un voyage à Cuba, est-ce assez ?

— Quoi ? Oh, oui. Je ne voulais pas…

— Et mon amitié ? questionna Tommy, lançant son regard charmeur à Joanne.

— Tu me refais encore ces yeux, et je te jure que tu pourras te mettre ton amitié là où je pense.

Le sourire fendu jusqu'aux oreilles, Tommy se tourna vers Seth pendant qu'il s'assoyait.

— On a une mauvaise influence sur elle, vieux. Je te le dis.

Joanne décida de s'asseoir à son tour. Tout comme Seth, elle arracha un brin d'herbe et joua avec sans s'en rendre compte. Ils entendirent alors une cloche au loin. Celle de l'école. Joanne se raidit et tendit l'oreille. Seth regarda sa montre.

— Ne t'en fais pas, Joanne, la troisième période est finie. Il reste la quatrième, puis on retourne chez nous.

— La quatrième ?

Joanne se détendit d'un coup.

— Ce n'est que les arts plastiques. Pas de quoi s'inquiéter, j'ai terminé le Bilan au dernier cours.

— Il y a des Bilans en arts plastiques ? s'étonna Seth.

— Oui, l'informa Joanne. Tout comme tu en as eu un en théâtre.

— Ah bon.

Un craquement fit sursauter Seth qui fit volte-face. Dans les buissons, il aperçut deux silhouettes. Les hommes qu'il avait vus chez madame Gilman la veille. Que lui voulaient-ils ? À la fois furieux et réticent, Seth se leva lentement. Quand il s'approcha, il remarqua que les « silhouettes » étaient en fait des branches du buisson qui créaient une parfaite illusion.

— Ça va, Seth ? s'inquiéta Tommy.

— Oui. C'est juste que… Oh, laisse tomber.

De retour auprès de ses amis, Seth les écoutait à moitié. Il avait l'esprit plus préoccupé par ce qu'il venait de se passer. Il était persuadé d'avoir vu les deux hommes. Comment avaient-ils pu se volatiliser ou se changer en branches? L'hypothèse la plus probable était qu'il avait confondu les ombres avec les hommes. Mais Seth n'y croyait pas.

— Pose-moi des questions, Tommy, supplia Joanne. Je veux m'entraîner.

— Tu es sérieuse?

— Oui, pourquoi?

— Le but de sécher les cours, Joanne, est de ne pas travailler. Si tu travailles, ça ne sert à rien.

— Je te signale que tu devrais être dans ton cours d'anglais! Si tu me poses des questions sur l'histoire, ça s'annule puisque ce n'est pas la matière que tu manques.

Les sourcils froncés et la bouche ouverte, Tommy ne savait pas quoi répondre.

— Euh… peut-être, finit-il par dire. Tu crois qu'elle a raison, Seth? Seth? *Seth?*

— Oui! Quoi?

— Tu en penses quoi?

— Quoi de quoi?

— À quoi songeais-tu? intervint Joanne avant que Tommy s'aventure à formuler une phrase possédant trop de «quoi» pour que quelqu'un puisse comprendre.

— À rien d'important.

Miaou.

Un chat s'approcha des trois amis. Seth le reconnut tout de suite: c'était le même que d'habitude. Cette fois, le chat n'alla se frotter sur personne. Il se colla contre Seth, s'assit par terre et le fixa.

Miaou.

Joanne se mit à flatter le chat. Plus Seth le regardait, plus il s'imprégnait des détails de l'animal : sa couleur caramel, ses grands yeux jaunes, ses oreilles bien droites, ses longues moustaches...

Miaou.

La fin de ses pattes blanches, son long poil, son court museau, sa longue queue qui se balançait, de droite à gauche, toujours au même rythme, comme pour hypnotiser quiconque le regardait...

J'ai faim.

Seth n'aurait jamais cru entendre le chat parler s'il ne l'avait pas vu ouvrir la bouche pour miauler. La voix, aiguë et agaçante, s'agençait avec les miaulements du chat.

— Quoi ?

J'ai faim.

— Seth, à qui parles-tu ?

Joanne avait arrêté de caresser le chat, la main suspendue dans les airs, et regardait anxieusement Seth. Comprenant que ses amis n'avaient pas entendu le chat, Seth n'osa pas en parler. S'ils le prenaient pour un fou, il ne serait pas plus avancé. À moins que Tommy ne lui ait joué un mauvais tour.

— J'ai cru entendre... quelqu'un parler, expliqua Seth en espérant de tout cœur que Tommy lui dise que c'était lui.

— Je n'ai rien entendu, répondit Tommy.

— Moi non plus.

Seth regarda le chat. Impossible. Les chats ne parlaient tout simplement pas ! Il devenait fou, voilà ce qui lui arrivait ; le thé qui goûtait bon, le chat qui parlait.

Le thé !

Peut-être que madame Gilman y avait glissé une drogue assez puissante pour camoufler le goût infect et le faire halluciner. Oui, ce devait être ça.

— Tu es sûr que tu vas bien, Seth ? s'inquiéta Joanne.

En se rapprochant de lui, Joanne accrocha l'animal qui partit en courant, lâchant un dernier « *j'ai faim* » à l'intention de Seth.

— Oui, mentit Seth. Je vais très bien. Ce doit être le stress des examens.

— Enfin, se réjouit Joanne, enfin quelqu'un qui compatit avec moi ! Seth, si tu ressens du stress, c'est parce que tu as peur d'échouer ; donc, tu veux réussir. C'est tout à fait normal. Dans mon cas…

Un peu en retrait, Tommy se croisa les bras et écouta attentivement Joanne. Seth se douta alors que Tommy était le plus stressé des trois : sécher les cours lui servait seulement à se changer les idées et à avoir l'esprit plus reposé à la maison pour réviser. Sauf qu'hier, il n'avait pas pu étudier car il avait passé la nuit avec Seth.

— Tu comprends ce que je veux dire ?

Seth hocha la tête même s'il n'avait pas suivi le discours de son amie. Tout lui semblait de plus en plus bizarre. Les deux hommes qui le fixaient, son admission à l'Académie Magistrale, Joanne qui acceptait de sécher les cours, Anne Gilman qui les invitait à entrer dans sa maison, le miroir, l'histoire du Sanctuaire Monstrum et le chat parlant. Si tout cela continuait, Seth finirait sa vie dans un asile.

Un coup d'œil sur sa montre apprit à Seth que l'école finissait dans trois minutes. Le temps de se rendre là-bas, de prendre leurs derniers cartables, il serait l'heure de partir. Comme la veille, Seth trouva plusieurs élèves dans le corridor avec des enseignants. Toutefois, on ne parlait pas de golf, aujourd'hui. Les élèves questionnaient leurs enseignants au sujet des examens du lendemain. Le stress était palpable dans le corridor.

Seth gagna son casier, l'ouvrit, fourra ses cartables dans son sac, puis le balança sur son épaule. Il sortit de l'école sans dire au revoir à ses amis et attendit l'autobus. Quand le véhicule arriva, il monta à l'intérieur et alla s'asseoir dans son banc habituel.

Que lui arrivait-il ? À force de chercher une réponse désespérée à cette question, Seth eut un mal de tête. Il ferma les yeux et se prit la tête à deux mains. Dans le noir, derrière ses paupières, il visualisa une image qu'il aurait préféré oublier : une pile de feuilles par terre. Cependant, dans sa vision, une feuille luisait d'une étrange lueur verdâtre, émergeant de l'ensemble. Celle qui portait l'inscription : Monstrum.

Après les examens

Une fois chez lui, Seth prépara lui-même son souper : sa mère était partie faire il-ne-savait-pas-quoi. Une fois rassasié, il se plongea dans ses livres en vue des examens du lendemain : l'un en avant-midi et l'autre en après-midi. S'il voulait avoir une chance de passer, il devait mettre tous les atouts de son côté et n'en négliger aucun, surtout qu'il n'avait pas étudié de la semaine. Si Joanne l'apprenait, elle pourrait vouloir lui donner des coups de poing jusqu'à ce qu'il la supplie d'arrêter. Vers 23 h, Seth décida d'aller se coucher. Le Sanctuaire Monstrum, Anne Gilman, les deux hommes, l'Académie Magistrale et le chat parlant s'étaient complètement évaporés de la tête de Seth.

Le lendemain, Seth avait mal au cœur. Mettant le tout sur le compte du stress, il déjeuna, et le mal passa un peu. Des papillons dans le ventre, il monta dans l'autobus en se répétant les principaux sujets de sa révision.

Une fois à l'école, Seth fouilla dans ses cartables (ceux qu'il n'avait pas jugé important de ramener chez lui) pour réviser une dernière fois. Une dizaine de minutes plus tard, Joanne et Tommy le rejoignirent, tous deux avec leurs notes de cours.

— Vous devez regretter votre choix, fit Joanne.

— Celui de t'avoir emmenée, oui, répondit froidement Tommy.

— Je veux parler de la décision d'avoir séché vos cours pendant deux journées entières.

— Dois-je te rappeler que tu as toi-même manqué une journée ?

— Arrêtez, vous deux !

Joanne gloussa.

— Désolée, Seth. Je ne voulais pas te déranger. Seulement, je veux vous faire prendre conscience que nos choix ont toujours des répercussions sur notre futur.

— Et si tu ne te tais pas, dit Tommy les dents serrées, je ne pourrai pas étudier, et tu auras mon échec sur la conscience !

— Pas du tout ! Tu n'avais qu'à aller aux cours.

— Oui, mais...

— SILENCE !

Seth boucha ses oreilles et reprit sa lecture. Joanne avait en partie raison, mais elle oubliait un élément important : ils n'avaient qu'une seule vie, et il fallait en profiter. À moins qu'il ne faille la vivre proprement pour ne pas la regretter sur son lit de mort... Seth chassa cette pensée en hochant la tête et poursuivit sa lecture plus furieusement que jamais. Quand il vit du coin de l'œil que Tommy et Joanne avaient fini de se disputer, il se déboucha les oreilles.

La cloche sonna, et le cœur de Seth se mit à battre de plus en plus fort. L'heure décisive était arrivée. Les Bilans commençaient. Joanne se leva d'un bond et devint blanche comme un drap. Lentement, Seth et Tommy l'imitèrent. Chacun alla à son casier pour ranger ses notes et prit son étui à crayons. Ensemble, ils montèrent au local réservé pour leur examen.

Une fois tout le groupe installé en ordre alphabétique, le surveillant distribua les examens et donna quelques directives.

Après leur avoir souhaité bonne chance, il s'installa au bureau, prit un livre et entama sa lecture.

Le crayon prêt, Seth regarda le premier problème mathématique qui s'offrait à lui. Il dut le lire trois fois avant de comprendre quoi faire. Pour être sûr de son coup, il le lut une quatrième fois avant de commencer à répondre. Dix minutes plus tard, il avait terminé le premier numéro.

Il s'attaqua alors au deuxième, puis au troisième, ensuite au quatrième et ainsi de suite. Tout se déroulait bien. Parfois, Seth ne comprenait pas un problème et rédigeait un semblant de réponse. C'est-à-dire qu'il griffonnait des calculs sans savoir s'ils étaient utiles et arrivait à une réponse qui n'était nécessairement pas la bonne. Tous les élèves faisaient la même chose quand ils étaient dans ce genre d'impasse.

Comme toujours, Seth arriva à la dernière question et constata qu'elle était plus difficile que les autres. Seth se concentra davantage, cherchant à identifier le piège dans le numéro. Il entendait clairement le tic-tac de l'horloge quand il comprit : il n'y avait aucun piège.

Discrètement, il regarda ses voisins de gauche et de droite. Il prit conscience qu'il avait deux numéros d'avance, et l'heure de sortie minimale était à 11 h 30. Soit dans 27 minutes. L'heure filait à une allure extraordinaire. Seth se demanda même s'il ne rêvait pas.

Il compléta le dernier exercice, et il lui restait cinq minutes à patienter. Il dessina alors sur le bureau, le regard vide, l'esprit tranquille. Quand le délai fut épuisé, le professeur se leva et dit :

— Ceux qui ont terminé, vous pouvez quitter en silence.

Seth et six autres personnes se levèrent et quittèrent la classe. Une fois à son casier, Seth rangea son étui à crayons tout en poussant un soupir de soulagement. Le prochain examen n'était qu'à 13 h 30. Il avait le temps de relaxer, étudier et bavarder avec ses amis. Sans grand étonnement, il remarqua que Tommy et Joanne n'avaient pas terminé. C'était tout à fait normal : Tommy n'était pas très bon en mathématiques, et Joanne revérifiait sa feuille une centaine de fois avant de décider qu'elle avait terminé. Une habitude qui ne changerait sûrement pas avec le temps.

Seth alla s'asseoir sur un banc avec ses notes pour le prochain examen. Les sciences étaient son point fort. Il n'avait pas vraiment besoin d'étudier, mais se remettre dans le bain ne faisait de tort à personne. Les minutes passèrent, et Tommy arriva enfin. Il se planta devant Seth et croisa les bras.

— Tu l'as trouvé comment ? demanda-t-il.

Seth désigna son cartable de science.

— Ça ? En ouvrant mon casier.

— Je parle de l'examen !

— Il n'était pas facile. Le dernier numéro m'a posé problème. J'étais sûr qu'il y avait un piège. J'ai dû le chercher pendant 10 minutes pour finalement comprendre qu'il n'y en avait pas.

— Il n'y en avait pas ?

— Non. Pourquoi ?

— J'ai cru en trouver un.

— Nous saurons qui a raison quand Joanne va arriver.

Tommy sourit à pleines dents.

— Dommage que tu ne l'aies pas vue, dit Tommy. Elle semblait désespérée.

— Tu aimes la voir comme ça ?

— Pas vraiment. C'est juste qu'elle nous fait un sermon sur le fait qu'on sèche nos cours alors qu'elle a plus de difficulté que nous à finir son examen.

— Tu l'as trouvé facile ?

— Je n'ai jamais dit ça.

Tommy s'assit sur le banc et décroisa les bras.

— Qu'est-ce que tu fais?

— J'étudie pour les sciences.

— Toi? Étudier pour...? Tu es malade, ou quoi? Tu es le meilleur en sciences.

— Je ne suis pas le meilleur, je me *débrouille*.

Tout en soupirant, Tommy hocha la tête.

— Tu te débrouilles plutôt bien! Elle est à combien ta moyenne générale en science?

— À 95 %.

— Wow!

— Il n'y a rien d'extraordinaire là-dedans, dit une voix familière derrière eux. Tu fais bien d'étudier, Seth.

Les deux garçons se retournèrent au même moment pour faire face à Joanne. Ne pouvant pas attendre, Tommy demanda :

— Y avait-il un piège au dernier numéro?

— Non.

— Tu es sûre?

— Certaine.

— Zut!

— Tu en as trouvé un?

Joanne porta ses mains à sa bouche. Les yeux grands ouverts, elle chercha du réconfort auprès de Seth qui comprit qu'elle avait peur de ne pas avoir vu le piège.

— Tu t'inquiètes pour rien, Joanne. Moi non plus, je n'en ai pas trouvé.

Avec un énorme soupir, Joanne porta ses mains à son cœur et prit place à côté de ses amis.

— Que faisons-nous, maintenant? demanda Tommy.

— Nous avons un deuxième examen à préparer, répliqua froidement Joanne. Nous allons étudier.

— *Vous* allez étudier. J'ai assez révisé hier soir.

Seth et Joanne éclatèrent de rire. Devant le regard offusqué de son meilleur ami, Seth parvint à se ressaisir.

— Désolé, Tom, s'excusa Seth. C'est juste que je ne t'ai jamais vu étudier.

— Bah j'ai étudié hier.

— Tu aurais dû te filmer, commenta Joanne. J'aurais payé cher pour voir ça.

Lassé de faire rire de lui, Tommy se leva et fit face à ses amis.

— J'ai faim, dit-il. Où mange-t-on?

— À la cafétéria, comme…, commença Joanne.

— Nous pouvons retourner au restaurant, ça ne me dérange pas.

— Parfait! se réjouit Tommy. Va pour le restaurant.

— Mais je n'ai pas d'argent de poche sur moi, se plaignit Joanne.

— Je vous paye le dîner.

Joanne se leva à son tour, les poings sur les hanches.

— Tu l'as fait hier. Il n'est pas question que tu le refasses aujourd'hui.

— Ça ne me dérange *pas*!

— Que ça te dérange ou non, c'est inhumain de faire payer quelqu'un d'autre pour soi. Surtout que tu nous paies déjà un voyage à Cuba. Tu es d'accord avec moi, Tommy?

— Si Seth n'y voit pas d'inconvénient, pourquoi en verrais-je?

Joanne pointa un index accusateur sur la poitrine de Tommy. Ce dernier recula de quelques pas. C'était la première fois que Seth voyait Joanne dans un état pareil. Elle était rouge comme une tomate et semblait sur le point d'exploser. Elle marchait rageusement vers Tommy qui continuait de reculer au même rythme qu'elle avançait.

— Tommy Tremblay! railla-t-elle. Tu oses utiliser l'argent de ton meilleur ami pour assouvir tes désirs et tu n'es même pas capable de te trouver un emploi. Tu n'es qu'un bon à rien! Tu m'entends? Un bon à rien!

— Joanne, calme-toi, supplia Seth.

Mais c'en était trop pour Joanne.

— NON, JE NE ME CALMERAI PAS! TOMMY ESPÈRE TOUJOURS QUE LES AUTRES FASSENT LE BOULOT À SA PLACE! CE TEMPS-LÀ EST RÉVOLU, CROYEZ-MOI!

Le son des talons hauts claquant sur le sol leur parvint, et une surveillante arriva en courant à l'angle d'un mur. Quand Joanne la vit, elle devint blanche, et la fureur s'éclipsa de son regard pour faire place à la terreur.

— Puis-je savoir qui a crié? demanda la surveillante.

Timidement, Joanne leva la main.

— Serait-ce trop vous demander de parler moins fort? Certains n'ont pas terminé leur examen, et je suis sûre qu'ils veulent y arriver.

— Oui, madame, murmura Joanne.

— Merci.

Quand la surveillante se fut éloignée, Joanne se retourna vers Tommy, le regard de nouveau accusateur.

— On en reparlera une autre fois, chuchota-t-elle d'un air menaçant.

Avec un petit ton d'indignation, Joanne tourna les talons et quitta ses amis. Tommy l'observait toujours, comme s'il craignait qu'elle revienne au galop pour lui crier des bêtises. Connaissant Joanne, Seth savait qu'elle voulait lui dire toutes ces choses depuis longtemps déjà. Elle se taisait surtout parce que Tommy était l'ami de Seth. Étrangement, Seth avait cru à un moment qu'ils deviendraient un couple. Il avait peut-être eu tort finalement.

— Qu'est-ce qu'on fait ? finit par demander Tommy en se tournant vers Seth.

— C'est toi qui décides.

Tommy déglutit.

— Franchement, ça m'est égal. En autant qu'on ne croise plus cette folle, je suis d'accord pour aller n'importe où !

— Il faudra bien que tu la recroises puisqu'elle vient à Cuba avec nous.

— Tu ne peux pas annuler son invitation ?

— Non. C'est mon amie, et elle a accepté de venir. Le choix de décliner l'offre lui appartient.

Peut-être parce qu'il avait peur de rester en froid avec Joanne, Tommy jugea préférable de dîner à la cafétéria de l'école. Seth accepta son choix, et ils s'y dirigèrent sans perdre un instant. Plus vite ils mangeraient, plus vite ils pourraient étudier. Joanne les aperçut du coin de l'œil et elle décida d'aller les rejoindre.

— Contente de voir que vous m'avez écoutée, siffla-t-elle.

— Ce n'est pas toi qu'on a écoutée, mentit Tommy, c'est notre estomac. Trois midis de suite à aller au restaurant, c'est beaucoup.

Joanne jeta un regard à Seth qui lui fit un clin d'œil. Le sourire qui apparut sur le visage de Joanne laissa entendre qu'elle avait saisi la situation. Au grand bonheur de Seth, remporter cette légère victoire sur Tommy remonta le moral de Joanne, qui fut plaisante avec eux tout le midi. Du moins, elle ne les accusa plus de rien.

— Je crois avoir fait une erreur au numéro trois, se plaignait sans cesse Joanne. Avez-vous fait… ?

— La racine carrée…, continua Seth.

— De l'aire…, reprit Tommy.

— Pour trouver…

— Votre réponse ? Oui, Joanne. C'est ce qu'on a tous fait. Cesse de t'inquiéter, tu veux ?

— J'aimerais bien, Tom, mais ce n'est pas ma faute. Je suis peut-être…

— La seule…

— Qui se soucie…

— De son avenir, termina Seth. Non, Joanne, tu n'es pas la seule. Tommy et moi aussi, nous ne voulons pas échouer, mais ce qui est fait est fait.

Joanne vit le professeur de mathématiques passer devant la porte de la cafétéria et elle s'empressa d'aller le rejoindre. Seth savait qu'elle allait lui demander si elle avait fait la bonne chose. Elle était si perfectionniste.

— Tu crois qu'il existe un remède pour elle ? se moqua Tommy.

— Malheureusement, non, répondit Seth. Elle devra être comme ça pour le reste de sa vie.

— Je plains ses parents.

— Je *nous* plains.

Quand Joanne fut de retour avec les garçons, elle avait un sourire aux lèvres et le regard un peu moins déprimé.

— Alors ? s'enquit Seth.

— Il n'y avait pas de piège au dernier numéro, confirma-t-elle. Et, selon le professeur, j'ai fait les bonnes étapes. Il m'a confirmé que j'allais réussir.

— Tu vois ? Tu t'inquiétais pour rien.

— Non, je ne m'inquiétais pas pour rien. Le professeur n'a pas corrigé mon examen, et tout peut encore jouer contre moi.

Tommy soupira.

— Si seulement j'avais le dixième de ton intelligence, je serais assuré de passer.

— Si seulement tu écoutais en classe, corrigea Joanne.

L'heure de l'examen de sciences arriva plus vite que Seth ne l'avait espéré. Il se dirigea vers son local attitré avec ses meilleurs amis. Quand tout le monde fut arrivé, le surveillant distribua les copies, et l'examen commença. Celui-là s'annonça extrêmement facile pour Seth.

*

Les examens du lendemain se passèrent à merveille. Seth, Tommy et Joanne profitèrent de chaque moment libre, soit pour réviser soit pour rêver de leur voyage à Cuba. Cependant, cette sorte d'euphorie, qui s'était emparée de Seth, s'estompa d'un coup quand il *les* vit. Seth, Tommy et Joanne étaient assis à l'extérieur pendant l'heure du dîner tandis que les deux hommes les fixaient du balcon de madame Gilman.

— Ils sont de retour, murmura Seth.

D'un mouvement brusque, Joanne tourna la tête.

— Ne t'occupe pas d'eux, Seth. Ce doit être des amis de Gilman.

— Ou des assassins, lança Tommy. Si c'est le cas, laissons-les chez la vieille folle.

— Tommy ! s'indigna Joanne.

— Quoi ? Ce serait un énorme service rendu à la communauté.

Joanne roula les yeux et chercha l'appui de Seth. Ce dernier ne le lui accorda pas. En fait, il ne savait même pas ce qu'elle attendait, car il était trop préoccupé par les deux hommes. D'un coup, tout lui était revenu : le chat, Anne Gilman, l'Académie Magistrale et le Sanctuaire Monstrum.

Tommy se contorsionna pour voir l'heure sur la montre de Seth. Il se leva.

— Le prochain examen commence dans deux minutes. Nous devrions y aller.

Lentement, Seth se leva et rejoignit Joanne et Tommy qui entraient dans l'école.

Les deux hommes le fixaient toujours quand la porte se referma. Le plus petit des deux se leva de sa chaise et s'étira.

— Il était temps ! s'exclama-t-il. Rentrons.

Craig Wilson acquiesça, et ils pénétrèrent dans la maison. Anne Gilman les attendait avec un bon bol de soupe.

— Je me demandais quand vous alliez entrer, fit-elle.

— La vraie question était de savoir quand Seth allait en faire autant, répliqua Gary.

Wilson et Gary prirent place à la table. Ils commencèrent à manger en silence. Après un long moment, Gilman toussota et brisa le silence.

— Vous allez lui parler demain ?

— Oui, approuva Wilson. Nous allons lui proposer de venir à l'Académie Magistrale pour poursuivre ses études.

— En effet, intervint Gary. Car si nous arrivions en lui proposant de venir à Monstrum, il croirait qu'on est fous !

— Il sait.

D'un seul mouvement, Wilson et Gary se tournèrent vers Anne Gilman.

— Il sait quoi ? s'inquiéta Craig.

Anne ferma les yeux et déglutit avant de préciser :

— Il a vu une de mes lettres. Il a vu le nom Monstrum. Il sait que c'est un Sanctuaire.

Un silence de mort s'abattit soudain dans la maison. Seul le tic-tac de l'horloge rappelait que la vie était présente dans la pièce et que le temps passait.

— Tu as fait *quoi* ? explosa Gary.

— Gary, calme-toi…

— Ça m'a échappé ! Je n'ai jamais voulu qu'il…

— TU LUI AS PARLÉ DE MONSTRUM ?

— Tu dois me comprendre, Gary, il m'avait posé une question…

— LUI AS-TU ÉGALEMENT PARLÉ DE MAGISTRA ?

— Non, je le jure !

— Gary…

— À QUOI AS-TU PENSÉ ?

— Gary !

— TU ES FOLLE À LIER !

— GARY !

Craig Wilson s'était levé d'un bond et avait frappé la table avec son poing. Anne tremblait comme une feuille, et Gary lança un regard noir à Wilson. Quand il vit à qui il faisait face, Gary s'empressa de regarder ailleurs.

— Je suis désolée, s'empressa de rajouter Anne.

— Tout va bien, la rassura Craig. Ce n'est pas grave. De toute façon, il aurait su un jour ou l'autre pour Monstrum.

Le malaise était palpable. Plus personne n'osait parler et encore moins se regarder. Finalement, Anne opta pour changer de sujet.

— Avez-vous de nouveaux Monstres à Monstrum ?

— Une, répliqua froidement Gary.

— Qui ?

Avant que Gary ait pu dire à Gilman de se mêler de ses affaires, Wilson répondit :

— Fay. Une jeune fille qui a des ailes de fée dans le dos. Nous sommes allés la chercher avant-hier. Une sacrée histoire. Sa mère ne voulait pas la laisser partir. Quand elle a vu les ailes et que nous lui avons exposé les dangers que courait sa fille, elle s'est empressée d'accepter notre offre. Nous lui avons donné la lettre de l'Académie pour éviter les questions embarrassantes.

— Vous lui avez immédiatement dit pour Monstrum ?

— Nous n'avions pas le choix. Elle menaçait d'appeler la police si nous faisions un pas de plus dans sa maison. Elle refusait de voir sa fille entrer si jeune dans une Académie. Nous nous sommes empressés de lui dire la vérité. Elle ne nous a pas crus, bien sûr. C'est sa fille, Fay, âgée de 15 ans, qui a tout compris la première. Elle a posé la main dans son dos et a saisi la vérité mieux que ses parents. Évidemment, elle ne voulait pas nous accompagner, mais nous l'avons convaincue que c'était pour son bien. Au début, la mère de la petite voulait venir avec nous. Nous avons refusé. Bref, tout est arrangé, maintenant.

— Tant mieux.

— Ouais, intervint Gary. De plus, il y a un Transfert permanent prévu pour la semaine prochaine !

— Un Transfert *permanent* ?

Peut-être à cause d'une vieille habitude de professeur, Gary perdit toute froideur dans sa voix quand il se mit à expliquer :

— Un Transfert permanent, c'est lorsqu'un Monstre qui n'a pas débuté ses études décide de le faire dans un autre Sanctuaire, et ce, pour ses cinq ans réglementaires. Par exemple, un Monstre de Monstrum pourrait décider d'aller étudier cinq ans à Londres.

— Je vois. Quelqu'un d'un autre Sanctuaire veut venir étudier à Monstrum.

— Exactement. Mais il veut plutôt venir étudier à Magistra.

— D'où vient cet élève ?

— De Londres. Par chance, il parle parfaitement le français. Il est né au Québec.

— J'espère qu'il n'aura pas de mal à s'intégrer.

Wilson eut un rire amer.

— J'en doute, dit-il. Anne, depuis la nouvelle à l'effet que notre Monstre-ô-mètre à détecté Seth, nous avons reçu au moins 30 demandes de transfert. Mais le Conseil des Sanctuaires de Monstres a choisi celle de cet élève : Alan.

Anne s'étouffa avec sa soupe. Gary lui donna de grandes tapes dans le dos pour l'aider à faire passer le liquide. Les larmes aux yeux, elle fixa intensément Wilson quand elle dit :

— Trente demandes ?! Oh nom du Ciel, qu'est-ce qu'il a de si spécial ce Seth pour attirer l'attention de tant de gens ?

— Il est Humain, expliqua Wilson. Nous l'étudions depuis que le Monstre-ô-mètre l'a détecté, et il n'y a aucun signe avant-coureur qui permette de déterminer de quel Monstre il s'agit.

— Et les autres Sanctuaires sont au courant ?

— Tout se rapporte au Monstre-ô-mètre, expliqua Gary. Tous les appareils sont reliés. Quand un Monstre est détecté, tu sais ce qui arrive ?

— Tous les Monstres le ressentent, acquiesça Anne. De sorte qu'avant je voyais Seth comme un simple adolescent ; maintenant, je le vois comme un frère.

— Exact. Quand Seth a été détecté comme étant un Monstre, le Monstre-ô-mètre a également enregistré l'information comme quoi il n'était pas classé. C'était une première dans l'Histoire ! Toutes les têtes se sont donc tournées vers Monstrum, pour être les premières à découvrir l'anomalie chez ce jeune garçon.

Gilman comprenait. Les gens ne voulaient pas réellement étudier à Monstrum, mais plutôt mettre leur nez là où il ne fallait pas.

— Avez-vous une idée du type de Monstre qu'est Seth ?

— Pas le moins du monde, répondit honnêtement Craig Wilson. Il peut être un métamorphe, un loup-garou ou je-ne-sais-quoi !

— C'est inquiétant. Pourquoi le Monstre-ô-mètre ne l'a pas classé ?

— La question n'est pas de savoir pourquoi Seth n'a pas été classé, mais plutôt de savoir pourquoi il a été détecté.

Sur cette note remplie de mystère, le silence retomba dans la maison tandis qu'ils terminaient leur bol de soupe.

*

La dernière journée des examens s'annonça plutôt bien pour Seth. Les Bilans n'étaient pas trop difficiles et, pour son plus grand bonheur, Tommy et Joanne ne se chicanèrent plus. Ensemble, ils déterminèrent que leur voyage à Cuba aurait lieu au début des vacances. Il leur fallait leur billet et leur passeport, et puis *hop*, ils s'envoleraient vers le sud.

Sur l'heure du dîner, Seth, Tommy et Joanne avaient choisi d'aller au restaurant pour leur dernière journée (Joanne paya pour elle et Tommy s'était apporté un peu d'argent de poche). À ce moment précis, Seth avait complètement oublié que, ce soir-là, des représentants de l'Académie Magistrale iraient chez lui. Et il ignorait encore plus de qui il s'agissait.

Vint l'heure du dernier examen. Le dernier avant le grand saut vers un nouveau monde d'études. Un pas de plus vers le choix professionnel de Seth : devenir avocat. De longues études étaient nécessaires, il le savait, et il était prêt à faire les sacrifices pour réussir. Depuis qu'il était enfant, Seth rêvait de vêtir la toge et de plaider devant un juge.

Tout s'annonça pour le mieux durant l'examen jusqu'à ce qu'un moustique se pose sur la feuille de Seth.

Psst !

Seth leva la tête à la recherche de la personne qui venait d'émettre ce bruit. Comment quelqu'un osait-il communiquer avec un ami lors d'un Bilan de fin d'année ? C'était idiot ! S'il se faisait prendre, il obtiendrait un zéro à l'examen.

Espèce de Monstre imbécile ! Je suis là, sur ta feuille !

Seth baissa les yeux et vit le moustique. D'un coup de main, il le chassa. Le moustique, loin d'avoir dit son dernier mot, vint voler autour de l'oreille droite de Seth. Au lieu d'entendre le bourdonnement habituel du moustique, Seth perçut une voix :

On essaie donc de me tuer ? Vous êtes tous pareils, les Monstres ! Vous dites pouvoir nous aider alors que vous ne pensez qu'à vous ! Pff !

Avec horreur, Seth comprit alors que le moustique lui parlait. L'image du chat lui revint en mémoire. Seth oublia momentanément qu'il était en examen et il se leva d'un coup sec.

— Puis-je vous aider ? demanda le surveillant.

— Non, merci, répondit Seth. J'ai échappé mon crayon.

En se penchant, Seth prit son crayon dans sa main droite. Il se releva et le montra au surveillant.

— Voilà.

— Aviez-vous réellement besoin de vous lever pour ça ?

— J'avais une crampe à la jambe ; j'en ai profité, monsieur.

— Je vais passer l'éponge. Mais que je ne vous revoie plus vous lever avant l'heure minimale de départ, sinon vous aurez zéro.

Le coup du crayon ! Je l'ai entendu des centaines de fois. En tant que moustique, j'ai pu voyager et en voir de toutes les couleurs !

Perdant patience, Seth pria le ciel pour que son idée fonctionne. Il se rassit et empoigna son crayon. Il ne pouvait pas parler, sinon le surveillant le punirait. Il décida donc d'écrire :

«Sais-tu lire ? »

Oui, je sais lire.

Enfin! Il avait un moyen de communiquer avec le moustique.

« Laisse-moi tranquille, d'accord ? »

Mais j'ai besoin de ton aide.

« Tu n'es qu'un moustique et moi un homme ; comment pourrais-je t'aider ? »

Ma famille est menacée par un Humain avec un tube de métal. C'est un extin... exterma... extrimo...

« Exterminateur. »

C'est ça ! Tu veux m'aider ?

Seth se mit à rire à l'intérieur. Il effaça toute sa discussion. Il venait d'imaginer un dialogue avec un moustique, il n'y avait pas de doute. La chaleur lui avait fait perdre l'esprit : les moustiques ne parlaient pas.

*

— Tu as vraiment imaginé ça ? se moqua Tommy quand il eut rejoint Seth alors que ce dernier remplissait son sac pour la dernière fois de l'année.

— Ouais. Ça fait peur, hein ?

— Je dirais plus : délirant. Un moustique qui *parle*. Tu as raison, tu l'as imaginé. Mais dis-moi, quand vas-tu nous appeler pour confirmer la date de notre départ pour Cuba ?

— Au courant de la semaine. Dès que j'ai du temps pour moi, je m'occupe de ça. Pour l'instant, je veux simplement relaxer chez moi.

— Je te comprends. Bon, je dois y aller. On se voit bientôt.

— Oh oui ! À plus tard.

— À plus tard.

Tommy détala alors que Seth fermait son casier. Il gagna ensuite l'autobus scolaire, se cala dans un banc et ferma les yeux. Il avait hâte d'être à la maison. L'école était enfin terminée.

Une fois devant chez lui, Seth remarqua un gros véhicule blanc stationné dans la cour, et tout lui revint en tête : c'étaient les représentants de l'Académie Magistrale. D'un pas décidé, Seth entra dans la maison.

— Nous sommes dans la salle de séjour, dit la voix lointaine de sa mère.

Seth déposa son sac à dos et se dirigea vers la salle de séjour en passant dans le Couloir de la Mort. Quand il arriva sur le seuil de la porte, il figea sur place, pétrifié.

Ils étaient tous là : sa mère, son père et les deux hommes. Les mêmes deux hommes étranges qui s'étaient retrouvés chez la vieille Gilman. Les deux hommes qui regardaient Seth de loin.

— Assis-toi, Seth, murmura Kim.

Seth prit place à côté de sa mère de sorte que les deux messieurs, assis tous deux dans une chaise à part, étaient en face de lui.

— Nous pouvons donc commencé, dit l'un des hommes.

Seth dû refouler une envie de rire quand il constata que cet homme ressemblait énormément à un singe. Il lui aurait fallu juste un peu plus de poil, et le tour serait joué.

— Bonjour Seth, je me nomme Craig Wilson, dit l'homme à la face de singe. Bien sûr, ici tu peux m'appeler simplement Wilson comme tous mes amis, mais à l'Académie tu devras m'appeler « monsieur Wilson ». Voyez-vous, ajouta-t-il à l'adresse des parents de Seth, à l'Académie Magistrale nous mettons l'accent sur la politesse. Une énorme lacune s'est introduite dans le système d'éducation et, de nos jours, les jeunes manquent trop souvent de respect envers leurs professeurs.

Kim buvait les paroles de Craig. Gabriel, le père de Seth, quant à lui, semblait captivé par le deuxième homme. Il était très petit, et Seth savait que son père adorait les nains de jardin. Peut-être qu'il imaginait cet homme avec une brouette en plein milieu d'un potager.

Craig suivit le regard de Seth et s'exclama :

— Désolé de ne pas avoir terminé les présentations. Voici Gary Lachance. Gary est mon assistant.

— Mon rôle est de diriger toute l'Académie, expliqua Gary. J'en suis le directeur.

— Et vous ? s'exclama Seth en pointant Craig.

— Moi ? Je suis le… propriétaire de l'établissement.

Gabriel se gratta pensivement le menton, Kim avait le regard pétillant et Seth s'était un peu enfoncé dans le sofa, dévisageant les représentants.

— Qu'est-ce que l'Académie Magistrale ? demanda Seth sans leur laisser le temps d'ouvrir la bouche pour tenter de les berner avec un beau et long discours.

— Une école, répondit Gary.

Wilson lui lança un regard noir avant de se tourner vers Seth.

— Oui, c'est une école *avancée*. Déjà là-bas, tu vas commencer à étudier à fond dans un métier ou une profession qui te passionne. Il y a de nombreux stages et diverses activités. Tout est organisé pour t'aider à progresser.

— Ne suis-je pas trop jeune pour aller à l'Académie ? Je n'ai que 17 ans !

— Trop jeune ? ricana Gary. Les adolescents de nos jours ! Quand on leur dit qu'ils sont trop jeunes, ils se plaignent ! Quand ils peuvent faire quelque chose d'habituellement réservé aux adultes, ils se plaignent encore !

Wilson donna un coup de coude à Gary.

— Les représentants de nous jours! vociféra Seth sur la défensive. Ils se font fermer la porte au nez et ils se plaignent! Ils entrent dans la maison et se plaignent encore! Mais où s'en va donc notre société?

Seth fut étonné de voir un sourire s'afficher sur le visage de Wilson. Gary se pencha sur sa chaise. Les coudes sur les genoux, il regarda intensément Seth. Enfin, il sourit à pleines dents et dit :

— Je crois qu'on va bien s'entendre, jeune homme.

— Je ne crois pas, moi!

— Pourquoi?

— Parce que vous évitez ma question! Pourquoi ai-je le droit, à 17 ans, d'aller dans une Académie?

Cette fois, ce fut Seth qui afficha un sourire. Le visage de Wilson se rembrunit. Sans doute croyait-il que la petite diversion de Gary avait permis à Seth d'oublier sa question.

— L'Académie Magistrale, expliqua Wilson, n'est pas une Académie à proprement parler. Elle a été construite pour aider les jeunes à mieux…

— Aider les jeunes? Une école qui aide les jeunes?

— Seth, intervint Gabriel. Laisse-les parler.

Wilson inspira profondément.

— Oui, une école qui aide les jeunes. Ils étudient plus vite et entrent plus rapidement sur le marché du travail. En plus, leur culture générale est nettement supérieure à celle des étudiants des écoles régulières.

— Qu'est-ce qui favorise cela? questionna Gabriel.

— Plusieurs choses, répondit Gary. Entre autres, nous avons un programme, pour les étudiants de deuxième année, qui leur permet d'étudier dans un autre pays. C'est très enrichissant.

— J'adore ça! commenta Kim. Où dois-je signer?

— Pas si vite, intervint Wilson. À notre Académie, ce n'est pas le parent qui décide, mais bien l'enfant. Si Seth refuse de venir, vous ne pouvez rien y faire. L'enfant est le roi.

— Je ne suis pas un *enfant*!

— Non, tu as raison, commenta Gary. Un simple jeune incapable d'être respectueux!

— Désolé, mais il faut croire qu'il n'y a pas que les enfants qui soient irrespectueux!

Encore une fois, Gary et Wilson sourirent.

— Tu te tailleras très vite une place à notre école, dit Wilson. Bon, avant que tu nous annonces ton verdict, nous devons…

— Quoi? Nous en sommes déjà rendus là? Je ne sais même pas où se trouve l'école, ni comment y aller, ni ce que je dois étudier, ni rien!

Les représentants échangèrent un regard.

— Tu as raison, approuva Wilson, mais l'Académie Magistrale est un endroit privé; nous ne pouvons pas divulguer des informations trop personnelles sans savoir si tu viens ou non. Comme je disais, nous devons te prévenir d'une chose. Venir à l'Académie est un contrat de cinq ans. Seul l'usage du téléphone est permis pour communiquer avec ta famille et tes amis.

Il y eut un silence.

— Et les vacances? voulut savoir Seth.

— Tu les passes à l'Académie, bien sûr! Tu ne peux pas sortir de l'enceinte, sauf si tu fais le programme de deuxième année.

Seth avait l'impression qu'une pierre tombait dans son ventre. Pas de vacances?! Il devrait rester à l'Académie durant deux mois, sans voir ses amis! Non, il n'accepterait jamais ça! Cette Académie commençait vraiment à ressembler à une prison!

Le pire dans tout cela était que Seth éprouvait une envie forte d'y aller quand même. Des études avancées ne pouvaient pas faire de tort. Et l'idée d'intégrer plus vite le marché du travail lui plaisait aussi. Il était donc pris entre deux choix. Par chance, sa mère, subitement blanche comme un drap, posa la question qui lui brûlait les lèvres.

— Ne pourrions-nous pas prendre un arrangement qui permettrait à Seth de venir nous voir lors de ses vacances?

— Navré, mais non, fit Wilson. Les règlements sont les mêmes pour tout le monde. Alors, Seth, tu as pris ta décision?

Seth ne répondit pas. Une part de lui hurlait oui. Être loin de ses parents, de deux blocs de glace dont le seul et unique but était d'accumuler de l'argent pour pouvoir vivre dans le luxe, déjà qu'ils y vivaient, ne dérangeait pas Seth. Les visages de Tommy et de Joanne s'imposèrent en lui. Ses deux meilleurs amis allaient lui manquer, c'était sûr.

— J'ai jusqu'à quand pour y penser? se risqua Seth.

— Nous ne voulons pas bousculer les choses, dit Wilson, mais le plus vite tu auras pris ta décision, mieux ce sera. Si tu acceptes de venir, nous t'emmenons à l'Académie dès ce soir. Et oui, les choses vont vite, je le sais, mais tu as besoin de beaucoup de préparation.

— Ce soir! Impossible! J'ai déjà prévu quelque chose avec...

— Très bien. Dans ce cas, nous reviendrons sous peu pour connaître ta décision. Sache que nous ne serons jamais loin de toi et que tu peux nous appeler n'importe quand. *Pour cela, tu n'as qu'à murmurer l'un de nos noms trois fois.*

Seth aurait parié n'importe quoi que ses parents n'avaient pas entendu cette dernière phrase. Wilson et Gary se levèrent, remercièrent les Langlois pour leur hospitalité et quittèrent la maison. Quand la porte se fut refermée, Kim se tourna brusquement vers son fils.

— J'espère que tu comptes y aller !

— Mais…

— Écoute, Seth. Ton père et moi voulons ton plus grand bien, tu le sais, non ? Et cette Académie est une chance inouïe pour toi ! Je t'en prie, plutôt que de prendre une décision en fonction de tes amis, pense d'abord à toi, d'accord ?

Seth hocha la tête. S'il devait penser à lui-même avant les autres, sa décision ne serait donc pas simple. Pourquoi tout était-il toujours compliqué dans le monde ? Pourquoi n'existait-il pas une machine qui puisse prendre des décisions à la place de Seth ?

Rien n'était jamais facile.

Cuba

La visite de Wilson et de Gary avait marqué Seth d'une manière considérable. Seth ne pensait plus qu'à eux. Qui étaient-ils réellement? (Seth avait la vague impression qu'ils n'avaient pas tout dit.) Pourquoi voulaient-ils de Seth à leur Académie alors que d'autres, comme Joanne, avaient de meilleures notes que lui? Et surtout : qu'était-ce que c'était que cette Académie Magistrale? Dès leur départ, Seth avait mangé en vitesse et s'était précipité dans sa chambre pour faire une recherche sur l'Académie. Il n'avait rien trouvé. Quand il en parla à sa mère, elle roula les yeux et répondit :

— Tu t'attendais à quoi? Ils n'ont même pas voulu tout nous dire en personne. Alors crois-tu vraiment qu'ils divulguent plus de renseignements sur un site Internet?

Seth devait avouer que sa mère marquait un point. Toutefois, elle paraissait tellement emballée par cette Académie qu'elle ne voyait rien de négatif dans toute cette histoire. De toute évidence, même l'idée que Seth parte cinq ans commençait à lui plaire.

— Ton père et moi aurons plus de temps pour nous deux, dit-elle trois jours après la fameuse visite des représentants.

Devant ses parents, Seth essayait d'éviter le sujet. Son père ne semait pas l'ombre d'un doute sur sa position, et cela mettait Seth très mal à l'aise. Peut-être que Gabriel ne voulait pas voir son fils partir pendant cinq années sans jamais le revoir. Sauf que, si Seth choisissait d'aller à l'Académie, il n'aurait pas le choix de s'y faire.

Il n'y avait pas que Gabriel qui était sceptique à l'idée d'une Académie pour jeunes. Bien entendu, Seth avait tout raconté à Tommy et Joanne. Tommy avait trouvé cela fabuleux et avait assuré son ami qu'il serait d'accord avec sa décision. Toutefois, Joanne s'était montrée plus critique quant à la durée de tout cela.

— Cinq ans ? Voyons, Seth, quelque chose cloche, c'est évident ! Tu devrais faire quelques recherches.

Même si ses recherches avaient porté fruit, le problème de Seth serait demeuré entier : accepter ou refuser. Telle était la question.

Accepte, insistait une voix dans la tête de Seth, *accepte. Tu ne sais pas ce que la vie te réserve et tu pourrais être très déçu de ne pas avoir saisi l'opportunité.*

Ou encore, répliqua une autre voix, *tu pourrais être déçu d'y être allé. Ça se voit dans les deux sens.*

Accepte.

Refuse.

Accepte !

Refuse !

ACCEPTE !

REFUSE !

Le soir, Seth avait de la misère à s'endormir tellement la question le tourmentait. S'il ne trouvait pas une réponse assez vite, il deviendrait fou ! Un jour, alors qu'il était sur le point de s'endormir, Seth ouvrit grand les yeux. Il avait une idée !

*

Le lendemain, Seth sauta sur son ordinateur et vérifia les horaires de vol en direction de Cuba. Pour lui, le plus tôt serait le mieux. Il vit alors qu'un vol aurait lieu la semaine suivante et qu'il restait encore plusieurs billets disponibles. Exactement ce qu'il cherchait ! Seth descendit dans la cuisine, où il trouva ses parents.

— Papa, maman, commença-t-il, la semaine prochaine je vais à Cuba avec Tommy et Joanne.

— Tu as donc décidé de la date, dit son père.

— Oui.

— Très bien. Préviens tes amis, j'irai vous conduire à l'aéroport. Quelle date exactement ?

— Mercredi prochain.

Seth s'apprêta à partir quand sa mère le retint.

— Un instant, jeune homme. As-tu choisi ?

— Choisi quoi ?

Kim fit la moue.

— Si tu t'inscrivais à l'Académie Magistrale, bien sûr ! Quoi d'autre ?

— Oh, ça...

Seth prit une grande inspiration. Sa mère le fixait et semblait avide de connaître la réponse. Dans ses yeux, Seth lisait un désir absolu de voir son fils prendre son envol pour l'Académie. Tandis que son père restait de marbre, voilant ses émotions avec ses sourcils broussailleux.

— J'ai encore besoin de temps pour y réfléchir.

— Seth, s'empressa de dire sa mère, ce n'est pas une décision à prendre à la légère...

— Justement, coupa Gabriel, il doit prendre le temps de peser le pour et le contre. S'il décide d'y aller et qu'il regrette...

— Qu'il regrette quoi ? D'avoir un avenir ? Ce n'est pas parce que toi, Gabriel Langlois, tu n'es pas allé à l'Université que ton fils n'a pas le droit de se rendre à une Académie. Est-ce clair ?

— Depuis quand oses-tu me parler sur ce ton ?

— Depuis toujours. Seulement, tu ne m'as jamais écoutée !

— STOP !

C'était la première fois que Seth voyait ses parents se disputer. Habituellement, ils étaient toujours d'accord sur tout. Sauf que là, Kim et Gabriel partageaient un avis différent et entraient sur un terrain inconnu : le dialogue. Le seul moyen pour avancer dans la vie et en apprendre davantage.

— C'est à moi de décider, trancha Seth. Peu importe ce que vous direz, c'est mon choix qui importe.

Avant que ses parents aient pu répliquer quoi que ce soit, Seth s'empara du téléphone et monta dans sa chambre. Il s'empressa de téléphoner à Tommy.

— La semaine prochaine ? s'exclama ce dernier.

— Ça te va ?

— Ouais, pas de problème. Seth, tu vas bien ?

— Parfaitement, pourquoi ?

— Ta voix est étrange.

Étrange ? Elle tremblait un peu, c'était vrai. Quoi de plus normal après avoir assisté à la première chicane de ses parents ?

— Je dois appeler Joanne.

— Seth...

Seth raccrocha. Il ne voulait pas parler de ses problèmes avec Tommy. Qui aimait se plaindre auprès des autres ? Seth prit conscience que beaucoup de gens adoraient ça. Pourtant, ce n'était pas... humain. Pourquoi embarrasser quelqu'un avec ses problèmes alors que cette personne gérait déjà ses propres difficultés?

— Tu ne blagues pas? La semaine prochaine? s'exclama Joanne quand Seth l'eut mise au courant.

— Oui. Mon père va nous déposer à l'aéroport mercredi.

— Euh… d'accord. Dis-moi, as-tu pris une décision pour l'Académie?

Seth soupira.

— Tu es comme ma mère. Elle aussi veut absolument savoir ce que j'en pense.

— Je suis désolée, Seth. Je ne…

— Non, ça va. C'est moins… gênant d'avoir cette conversation avec une amie qu'avec ma mère. Honnêtement, je n'ai pas pris de décision définitive. Je penche quand même du côté du « oui ». Peut-être que l'Académie Magistrale est une expérience que je ne peux tout simplement pas manquer.

Seth entendait la respiration de Joanne. Visiblement, elle réfléchissait à ce que Seth venait de lui dire. Sa respiration calme et lente rappela à Seth quand sa mère le réconfortait lorsqu'il était jeune. Elle le prenait dans ses bras et le berçait jusqu'à ce qu'il s'endorme.

— Seth, murmura Joanne, tu dois peser le pour et le contre.

— Je sais ce que je fais, Joanne. Je t'en prie, n'essaie pas de t'interposer dans cette histoire.

— Tu as raison. Tu n'as plus cinq ans.

Peu de temps après avoir raccroché, Seth décida de retourner dans la cuisine. Ses parents y étaient toujours. Kim, les jambes croisées, buvait son café. Seth ne l'avait jamais vue dans cette position. Gabriel, quant à lui, paraissait détendu. On aurait dit que tout ce qui venait de se passer ne l'avait pas du tout atteint. Seth détestait cette attitude. Chaque fois qu'il se chicanait avec son père, Gabriel agissait ainsi.

— J'ai prévenu Joanne et Tommy, avertit Seth.

— Y a-t-il des problèmes ? demanda Gabriel.

— Aucun.

— Parfait.

Seth déposa le téléphone sur le comptoir. Il avait hâte d'aller à Cuba avec ses meilleurs amis. C'était là-bas qu'il déciderait s'il irait à l'Académie ou non. Il monta dans sa chambre et s'étendit sur son lit. Là, il laissa libre cours à son imagination quelques minutes et se visualisa au bord de la mer, le soleil haut dans le ciel, les oiseaux voltigeant au-dessus de leurs têtes... Tout semblait pour le mieux.

Sauf que Seth ignorait réellement ce qui l'attendait à Cuba.

*

Deux jours avant son départ, Seth commença à faire ses bagages. Son ordinateur lui montrait des photos de Cuba sans arrêt, et son impatience d'y être augmentait à chaque minute. Certes, il y était déjà allé avec ses parents, il y avait quelque temps, mais cette fois-ci, avec tout le mystère qui commençait à entourer son existence, il lui semblait que cette petite pause lui ferait le plus grand bien.

— Seth ! appela Kim au bas des escaliers.

Sachant très bien que sa mère voulait parler de l'Académie, Seth fit semblant de ne pas l'entendre.

— Seth !

L'oreille sourde, Seth continua d'empaqueter ses effets dans sa valise jusqu'à ce que...

— SETH LANGLOIS ! VIENS ICI TOUT DE SUITE !

Comprenant qu'il ne pouvait plus faire attendre sa mère, Seth descendit l'escalier. Il s'attendait à trouver sa mère en bas, mais elle n'y était pas.

— Maman?

— Dans le salon.

Seth gagna le salon à contrecœur.

Sa mère était debout et faisait les cent pas. Son père était assis calmement. Kim tenait une lettre froissée. Elle avait dû la lire des centaines de fois.

— Assis-toi, ordonna Kim.

C'était la première fois qu'elle donnait un ordre aussi direct à son fils.

— Qu'y a-t-il?

Kim lui agita la lettre sous le nez.

— Tu sais ce que c'est?

— Une lettre?

— De l'Académie Magistrale!

— Quoi?

Kim s'éclaircit la gorge et se mit à lire la lettre à voix haute :

Chers Monsieur et Madame Langlois,

Vous souvenez-vous de moi? Je suis Craig Wilson. Je suis venu chez vous il n'y a pas très longtemps pour convaincre votre fils de continuer son éducation à l'Académie Magistrale. L'absence de réponse de la part de Seth Langlois nous inquiète un peu. C'est pourquoi, vendredi de cette semaine, nous retournerons chez vous, si cela ne vous dérange pas, pour parler de nouveau à Seth et vérifier où il en est dans son processus de décision.

Monsieur et Madame Langlois, vous rappelez-vous que je vous ai demandé de ne pas vous interposer entre Seth et l'Académie? Eh bien, je dois avouer que, parfois, je dois me contredire. Effectivement, si vous pouviez aider Seth, je crois que ce serait très apprécié puisque, pour pouvoir participer à la prochaine année scolaire, dans l'idéal, Seth devra s'établir à l'Académie dans moins de trois semaines. Il doit absolument passer un mois complet à l'Académie afin de pouvoir s'adapter à son nouveau mode de vie.

Je tiens à vous remercier pour votre générosité et votre soutien envers Seth, car il en aura sûrement besoin.

Sincèrement,

Craig Wilson,
Propriétaire de l'Académie Magistrale

Seth en était bouche bée. La seule chose qu'il avait réellement retenue était que son voyage à Cuba devait être annulé à cause de la visite de Wilson ! Comment allait-il annoncer ça à Joanne et à Tommy ?

— Comprends-tu ce que cette lettre veut dire ? demanda Kim.

— Oui. Vendredi, si nous acceptons, Wilson va venir ici.

Seth repéra son échappatoire. S'ils refusaient que Wilson débarque chez eux vendredi, il pourrait partir pour Cuba sans problème. Il ne restait à Seth qu'à convaincre ses parents de refuser la visite de Wilson.

— Oui, fit Kim Langlois, mais ce n'est pas tout. Ton père et moi pouvons désormais avoir un mot dans cette histoire. Nous allons avoir une très longue discussion.

— Maman...

— Seth, cette Académie est une chance qui ne se représentera plus. Tu connais mon point de vue là-dessus...

Gabriel toussota.

— Si j'ai bien compris, s'interposa-t-il, toi et moi avons notre mot à dire. Le mien compte autant que le tien, Kim. Il ne faudrait pas l'oublier.

— Bien sûr que non, je ne l'oublie pas. Seulement, j'expose mon point de vue en premier.

Elle accorda de nouveau son attention à Seth.

— Seth, je ne veux pas te perdre durant cinq ans, c'est certain. Oui, les communications seront presque toutes coupées. Au moins, il restera le téléphone. Rien n'est perdu, tu sais ? Cette Académie Magistrale t'ouvre des portes, et tu dois saisir cette chance.

Cette fois-ci, ce fut Seth qui l'interrompit.

— Maman, tu ne te poses pas de questions sur cette Académie ? Par exemple : Pourquoi est-ce que c'est moi qui suis choisi alors que Joanne a de bien meilleures notes ? N'aurait-elle pas plus sa place que moi à l'Académie ? Pourquoi est-ce que, d'après ce que Wilson disait la dernière fois, j'avais tout mon temps pour réfléchir à leur proposition, alors qu'avec cette lettre, on me force à prendre une décision avant vendredi ? S'il te plaît, maman, pose-toi ces questions et essaie d'y répondre.

Kim plissa les yeux. Elle cherchait une réplique aux interrogations de Seth. Pendant ce temps, Seth surprit un énorme sourire sur le visage de son père. C'était la première fois que Seth avait l'impression que son père était fier de lui. Visiblement, cette journée était pleine de rebondissements et de découvertes.

Kim prit une grande inspiration et répondit :

— Peut-être qu'ils ont tiré au hasard parmi ceux qui étaient aptes à entrer dans cette Académie. Ou peut-être que tu as un talent spécifique, dans une matière, que Joanne ne possède pas. Ou encore, peut-être s'agit-il d'une Académie pour garçons ? En ce qui concerne le délai, Craig Wilson devait espérer que tu prennes ta décision plus vite que ça, et c'est pourquoi il n'a pas voulu te bousculer dès le premier jour.

— Kim, intervint Gabriel, je pense toujours que nous ne devons pas pousser Seth…

— Ne pas le pousser ? Tu es malade ou quoi ? Il ne prendra jamais sa décision à temps.

— Moi qui espérais trouver la réponse lors de mon voyage à Cuba. Il faudrait peut-être répondre à Wilson et lui dire qu'il ne peut pas venir avant mon retour.

Kim parut offusquée.

— Je ne dirai jamais ça à Craig Wilson ! Tu oublies ton voyage, point à la ligne. Tu resteras ici à penser à ta décision.

Le cœur de Seth s'accéléra. Annuler son voyage ? Non, sa mère ne pouvait pas lui faire ça. Il ne restait qu'une seule solution, et Seth sauta les yeux fermés dans ce gouffre qui s'ouvrait sous ses pieds.

— De toute façon, j'ai déjà pris ma décision, mentit Seth.

Son père et sa mère le dévisagèrent. Le cerveau de Seth travaillait à une vitesse folle. Oui… Non… Oui… Non… Oui… Non… Il ne savait pas réellement ce que son cœur voulait. Il voyait les mots défiler devant ses yeux. Finalement, il suivit son instinct et annonça :

— Je vais aller à l'Académie Magistrale.

Kim poussa un cri suraigu. Gabriel hocha la tête, pris au dépourvu. Il leva les yeux et murmura à son fils :

— Après tout, c'est ton choix.

Kim sautait partout. Son fils allait entrer dans une Académie ! Elle s'empara d'un stylo et d'une feuille.

— Je dois absolument écrire à Craig Wilson pour lui annoncer la nouvelle.

Se tordant les mains, Seth finit par poser la question qui lui brûlait tant les lèvres.

— Puis-je aller à Cuba, maintenant ?

— Bien sûr, Seth !

— Merci, maman. Et merci à toi aussi, papa. Maman, pourrais-tu écrire à Craig Wilson que j'entrerai en contact avec lui après mon voyage et que ma décision finale est déjà prise.

— Oui, mon ange.

— Mais ne lui dis pas que j'y vais.

— Ne t'inquiète pas. Fais-moi confiance.

— Moi, je m'inquiéterais, à ta place, souffla Gabriel à son fils.

Quand il fut de retour dans sa chambre, Seth termina ses bagages. La valise fermée sur le coin de la porte lui rappela les nombreux voyages qu'il avait faits dans sa vie. Sauf que, cette fois, il se sentait… mélancolique. Il avait pris une décision à la hâte à propos de son adhésion à l'Académie. Que pouvait-il faire d'autre pour conserver son voyage?

*

Seth descendit l'escalier à toute vitesse quand quelqu'un cogna à la porte d'entrée. Seth l'ouvrit et laissa entrer Tommy.

— J'ai hâte d'y être, s'exclama aussitôt le meilleur ami de Seth.

— Moi aussi.

Le soleil était encore couché, et l'air frais de la nuit entra avec Tommy.

— Est-ce que Joanne est arrivée?

— Non, elle s'en vient dans quelques minutes. Elle avait quelques petites choses à régler avant de venir.

— Elle veut sûrement terminer un livre ou quelque chose comme ça.

— Je ne crois pas.

Seth amena Tommy dans la cuisine où son père les attendait. Ce dernier, une tasse de café à la main, semblait très fatigué, mais son sourire éclipsa toute trace de fatigue.

— Bonjour, Tommy.

— Bonjour, monsieur Langlois. Comment allez-vous ?

— Bien, merci. Et toi ?

— Je vais très bien. Merci pour tout, surtout.

— Ce n'est rien, voyons !

Seth s'empara de la valise de Tommy et la posa à côté de la sienne tout près du garde-manger.

— Viens, dit Seth.

Avant de monter dans la chambre de Seth, ils attendirent Joanne près de la porte avec impatience. Quelques minutes plus tard, elle débarqua à l'entrée.

— Seth ! s'exclama Joanne. Tommy !

— Joanne, firent les deux gars.

— Tu vas bien ? demanda Seth.

— Oui, et vous deux ?

— Absolument.

— Ouais, ça va.

Seth déposa la valise de Joanne avec les deux autres. Joanne remercia mille fois Gabriel, et ce dernier les avertit qu'ils devaient partir dans 10 minutes. Tirant Joanne, car elle remerciait encore Gabriel, Seth la traîna dans sa chambre. Là, il ferma la porte et regarda fixement ses amis.

— Ça va ? s'inquiéta Joanne.

— Oui. J'ai juste une grande nouvelle à vous annoncer.

Seth prit une profonde inspiration avant de sauter à l'eau.

— J'ai décidé d'aller à l'Académie Magistrale.

Un silence lourd s'imposa dans la pièce. Seth ferma les yeux. Il savait que ses amis ne crieraient pas de joie. Puis, sans avertissement, Joanne éclata de rire.

— Tu as bien failli m'avoir, dit-elle.

— Quoi ? s'étonna Seth. Non, je ne me moque pas de vous. Je vais réellement à l'Académie. Dès mon retour de Cuba, j'entre en contact avec les représentants et je pars là-bas.

Joanne et Tommy le regardaient, sidérés. Seth souhaita de tout cœur que cette nouvelle ne détruise pas leur merveilleux voyage.

*

Avec un sentiment d'excitation, Seth poussa la porte de leur chambre d'hôtel. Il resta bouche bée devant cette chambre de rêve : il y trouva deux lits aux couvertures brun foncé qui s'agençaient avec la couleur beige des murs. Les bureaux et les commodes antiques noirs rappelaient étrangement le mobilier d'un vieux film dont Seth avait oublié le titre. Un écran plat de 60 pouces était accroché au mur et diffusait des images de la plage que Seth apercevait par la fenêtre. La salle de bain comportait une toilette, une douche, un bain tourbillon, une autre télévision à écran plat, et la céramique bleue avait été choisie spécialement pour s'agencer avec les murs lilas.

— Je me demande si la chambre de Joanne est comme ça, dit Tommy.

Seth lui confirma que c'était le cas. Lui et Tommy partageaient cette chambre, et Joanne, étant une femme, n'avait pas l'autorisation d'être avec eux.

Seth choisit le lit le plus près de la grande fenêtre. Quand il écarta les rideaux, il comprit qu'il s'agissait plutôt d'une porte vitrée qui donnait accès à un immense balcon. Le son des vagues entrait dans la chambre et donnait envie de courir à la plage pour se baigner dans la mer.

Une fois leurs vêtements bien rangés dans les commodes, Seth défit son lit et celui de Tommy. Il appela une femme de chambre et lui demanda de les nettoyer. Il avait vu un documentaire à propos de la propreté dans les hôtels et il avait compris qu'il valait mieux ne pas prendre de risque. Il demanda également à la femme de chambre de s'occuper de la salle de bain.

La porte de la chambre s'ouvrit, et Joanne entra. Elle rassura Seth — qui lui suggéra prestement de demander à une femme de chambre de nettoyer la salle de bain et ses draps — sur le fait qu'il n'avait pas à s'inquiéter pour ça. Joanne pressa les garçons pour qu'ils enfilent leur maillot. Ils obéirent et, en moins de temps qu'il fallait pour le dire, ils étaient rendus à la plage.

Le sable chaud passait entre les orteils de Seth, lui procurant un étrange sentiment de bonheur. L'air chaud poussé par le vent lui fouettait les cheveux, et les vagues montaient sur la plage comme si elles voulaient attraper les personnes qui se faisaient bronzer sur une serviette de plage.

Joanne sauta dans l'eau la première. Tommy la suivit. Seth resta un moment sur la plage. Au loin, un homme le regardait. Ses vêtements sales et troués affichaient sa pauvreté. L'homme montra les dents à la manière d'un chien, en direction de Seth, avant de partir en courant. Après avoir secoué sa tête pour chasser cette image, Seth sauta également à l'eau.

Elle était à la température idéale. Les vagues l'entraînaient vers la plage, mais Seth nageait avec insistance pour rattraper ses amis.

— Tu en as mis du temps, se plaignit Tommy. Que faisais-tu ?

— Rien de très important.

Pour éviter d'autres questions, Seth retourna sous l'eau. Sauf qu'une autre surprise l'y attendait…

Un poisson passa devant le visage de Seth.

Que fais-tu ici ?

Seth faillit s'étouffer lorsqu'il ouvrit la bouche de stupéfaction. Il remonta à la surface. Tommy et Joanne n'étaient pas à proximité, heureusement. Le phénomène recommençait donc. Non, Seth ne pouvait pas avoir entendu un poisson parler. Pourtant...

Tout d'abord il y avait eu le chat, puis le moustique et finalement le poisson. Que se passait-il ? Devenait-il fou ? Sans aucune raison, un mot s'imposa dans l'esprit de Seth.

Monstrum.

Seth se dépêcha de quitter l'eau.

Un petit garçon mangeait une glace pendant que sa mère lisait un livre. Une fille essayait de séduire le sauveteur qui n'avait manifestement pas l'air intéressé. Un goéland mangeait les restes d'un pique-nique délaissé par ses propriétaires. Enfin, Seth les vit : Joanne et Tommy se tenaient tout près de quelques palmiers et semblaient en grande discussion. Seth se dépêcha de les rejoindre, mais il ralentit la cadence lorsqu'il capta ce qu'ils se disaient. Pris de panique, il se cacha derrière l'un des arbres.

— Quoi ? s'écria Joanne. Tu crois réellement ça ?

— Oui. C'est évident, non ?

— Pas du tout ! Tu as tout faux, Tommy !

— Tout faux ? Tu ne l'as pas vu ?

Il s'éclaircit la gorge et imita quelqu'un :

— *Joanne, tu es si belle que je décrocherais la lune pour toi ! Joanne, ton sourire me fait chavirer le cœur. Joanne, tu es comme une petite...*

— Il ne m'a jamais dit ça !

— Mais il en meurt d'envie ! Tu l'as vu aller ? Il n'arrête pas de te tourner autour ! D'après toi, pourquoi se tenait-il souvent à la bibliothèque, cette année ?

Seth venait de comprendre. Tommy parlait de Mathieu, un garçon qui était attiré par Joanne.

— Il ne..., se défendit Joanne. Je veux dire... Et puis, ce n'est pas de tes affaires, figure-toi!

— Pas de mes affaires? Et pourquoi ce n'est pas de mes affaires? Je suis ton ami, après tout!

— Justement, si tu étais réellement mon ami, tu ne rirais pas de moi et tu me dirais la vérité.

Un silence s'installa. Seth toussota, mais aucun des deux ne l'entendit. Il aurait voulu partir en courant, sauf que ses jambes étaient dures comme du plomb. Entendait-il réellement cette conversation? Est-ce que Tommy faisait une crise de jalousie à Joanne à cause de Mathieu?

— La vérité? fit finalement Tommy. Quelle vérité?

— À toi de me le dire, Tommy! Je ne suis pas sotte. Je te vois aller, tu sais? Si tu m'aimais réellement, tu me le dirais et tu ne me ferais pas cette crise parce que Mathieu m'a demandé de sortir avec lui!

Un silence encore plus gênant que le premier s'installa. La voix de Joanne tremblait. Seth était sûr qu'elle allait fondre en larmes. Un goût d'amertume se répandait dans sa bouche. Ce petit voyage de rêve se transformait en cauchemar.

— Que lui as-tu répondu? voulut savoir Tommy.

Seth ferma les yeux. Il priait pour que Joanne ait dit non à Mathieu, sinon Tommy serait misérable pour tout le reste du voyage.

— Je lui ai dit qu'on en reparlerait à mon retour de Cuba. Rien n'est décidé.

— Merci.

— Merci pour quoi?

— Pour rien, je présume.

Par bonheur, Joanne eut un petit rire et Tommy aussi. Le cœur de Seth sauta de joie dans sa poitrine. Peut-être que leur voyage ne virerait pas au drame après tout.

— On ferait mieux de retourner dans l'eau, dit Joanne. Sinon Seth va s'inquiéter pour nous.

— Tu as raison.

Les deux amis coururent dans la mer et, pendant un moment, Seth jura voir leurs mains se toucher.

La nuit tomba assez vite, et les trois amis regagnèrent leur chambre. Joanne avait décidé de passer un peu de temps avec les garçons avant de se mettre au lit. Ils écoutèrent un film espagnol sous-titré en anglais en mangeant des tonnes de friandises. Comme il se l'était promis quand il les avait surpris, Seth ne dit rien au sujet de la conversation que ses amis croyaient secrète.

Le lendemain, un oiseau se posa sur le balcon et becqueta à la porte, ce qui réveilla Seth. Il s'habilla, fit sa toilette et descendit prendre son petit déjeuner au restaurant de l'hôtel. Bientôt, il fut rejoint par Joanne et Tommy.

— Vous avez passé une bonne nuit ? demanda Joanne.

— Oui, répondit Tommy.

Seth l'approuva.

— Toi ?

— Géniale, assura Joanne. Quoique je me sente un peu seule dans ma chambre !

Ils mangèrent dans le rire et l'amitié. Seth prenait plaisir à vivre cet instant avec les deux seules personnes au monde qui l'aimaient — mis à part ses parents — pour ce qu'il était et non pour l'argent qu'il possédait. Il souriait à pleines dents jusqu'à ce qu'il le voie…

L'homme, dans les mêmes vêtements dépareillés que la veille, était à l'extérieur de l'hôtel et regardait Seth par la fenêtre. Lentement, l'homme leva un doigt et le passa sur son cou avant de le pointer sur Seth. Le message ne pouvait pas être plus clair. Un frisson remonta la colonne vertébrale de Seth pendant que les poils de sa nuque s'hérissaient. Était-il réellement en danger de mort ? Finalement, il aurait peut-être dû annuler ce voyage.

Voyant l'expression effrayée de Seth, Joanne se retourna brusquement pour voir ce qu'il regardait, mais l'homme était déjà parti.

— Qu'est-ce qu'il y a ? s'enquit Joanne.

— Rien, mentit Seth. J'ai failli vomir.

L'idée de sortir de l'hôtel perturbait un peu Seth. Il aurait souhaité qu'il y ait une tempête dehors pour qu'ils puissent tous rester à l'intérieur, car il était convaincu que personne ne laisserait le vagabond entrer dans l'hôtel. Mais pourquoi en voulait-il à Seth ?

— Que faisons-nous aujourd'hui ? s'enquit Tommy.

— Nous pourrions visiter les environs, commença Joanne. J'aimerais bien me promener et en apprendre sur la culture locale… Qu'est-ce que tu en penses, Seth ?

Seth ferma les yeux. Non, il ne devait pas sortir de l'hôtel. Il avait trop peur de l'homme.

— Je vais rester ici, dit-il. Je ne me sens pas très bien.

— Veux-tu qu'on reste avec toi ? s'inquiéta Tommy.

— Non, s'empressa de répondre Seth, qui ne voulait pas gâcher une journée de plaisir à ses amis. Dites-moi seulement où vous allez être au cas où je me sentirais mieux et que je déciderais de vous rejoindre.

Joanne prépara donc l'itinéraire des endroits qu'elle comptait visiter dans l'ordre. Tommy, ne connaissant aucun attrait touristique, la laissa choisir les destinations qui semblaient les plus intéressantes, et Seth se surprit à penser que Tommy allait s'ennuyer à visiter la ville, mais qu'il apprécierait d'être en compagnie de Joanne.

Quand ses amis quittèrent l'hôtel, Seth se dépêcha de gagner sa chambre et s'y enferma. Il ouvrit toutes les fenêtres pour ne pas mourir de chaleur et décida de s'asseoir sur une chaise sur le balcon. Là, au moins, il pouvait profiter du soleil.

Les exclamations des enfants qui jouaient dans l'eau montèrent aux oreilles de Seth. Il écouta les parents les avertir d'être sages et de ne pas se chicaner, le sauveteur souffler dans son sifflet pour réprimander quelqu'un, l'appel des goélands survolant la plage, le flux et le reflux de l'eau, le bruit d'un ballon de volley-ball qu'on s'échangeait d'une équipe à l'autre, un marchand de glace annonçant haut et fort sa marchandise ; tous ces sons parvinrent à Seth du haut de son balcon. Il avait l'impression d'être le maître de l'endroit. Chaque discussion lui parvenait, mêlée au brouhaha des autres. Il suffisait de se concentrer un peu et il était possible de suivre une conversation tellement le son était bien porté par le vent.

Les heures passèrent, et Seth resta là à admirer le paysage qui s'offrait à lui telle une fleur qui s'ouvre le matin. L'envie de descendre et de sauter dans l'eau était intense, mais Seth parvenait à la maîtriser. Il ignorait pourquoi, mais il savait que l'étranger voulait vraiment sa peau et qu'il ne reculerait devant rien pour l'avoir.

Seth se mit à regarder les personnes sur la plage. Il espérait voir l'homme, simplement pour s'assurer qu'il n'était pas dans l'hôtel ou même dans sa chambre. Malheureusement, il ne le vit nulle part.

Son ventre gargouillait, alors Seth décida de retourner au restaurant pour le dîner. De toute façon, Joanne et Tommy ne reviendraient pas avant 20 h ; il était inutile de les attendre pour manger.

La journée se poursuivit de la même manière : Seth restait assis sur sa chaise à écouter ce qui se passait sur la plage. Ne pas revoir l'homme le rassurait et l'inquiétait en même temps. La peur le paralysait et, résigné, il avait décidé de passer le reste de ses vacances dans sa chambre. Il essaierait de ne pas éveiller les soupçons de Joanne et Tommy et tâcherait d'avoir l'air très malade pour les convaincre qu'il devait absolument rester cloué au lit. Cette partie du plan était du gâteau.

Le lendemain, Seth se réveilla encore le premier. Il alla dans la salle de bain et fit couler de l'eau très chaude. Il y trempa un linge qu'il posa ensuite sur son front. Il se pratiqua ensuite devant le miroir à avoir l'air malade et, quand il entendit Tommy se lever, Seth enleva sa serviette, la lança sur la pile de vêtements à nettoyer et quitta la salle de bain.

— Tu n'as pas l'air de bien aller, dit Tommy.

Avec la manche de son pyjama, Seth essuya l'eau qui perlait sur son front.

— Je crois que je fais de la fièvre, prétendit-il.

Tommy s'approcha et toucha son front.

— Je le crois aussi. Pauvre toi ! Tu nous paies des vacances pour qu'on puisse s'amuser tous ensemble et tu dois rester au lit. Pas de chance, vieux.

Tommy partit en jurant à Seth de demander à une femme de service de monter pour lui servir le petit déjeuner. Il respecta sa promesse et, quelques minutes plus tard, une femme apporta un plateau qu'elle donna à Seth avant de partir, l'air maussade.

*

Un sentiment de nostalgie s'installa dans le cœur des trois amis en cette avant-dernière journée de vacances. Tout au long de la semaine, Seth avait feint d'être malade pour ne pas avoir à croiser l'inconnu. Joanne et Tommy se sentaient mal de profiter du voyage sans Seth alors que c'était lui qui avait déboursé le prix de leur billet.

— Ne vous inquiétez pas pour ça, les rassura Seth. Je m'amuse à ma manière.

En effet, au cours de la troisième journée, Seth avait trouvé la piscine intérieure de l'hôtel telle qu'annoncée sur leur site.

— Tu sais, avait dit Tommy au cinquième jour, nous devons ramener des *souvenirs*, pas des *maladies*.

— Ce n'est pas ma faute, s'était défendu Seth. J'ai dû manger quelque chose…

Ou vu quelque chose, pensa Seth.

Enfin, l'avant-dernière journée était arrivée, et Joanne et Tommy se préparaient pour une fête qui allait avoir lieu sur la plage. Ils avaient essayé de convaincre Seth de venir, mais ce dernier avait catégoriquement refusé : il préférait se reposer pour « aller mieux » en vue de leur retour, le lendemain, sinon ses parents s'inquièteraient trop.

Le soir arriva plus vite qu'ils ne l'avaient espéré. Joanne entra dans la chambre des garçons. Elle portait une robe rose, et ses cheveux cascadaient sur ses épaules. Tommy, quant à lui, avait revêtu de simples shorts et un chandail blanc.

— Tu es sûr que tu ne veux pas venir ? demanda Joanne pour la énième fois.

— Certain, répondit Seth. Je serai sur le balcon et je regarderai de là. Si jamais l'envie me prend, je vais descendre vous rejoindre ; ne vous inquiétez pas.

Joanne se passa une main dans les cheveux.

— Tu devrais venir, Seth. Tu n'as profité de ce voyage qu'une seule journée !

— J'ai déjà voyagé, Joanne. Je sais ce que c'est que de se baigner dans la mer.

À contrecœur, Joanne et Tommy partirent à la fête qui avait déjà commencé. Seth alla s'asseoir sur le balcon. Il suivit des yeux Joanne et Tommy qui marchaient en direction de la foule nombreuse. La musique était si forte que même si Seth avait voulu dormir, il en aurait été incapable.

Il n'y avait aucun enfant sur la plage. Certains adultes couraient nus dans l'eau. Par chance, le soleil était couché, et la pénombre dissimulait ce spectacle. Seth pensa aux jeunes enfants qui, comme lui, observaient la scène. Il comprit maintenant pourquoi seuls quelques torches et des colliers fluorescents étaient utilisés comme source de lumière. Les agents de sécurité se mirent à courir après les nudistes. Il y en avait même un qui avançait en direction de l'hôtel. Quand ils le virent, les employés de l'hôtel voulurent l'intercepter, mais le nudiste se retourna et détala dans l'autre direction. Seth ne put s'empêcher d'éclater de rire devant ce spectacle.

Quelques minutes s'étaient écoulées lorsque la porte de la chambre de Seth s'ouvrit à la volée. Seth fit volte-face, s'attendant à voir surgir une femme de chambre, mais il se figea sur place. Il se trompait complètement. Il s'agissait de l'homme qui l'avait menacé.

— Qui êtes-vous ? demanda Seth.

L'étranger eut un petit rire moqueur sans joie.

— Je suis Fabrice, un de tes pires cauchemars !

Sans rien dire d'autre, il s'élança vers Seth. Ce dernier plongea à droite au dernier moment, et Fabrice fonça sur la rampe de métal du balcon. Seth traversa sa chambre à toute allure, sans prendre la peine de vérifier si son assaillant était toujours à sa poursuite ou s'il était tombé du balcon. Le cœur battant de plus en plus fort, les jambes tremblantes sans qu'il ne s'en rende compte, Seth descendit dans le hall et quitta l'hôtel en bousculant deux ou trois clients au passage.

Les gardes avaient quitté leur poste. Fabrice avait pu entrer facilement dans l'établissement. Entendant des pas derrière lui, Seth se retourna et vit que Fabrice approchait. Le jeune homme accéléra en direction de la foule sur la plage. Les fêtards, déjà saouls, ne s'occupaient pas de lui. Ils trouvaient cela amusant de voir un homme sale courir après un jeune garçon. Tout ce que Seth voulait était de se débarrasser de l'homme au plus vite.

Après un moment, Seth n'entendait plus les bruits de pas de Fabrice. Il se retourna et constata que l'homme ne le poursuivait plus. Du moins, pour l'instant.

— Tu as décidé de venir, finalement !

Seth sursauta. Il s'était arrêté devant Joanne et Tommy.

— Oui, j'ai décidé de venir faire un tour. Je ne resterai pas longtemps, cependant.

Le regard hagard, Seth balayait la foule du regard, voulant à tout prix repérer Fabrice.

— Tu vas bien ? s'inquiéta Joanne. Tu n'aurais peut-être pas dû sortir.

— Je vais très bien, merci.

Il l'aperçut. À quelques mètres de lui, Fabrice cherchait toujours sa proie.

— Je dois y aller.

Devant le regard interloqué de ses amis, Seth rajouta :

— Mal au cœur.

Il partit en marchant, ne voulant pas éveiller les soupçons. Quand il fut sûr que Joanne et Tommy ne le voyaient plus, il reprit sa course. Pour aller où ?

Il n'était pas question de retourner à l'hôtel. Les gardes ne faisaient plus leur travail, et Seth n'était pas plus en sécurité là qu'ailleurs. Peut-être trouverait-il un endroit où dormir pour la nuit. Sauf que Joanne et Tommy allaient s'inquiéter s'il ne revenait pas à sa chambre.

Le vent lui fouettant le visage, Seth s'aventura dans la ville. Des bruits de pas avertirent Seth que son assaillant l'avait retrouvé. Ne connaissant pas très bien l'endroit, Seth courait dans tous les sens. Finalement, il atterrit dans une ruelle qui finissait en cul-de-sac. La sueur perlait sur son front quand il fit face à Fabrice qui marchait tranquillement dans sa direction.

— Que me voulez-vous ? demanda Seth.

— Tu es sur mon territoire.

Telle fut la réponse de Fabrice.

— Votre territoire ?

Plus Seth dévisageait Fabrice, plus les traits de l'homme lui paraissaient bizarres. Ses bras semblaient poilus comme les pattes d'un chien, son long nez faisant penser à un museau, et ses pupilles étaient celles d'un chat.

— Oui, mon territoire. J'ai donc le droit de faire ce que je veux de toi.

Fabrice était si près de Seth que ce dernier sentait son haleine pestilentielle.

— Ne bouge pas, conseilla Fabrice. De cette manière, tout sera très vite terminé.

Fabrice hurla comme un loup et bondit sur Seth qui tomba sous son poids. Tel un chien, Fabrice mordit son bras. Par chance, il ne put rien faire d'autre. Un deuxième étranger s'interposa.

— NON ! cria le nouveau venu.

Fabrice lâcha Seth. Aussitôt, la douleur et les marques de morsure sur le bras du jeune garçon disparurent. Tout se passa si vite que Seth crut que Fabrice ne l'avait jamais mordu, que ce n'avait été qu'un effet de son imagination.

L'homme-chien se leva et défia le nouveau venu du regard.

— Que fais-tu ici ? cracha Fabrice.

— Je me promène.

— Les satyres ne sont pas les bienvenus sur mon territoire.

— Il n'y a plus de territoire, j'espère que tu le sais.

Fabrice hurla encore une fois et s'éloigna au pas de course. L'homme le laissa partir avant de se dépêcher à rejoindre Seth.

— *You speak English*? demanda le nouveau venu.

— *French*.

— Tu vas bien?

Cette question était décidément celle qu'on avait posée le plus souvent à Seth lors du voyage.

— Oui, je vais bien. Qui êtes-vous?

— Je m'appelle Ryan. Est-ce qu'il t'a mordu?

— Non.

— Tu es chanceux. Que fais-tu hors du Sanctuaire?

— Du Sanctuaire?

Seth se rappela qu'Anne Gilman lui avait déjà parlé du Sanctuaire Monstrum. Elle n'était donc pas la seule à connaître cet endroit.

— Vous parlez de Monstrum?

— Monstrum? Ah, tu n'es pas d'ici.

— En effet.

Ryan afficha un air inquisiteur. Pendant un moment, Seth crut discerner l'ombre d'un bouc dans ses traits.

— Écoute-moi bien, petit. Tu dois retourner chez toi. Retourne à Monstrum.

— Je ne suis jamais allé à Monstrum encore!

— Tu n'es jamais… Attends! Qui dirige Monstrum, déjà?

Ryan fouilla dans sa mémoire quelques secondes avant de claquer des doigts.

— Craig Wilson! Tu le connais?

— Oui, évidemment.

— Entre en contact avec lui quand tu seras chez toi. Il t'emmènera à Monstrum. Car je ne peux pas tout t'expliquer. Il est essentiel que tu sois là-bas, jeune homme. Tu sens à plein nez.

Seth parut offusqué.

— Je sens quoi à plein nez ?

— Le Monstre, quoi d'autre ? Je n'arrive pas à croire que Craig Wilson t'ait laissé partir.

Seth ouvrit grands les yeux. Non, Wilson n'avait pas voulu le laisser partir : il s'était organisé pour retenir Seth et l'empêcher d'aller à Cuba. Peu à peu, les pièces du casse-tête se mettaient en place dans son crâne, sauf que Seth n'y comprenait toujours rien.

Une partie de la vérité

De retour dans sa chambre, Seth commença à faire ses bagages. Son sauveur, Ryan, lui avait assuré qu'il protégeait maintenant l'édifice et qu'il n'avait aucun souci à se faire : Fabrice ne pourrait plus s'en prendre à lui. Joanne et Tommy n'étaient toujours pas rentrés, et Seth commençait à s'inquiéter pour eux. Si jamais Fabrice les avait attrapés…

Non ! Seth ne devait pas penser à ça. Rien n'était arrivé à ses amis. Fabrice lui en voulait à lui, pas aux autres. Pourquoi, au juste, cet homme qui ressemblait tant à un chien voulait-il la peau de Seth ? Et pourquoi, selon Ryan, Wilson avait-il des réponses à ses questions ? De plus, le mystère de Monstrum était de retour dans l'histoire. Que se passait-il à la fin ?

La porte s'ouvrit, et Seth sursauta. Heureusement, ce n'était que Tommy qui revenait de la fête. Il avait les cheveux entremêlés, et son chandail était de travers.

— Tu fais déjà ta valise ? s'étonna Tommy.

— Oui. Je ne veux pas être en retard, demain.

— En retard ? Le vol est à 13 h, et on se lève vers 8 h.

— Vaut mieux prévenir que guérir.

Seth ne se souciait pas de ce que pensait Tommy. Le voir, là, debout, en vie devant lui, le remplissait de bonheur. Fabrice ne leur avait rien fait.

— As-tu vu l'homme en bas des escaliers ? s'enquit Tommy.

— Quel homme ? s'alarma Seth.

— Un homme assez grand avec un veston brun.

Ryan.

— Oui, je l'ai vu. Il est un membre de la sécurité. Je lui ai parlé plus tôt, et il m'a gentiment demandé s'il pouvait aller nous reconduire à l'aéroport demain. J'ai dit oui.

Tommy, qui était en train d'enlever son chandail, cessa de bouger.

— Tu as dit oui à la proposition d'un inconnu ? Seth, tu es vraiment malade !

Bien sûr, Seth ne pouvait pas tout expliquer à Tommy par peur qu'il s'alarme ou qu'il croie que Seth avait tout à coup besoin d'un séjour à l'asile.

— Tommy, quelle est la différence entre dire oui à un inconnu et embarquer dans le taxi d'un inconnu ?

— Le chauffeur de taxi est plus rassurant.

— Pourquoi ça ?

— Parce qu'il a conduit des centaines de personnes et n'en a tué aucune ! Sinon, il n'aurait plus son emploi.

La discussion s'arrêta là. Seth ne voulait pas en parler davantage : Ryan les reconduirait à l'aéroport le lendemain ; il n'y avait rien à discuter. Après tout, qui avait payé ce voyage ? C'était lui. N'avait-il pas le droit de choisir leur chauffeur de taxi ? Au lieu de se plaindre, Tommy aurait mieux fait de le remercier.

Cette nuit-là, Seth rêva à Fabrice. Il marchait dans une forêt et, surgi de nulle part, l'homme à l'allure de chien se mettait à le poursuivre. Seth voulait courir, mais il se rendit compte qu'il pataugeait dans des sables mouvants. Il s'enfonçait petit à petit. Sa tête fut bientôt submergée, et il tomba dans le vide.

Sa chute dura un moment, mais elle s'arrêta brusquement. Un coup de vent l'avait freinée. Un simple coup de vent. Puis, telle une vague, un sol arriva sous les pieds de Seth. Avec un bruit sourd, un homme sortit du sol. Seth n'eut même pas le temps de le voir qu'il devina de qui il s'agissait.

— Tu es un Monstre, criait Craig Wilson. Un Monstre, Seth, m'entends-tu ? Un Monstre !

Ensuite, Craig Wilson grossissait à vue d'œil. Il devint énorme et effrayant. Ses yeux, à présent, sortaient de sa tête. Ses cheveux cascadaient sur ses épaules, et sa face de singe ressemblait maintenant plus à celle du Diable.

— Monstrum, murmurait la créature. Monstrum…

— Arrêtez ! supplia Seth.

D'autres personnes venaient rejoindre la bête. Seth reconnut sa mère, son père, Joanne, Tommy, Ryan, Fabrice, Anne Gilman, Gary, et beaucoup d'étudiants de son école. Tous le pointaient en criant :

— Monstrum… Monstrum ! MONSTRUM !

Avec un cri d'horreur, Seth se réveilla. Grâce à la lueur de la lune, Seth vit que Tommy était tout près de lui. Trempé de sueur, Seth s'assit sur son lit.

— Tu te sens mieux ? demanda Tommy.

Seth ressentit une légère douleur à son bras, là où il avait cru que Fabrice l'avait mordu. Comme il prenait conscience de la douleur, cette dernière disparut.

— Oui, merci, mentit Seth.

Seth se recoucha pour que Tommy ne le voie pas trembler. Il avait peur. De quoi ? Il l'ignorait. Sauf que rien n'allait pour le mieux dans sa vie, et son adhésion à l'Académie Magistrale lui troublait encore l'esprit. Avait-il fait un bon choix, ou alors son année se transformerait-elle en cauchemar, comme son voyage ?

— Que s'est-il passé, au juste ? voulut savoir Seth.

— Eh bien, on s'est couchés. À ce moment, tu as dû t'endormir et moi aussi, je présume. Puis, tu t'es mis à bouger tellement que tu faisais un vacarme énorme. C'est ce qui m'a réveillé. Ensuite, tu as crié.

— Qu'est-ce que j'ai crié ?

— Un mot. Je ne sais pas lequel.

Seth se sentait ridicule. C'était la première fois qu'il se retrouvait dans ce genre de situation en compagnie de Tommy. De plus, il parlait avec son ami pour l'une des dernières fois pour cinq ans. Cette réalité percuta Seth de plein fouet, au point ou celui-ci se sentit étouffer. Oui, il partirait pour l'Académie et il ne verrait plus ses amis durant tout son séjour là-bas. Seth se jura qu'au déjeuner il parlerait à Joanne et à Tommy de ce qui s'annonçait avec cette Académie, de leur amitié qui devrait être plus forte que le temps.

*

Le serveur arriva avec leur dîner. Il le déposa devant eux, et ils se servirent. Dans quelques heures, ils seraient dans l'avion qui les ramènerait chez eux… et à l'Académie, pour Seth, car dès qu'il serait chez lui, il contacterait Wilson.

— Notre dernier repas à Cuba, dit Tommy.

— Ouais, fit Joanne.

Seth déglutit. Il n'avait pas vraiment faim. Ce qu'il s'apprêtait à dire lui nouait l'estomac.

— C'est sûrement aussi la dernière journée qu'on se voit pour cinq ans.

Un silence s'installa à leur table. Joanne et Tommy ne comprirent pas sur le coup. Après un moment, Joanne ouvrit grand les yeux.

— L'Académie, murmura-t-elle.

— Oui, approuva Seth.

La nostalgie régnait désormais à la table. Durant plus de sept ans, Seth, Tommy et Joanne avaient été présents les uns pour les autres, profitant de chaque instant et ne manquant aucune occasion pour rire et s'amuser. Maintenant, les ponts seraient coupés durant cinq ans.

— Mais il y a toujours le téléphone, s'empressa de dire Seth.

— Pas de vacances ? voulut savoir Tommy.

— Non.

— Pas de lettres ?

— Non.

— Juste le téléphone ?

— Oui.

Joanne soupira.

— Eh bien, dit-elle, nous devons en profiter ! Si ton choix est d'aller là-bas, nous ne pouvons rien y faire. Ne t'en fais pas, le téléphone sonnera souvent.

Tommy approuva. Seth n'en revenait tout simplement pas. Il avait cru que ses amis se fâcheraient en apprenant cette nouvelle, qu'ils allaient protester. Mais non. Ils acceptaient sa décision. C'était indéniable : Seth avait les deux meilleurs amis au monde !

Le reste du repas fut plus joyeux. Tommy faisait le bouffon tandis que Joanne et Seth essayaient de ne pas s'étouffer avec leur nourriture.

Bientôt, ce fut le temps de retourner à l'hôtel pour prendre leurs valises. Ce voyage tirait à sa fin. Et ce, pour le plus grand plaisir de Seth, qui ne souhaitait pas revoir Fabrice.

*

Quand Seth descendit de l'avion, il se sentait mal à l'aise. Ryan n'avait pas ouvert la bouche de tout le trajet tandis qu'il les conduisait à l'aéroport, mais Seth savait qu'il mourait d'envie de parler. Par respect, Ryan n'avait pas osé dire quoi que ce soit à propos de l'incident de la veille. Seth lui en était reconnaissant.

À l'aéroport, Gabriel attendait les enfants, les bras croisés. Quand ils arrivèrent près de lui, les adolescents se mirent à raconter les moments forts de leur voyage.

Quand Tommy et Joanne furent chez eux, Seth devina que son père voulait lui parler, car il ralentissait pour s'assurer d'avoir le temps de tout lui dire avant d'arriver à la maison.

— Vous vous êtes amusés, à ce que je vois.

— Ouais. Mais j'ai été malade toute la semaine.

— Au moins, tu vas mieux aujourd'hui.

— Au moins.

Gabriel poussa un énorme soupir. Seth comprit qu'ils entraient maintenant dans le vif du sujet.

— Seth, cracha-t-il, je sais que je ne devrais pas revenir là-dessus, car c'est ta décision, mais veux-tu réellement aller à l'Académie Magistrale ?

Seth étudia la question. Tout lui revint en mémoire en une fraction de seconde : Monstrum, Fabrice, Ryan, Craig Wilson, Gary Lachance, Anne Gilman, le chat, le moustique, le poisson, la prétendue morsure, son rêve… Alors, il répondit :

— Oui, je suis sûr. Pourquoi ?

— Parce que j'ai fait des recherches sur cette Académie pendant ton absence.

— Qu'est-ce que tu as trouvé ?

— Rien, justement. C'est pourquoi je m'inquiète. Habituellement, chaque institution veut se mettre en valeur, mais pas cette foutue Académie ! Plus j'y pense, plus j'ai l'impression qu'elle... eh bien...

— Qu'elle quoi, papa ?

Gabriel attendit un moment avant de déclarer :

— Qu'elle n'existe pas !

Ils arrêtèrent à un feu rouge. Seth ne l'avoua pas, mais lui aussi avait l'impression que l'Académie n'existait pas. Après tout, Gary et Wilson avaient voulu à tout prix éviter les questions trop pointilleuses sur leur charmante école. Le feu passa au vert, et ils repartirent.

— Ta mère a envoyé une lettre à Craig Wilson comme prévu. Tu sais ce qui est arrivé ?

— Non, quoi ?

— Il a téléphoné à la maison. Il était anxieux. Il disait que tu n'aurais jamais dû quitter la maison, que c'était *dangereux*. Il est détraqué, ce bonhomme. Alors je lui ai dit que, si tu voulais des vacances dans le sud, c'était ton choix et qu'il ne pouvait pas te diriger. Puis je lui ai raccroché la ligne au nez.

— Comment maman a-t-elle réagi ?

— Elle ne sait pas qu'il a téléphoné. Tu la connais, elle se serait inquiétée pour toi. Si elle croit aux diseuses de bonne aventure, elle croirait au fait que tu puisses avoir été en danger. Dis-moi, Seth, as-tu été en danger ?

— Pas le moins du monde.

— C'est bien ce que je pensais.

Seth sentait l'anxiété de son père face à son départ qui approchait à pas de géants. Devait-il tout lui raconter ? Lui avouer qu'il entendait des animaux parler ? Lui dire qu'un homme-chien l'avait mordu ? Lui dire qu'Anne Gilman n'était peut-être pas aussi folle qu'ils le pensaient ? Lui dire qu'il voyait sans cesse le nom de « Monstrum » un peu partout ?

— Je t'en supplie, Seth, penses-y deux fois avant d'accepter l'offre. Ce pourrait être la plus grande erreur de toute ta vie.

Ou la plus grande réussite. Il y avait deux côtés à une médaille. Chaque chose négative avait son côté positif et vice-versa. Mais ça, Seth ne le mentionna pas à son père.

— Papa, tenta de le rassurer Seth, j'ai pesé le pour et le contre avant de donner ma réponse à maman.

— Tu es sûr ? J'ai plutôt eu l'impression que c'était une tentative désespérée pour aller à Cuba. Est-ce que je me trompe, Seth ?

Non, son père ne se trompait pas. C'était exactement ce qui s'était passé. Sauf qu'aujourd'hui, il voulait plus que n'importe quoi se rendre à cette Académie, voir Wilson pour obtenir des réponses à ses questions. Du moins, Ryan croyait que Craig était en mesure de les lui donner.

— Ta mère a fait tes valises, Seth.

Une pierre tomba dans l'estomac du jeune garçon. Sa mère avait hâte à ce point de le voir partir ?

— Elle a pris de l'avance.

Ce fut tout ce que Seth trouva à dire.

— Un peu. Elle a peur que tu changes d'idée, je crois.

— Elle ne devrait pas. C'est sûr que je ne changerai pas d'idée.

Devant le regard triste de son père, Seth ajouta :

— Il y a toujours le téléphone, papa. Cinq ans, ça passe vite.

— Ce n'est pas ça. Je ne le sens pas, Seth. Cette Académie ne m'inspire pas du tout.

Seth ne répondit pas. Ça ne servait à rien d'essayer de discuter avec quelqu'un d'aussi entêté que son père. Quand il croyait connaître la vérité, il n'y avait plus moyen de le persuader de quoi que ce soit.

La fatigue s'empara de Seth quand il arriva chez lui. Kim avait préparé son plat préféré pour souligner son retour... et son départ, ne put s'empêcher de penser Seth.

— Tu as passé une belle semaine ? voulut savoir Kim, alors qu'elle servait les assiettes.

— Oui, dit Seth.

Il n'avait pas l'énergie pour tout raconter mais, avant que sa mère ne lui pose d'autres questions, il énuméra quelques péripéties (faisant croire qu'il y avait participé à partir de la plage, et non depuis le balcon de l'hôtel).

— Wow ! Vous avez dû avoir beaucoup de plaisir.

— Pour ça, oui.

Ils continuèrent à manger en silence. Seth savait que le sujet de l'Académie était sur le bord des lèvres de sa mère, mais il souhaita de tout cœur qu'elle ne l'aborde pas immédiatement. Il ne voulait pas non plus l'entendre parler des valises qui devaient l'attendre dans sa chambre.

— J'ai écrit à Craig Wilson, finit par annoncer Kim, au désarroi de Seth. Il attend ton message avec impatience.

Seth acquiesça, ne sachant pas trop quoi faire d'autre. Lui aussi avait bien hâte de discuter avec Craig, mais il était trop fatigué. Il remettrait cette discussion au lendemain matin. Kim déglutit avant de dire :

— J'ai fait tes valises pour prendre un peu d'avance. Je ne crois pas qu'il soit sage de faire attendre quelqu'un comme Craig.

Gabriel soupira. Seth le comprenait ; sa mère parlait de Craig comme s'il était un dieu. Il ne l'avait jamais entendue parler ainsi de son père. Leur union était peut-être en péril à cause de cette fichue Académie.

— Merci, maman, mais ce n'était pas nécessaire. Je les aurais faites demain matin, après avoir parlé à Craig.

— Tu veux parler à Craig demain ? Ne devrais-tu pas lui écrire ce soir ?

— Si Seth a dit qu'il allait le faire demain, c'est son choix, intervint Gabriel.

— Papa a raison, maman. Puis, je n'ai pas besoin d'écrire à Craig, il m'a donné son numéro de téléphone.

Ses parents le regardèrent, interloqués. Seth ne pouvait pas leur dire la vérité, évidemment. Aucun d'eux n'avait entendu ce que Craig avait dit quand il était venu avec Gary : « Sache que nous ne serons jamais loin de toi et que tu peux nous appeler n'importe quand. *Pour cela, tu n'as qu'à murmurer l'un de nos noms trois fois.* » La dernière phrase était la plus mystérieuse, et Seth avait bien l'intention de l'essayer.

Quand le choc de la nouvelle fut passé, Kim parvint à sourire et dit :

— Tant mieux ! Comme ça, il pourra venir te chercher plus vite. Il y a moins de risque qu'avec la poste et les retards postaux...

— Maman, as-tu hâte que je parte ? Si oui, dis-le-moi, et je pars dès maintenant.

— Quoi ? Non... tu... enfin... Seth, tout ce que je veux, c'est que tu sois heureux.

Seth dévisagea sa mère.

— Alors on pourrait peut-être passer à un autre sujet.

— Ne parle pas à ta mère sur ce ton, jeune homme ! Tu lui dois le respect.

— Elle me le doit aussi. C'est ça votre problème à vous, les parents ! Vous croyez que les enfants vous doivent tout, mais vous oubliez que ça va dans les deux sens ! Je suis navré de vous apprendre que je suis humain, tout comme vous ! Si vous voulez mon respect, vous devez me donner le vôtre. Je n'arrive pas à y croire ; avec vous j'ai l'impression d'être... d'être...

Le mot ne voulait pas sortir. Peut-être à cause de tout ce qu'il avait vécu depuis quelques jours. Finalement, Seth le cracha aux visages de ses parents.

— Un *monstre*.

Gabriel se leva d'un bond.

— Tu dépasses les bornes, Seth! Dans ta chambre, et vite!

— Gabriel, dit Kim, laisse tomber.

— Laisse tomber? *Laisse tomber*? Tu as entendu de quelle façon il t'a parlé?

— Oui. À son âge, c'est normal : c'est la crise d'adolescence.

Seth sentit la rage monter en lui. Il ne pouvait plus la contrôler. Sans avertissement, il explosa.

— Il n'y a aucune «crise d'adolescence»! C'est une invention des parents pour camoufler ce qu'on peut appeler la phase des «parents trop protecteurs». Oui! Vous voulez le meilleur pour moi... Vous voulez que j'aille loin dans la vie... Vous voulez ci... Vous voulez ça... Quand, en fait, tout ce que vous voulez, c'est vous enrichir. Peu importe comment je finis! Vous n'avez aucune idée de ce que j'ai pu vivre à cause de cette foutue Académie! Vous ignorez tout et n'en saurez jamais rien! Vous croyiez être au bout de la course, au bout du savoir, quand, en fait, vous n'avez même pas fait le millième du chemin! Il n'y a aucune vérité dans le monde puisque nous ne la connaissons pas! Tout est toujours remis en question. Il y a sans cesse de nouvelles théories qui amènent de nouvelles réponses et de nouveaux débats! Quand est-ce que vous allez comprendre?

La respiration saccadée, Seth fixait ses parents. Gabriel était toujours debout et paraissait pris d'une crise de rage tout comme Seth. Kim était toujours assise, les larmes aux yeux. Seth était allé plus loin qu'il ne l'espérait, mais ses parents devaient entendre son point de vue avant son départ. Ils devaient comprendre certaines choses qu'ils n'auraient jamais saisies en cinq ans, pendant l'absence de leur fils.

Gabriel se mit à prendre de grandes inspirations pour se calmer. Seth se leva, prit son assiette et alla la porter dans l'évier. Il s'apprêta à quitter la cuisine quand Kim l'interpella.

— Seth, tu sais, ton père et moi avons toujours agi selon ce qui était le meilleur pour toi. Nous nous sommes installés ici parce que j'étais enceinte de toi. Ton père a dû refuser trois postes qui l'auraient amené à l'autre bout du monde et lui auraient fait gagner le quadruple de son salaire. Pourquoi les a-t-il refusés ? Pour toi. Oui, parce que tu étais à l'école, il ne voulait pas que tu vives une enfance de déménagement, où tu ne pourrais jamais te faire de vrais amis. Tu ignores tous des sacrifices qu'on a dû faire pour toi. Non, nous ne sommes pas les parents idéals. Ça n'existe pas. Mais toi non plus, tu n'es pas l'enfant idéal, car ça non plus, ça n'existe pas. On a tous nos torts, mais ne nous blâme pas pour tout, d'accord ?

Le discours de sa mère fut comme une douche froide pour Seth. Sa rage se dissipa d'un seul coup, et les remords s'emparèrent de lui. Il n'aurait jamais dû se laisser emporter ainsi. De plus, il devait quitter sa famille durant cinq ans pour aller étudier à l'Académie Magistrale. Il se pouvait que ce soit leur dernier souper.

— Nous t'aimons, Seth.

— Je vous aime aussi.

Incapable de supporter la tension plus longtemps, Seth courut dans sa chambre. Comme il se l'était imaginé, ses valises reposaient au pied de son lit. Il y avait même une note sur l'une des valises :

Profite bien de cette chance inouïe, on se revoit bientôt,
Ta maman et ton papa

Une larme roula sur la joue de Seth et s'écrasa sur le petit mot.

Le lendemain, Seth se réveilla avec un goût amer dans la bouche. Quand il vit ses bagages prêts, il se remémora tout ce qui s'était passé la veille. Au fond de lui, il aurait préféré que tout soit un cauchemar. Il aurait aimé se réveiller à Cuba et se dire qu'il allait retourner chez lui dans quelques heures…

Il descendit et prépara son petit déjeuner. À son grand étonnement, aucun de ses parents n'était debout. Ils devaient faire la grasse matinée. Seulement, Seth s'était attendu à les voir debout pour leur dernière journée ensemble, car une chose était sûre : Craig Wilson emmènerait Seth à l'Académie dans les délais les plus brefs. Il n'était pas un type à repousser les choses jusqu'à la date limite.

Après un moment, Seth entendit des pas dans l'escalier, et son cœur bondit de joie. Après l'énorme dispute de la veille, il ressentait le désir de voir ses parents, de s'assurer qu'ils ne soient pas en rogne contre lui.

Kim entra dans la cuisine et, au grand bonheur de Seth, sourit. Elle voulait tourner la page également. Vivre dans le passé ne permettait pas d'avancer.

— C'est aujourd'hui, déclara Seth.

Il savait que sa mère voulait discuter de l'Académie, mais n'osait pas à cause de sa réaction de la veille.

— Il paraît.

— Je vais appeler Craig Wilson vers 13 h.

— Bonne idée.

D'autres pas se firent entendre, et Gabriel entra à son tour dans la cuisine.

— Bon matin, dit-il.

— Bon matin, papa.

Ni le père ni le fils ne voulaient parler de l'Académie, mais Kim en mourait d'envie. Malgré tout, elle résista à la tentation, et ils rirent de bon cœur tout le matin. Même qu'à un moment, Seth se surprit à penser que sa vie n'était pas aussi pénible qu'il la voyait. Les enfants avaient souvent tendance à exagérer les choses ; encore plus les adolescents.

L'heure du dîner arriva trop vite. Ils mangèrent dans la bonne humeur, et Seth fut content de se dire que les dernières heures passées avec ses parents étaient agréables. Cinq ans… c'était long ! Heureusement, il y avait le téléphone, mais ce ne serait pas pareil.

— Seth, fit Gabriel, nous t'accompagnons dans ton choix, j'espère que tu le sais.

— Oui.

— C'est pourquoi nous avons une petite surprise pour toi.

Kim se leva et sortit une boîte d'un tiroir et la donna à Seth.

— Ce n'est pas grand-chose, murmura-t-elle, mais ça vient du fond du cœur.

Les mains tremblantes, Seth ouvrit le paquet. Dedans, reposant sur un petit coussin rouge, il y avait une montre en argent. Seth la prit et l'examina attentivement, malgré les larmes qui lui montaient aux yeux. Certes, ses parents lui avaient déjà acheté une montre, mais celle-ci était… différente.

Les aiguilles d'un bleu marine se terminaient toutes en croix, les chiffres étaient en or et le tic-tac semblait apaiser tous les soucis de Seth. Sur le côté de la montre était gravé : « *Nous approuverons toujours tes choix. Bonne chance, Seth Langlois.* »

— Merci, murmura Seth.

Il ne trouva pas d'autres mots. Sa mère l'étreignit. Très vite, Gabriel rejoignit cette étreinte, et les trois pleurèrent un moment en silence.

Les minutes passèrent, et Seth savait qu'étirer le temps ne l'aiderait pas à mettre fin à cette journée infernale. Il passa sa nouvelle montre à son poignet et confia l'ancienne à ses parents. Il prit un téléphone et alla s'enfermer dans sa chambre. Il regarda son reflet dans son miroir au-dessus de son bureau.

— C'est le moment.

D'un mouvement las, Seth se laissa tomber sur son lit. Les yeux fermés, il dit :

— Craig Wilson. Craig Wilson. Craig Wilson.

Aussitôt qu'il eut terminé, un étrange son envahit la pièce. Il avait l'impression que quelqu'un jouait des maracas.

— Oui ? murmura une voix.

Seth sursauta. Il se leva d'un bond et balaya la pièce du regard. Il était tout à fait certain d'avoir entendu la voix de Craig. Et il n'avait pas tort.

— Ah ! Seth ! Je suis ici, dans le miroir.

Seth se retourna. Effectivement, au lieu de voir son reflet dans le miroir, il apercevait celui de Craig Wilson.

— Un instant, dit Wilson, j'arrive.

La surface du miroir scintilla d'un bleu poudre. Un bras passa au travers, puis un autre, ensuite une tête... Bientôt, Craig Wilson se retrouva debout, sur le bureau de Seth. Avec un mouvement souple, il atterrit sur le sol, sans faire de bruit.

— Tu voulais me parler ?

Craig s'adressait à lui comme s'il discutait de la météo. Pour lui, sortir d'un miroir n'était pas extraordinaire.

— Comment avez-vous... ?

— Rien de très compliqué. Je pourrai peut-être te l'enseigner. Enfin, pas moi, mais un professeur à l'Académie.

— Vous… vous pourriez m'enseigner *ça* ?

— Même plus ! Mais passons au vif su sujet ; pourquoi voulais-tu me voir ?

Seth prit une grande inspiration.

— J'ai fait mon choix. Je veux aller à l'Académie Magistrale.

Wilson sourit à pleines dents, et son visage s'illumina.

— Merveilleux ! Nous allons devoir partir bientôt… Bien sûr, tu ne peux pas voyager dans le miroir avec moi puisque tu n'as pas reçu de formation…

— Attendez ! l'arrêta Seth. Nous ne pouvons pas partir comme ça.

— Pourquoi cela ?

— Parce que… parce que… parce que j'ai quelques questions à vous poser. Comme je viens à l'Académie, il n'y a plus d'excuse pour ne pas répondre.

Wilson parut soudainement très mal à l'aise. Le bonheur qui brillait dans ses yeux s'éclipsa, et il s'assit sur le lit de Seth.

— Je ne peux pas *tout* te dévoiler.

— Pourquoi ?

— Car il y a des questions qui méritent de recevoir des réponses à l'Académie, ou, du moins, en chemin pour l'Académie.

Seth jongla avec le pour et le contre.

— D'accord. Si jamais vous ne pouvez pas répondre à ma question, vous me le dites, et je passe à la suivante.

— Parfait.

Seth fut satisfait. Enfin, la vérité. Ou plutôt, une partie de la vérité, puisque certaines questions resteraient encore sans réponse. Seth n'eut pas à chercher bien loin pour poser sa première question :

— Qu'est-ce que l'Académie Magistrale ? Nous n'avons trouvé aucune information sur elle.

— Nous l'appelons l'Académie Magistrale alors que son vrai nom est Magistra. C'est une école. Le mot « Académie » est utilisé simplement pour attirer l'attention.

— Pourquoi vouloir attirer l'attention ?

— Pour s'assurer que nos... étudiants acceptent de venir chez nous.

— Selon vous, révéler la vérité ne serait pas plus simple ?

— Peut-être, mais elle ferait peur.

— Peur ? Pourquoi ?

— Voilà la première question à laquelle je ne peux pas répondre, mon cher Seth.

Seth soupira. Il s'y attendait, pour être franc, mais une lueur d'espoir s'était allumée en lui, vite éteinte par Wilson. Mais Seth ne se laissa pas abattre pour autant ; il revint vite à l'assaut.

— Qu'est-ce que Monstrum ?

Wilson hocha la tête.

— Voilà la deuxième question à laquelle je ne peux pas répondre.

— Mais vous avez une réponse ?

— Oh oui ! Je pourrai t'en dire plus sur Monstrum en chemin pour Magistra. Pour l'instant, crois-moi quand je dis que Monstrum est un endroit merveilleux.

— C'est un Sanctuaire, non ?

Seth se rappelait qu'Anne Gilman leur avait décrit Monstrum comme étant un Sanctuaire.

— C'est exact. Un merveilleux Sanctuaire.

Seth voyait bien que Craig n'allait pas lui livrer d'informations supplémentaires sur l'endroit. Il passa donc à l'autre question qui le préoccupait.

— Craig...

— Tut, tut ! Comme tu vas à Magistra, Seth, tu dois m'appeler *monsieur* Wilson.

— Désolé. Monsieur Wilson, il m'est arrivé de vivre des... expériences étranges.

— Comme quoi?

— Entendre un chat parler. Et un moustique. Et un poisson, à Cuba.

Wilson blêmit.

— Tu es donc réellement allé à Cuba.

— Oui, pourquoi?

Wilson se leva du lit et agrippa Seth par les épaules.

— Qu'est-ce qui s'est passé? Raconte-moi tout! As-tu été attaqué? As-tu vécu des choses bizarres? Dis!

— Euh... Non, mentit Seth. Tout s'est très bien déroulé. J'ai juste rencontré un homme, Ryan, qui m'a dit de vous contacter dès mon arrivée.

— Tu me le jures?

— Je vous le jure.

Wilson se laissa retomber sur le lit, soulagé par la promesse de Seth qui, malheureusement, était fausse. Mais Seth ne voulait pas inquiéter Wilson avec une histoire abracadabrante au sujet d'un homme-chien qui l'avait mordu en rêve!

— Pour en revenir à ma question, reprit Seth, comment se fait-il que j'arrive à entendre des animaux parler?

— Tu ne les entends pas *parler*, Seth. Tu lis leurs pensées. En fait, tu lis les pensés des bestioles qui acceptent que tu les lises.

— Mais comment?

Wilson hocha de nouveau la tête.

— Tous les étudiants et professeurs de Magistra y arrivent, dit-il. Il n'est guère surprenant que ça t'arrive à toi aussi. Je ne peux pas te dire pourquoi maintenant, mais ce n'est pas ta faute, Seth. Et tu n'es pas fou, si tu te le demandes. C'est normal pour les gens comme nous.

— Les gens comme *nous* ? Que voulez-vous dire ?

— Tu t'es sûrement aperçu que nous ne sommes pas comme les autres, Seth. Toi et moi faisons partie d'un monde qui surpasse l'imaginaire des autres. C'est pourquoi je me dois de t'emmener à Magistra. Il est fondamental que des gens comme nous t'enseignent ce qu'ils savent, non ?

— Je ne comprends pas.

— Seth, tu aurais 100 ans que tu ne comprendrais pas tout. Tu n'as que 17 ans. Laisse-toi une chance. Respire par le nez. Tu auras toutes les réponses que tu désires une fois à Magistra. Et même avant, puisque je devrai te mettre au courant de certaines choses pour t'éviter un choc.

— Pourquoi ne pas me le dire maintenant, tandis qu'on y est ?

— Parce que tu ne voudrais plus me suivre. Seth, crois-moi, il n'y a pas meilleur endroit que Magistra pour toi. Oublie ton ancienne vie, tu en commences une nouvelle. Une meilleure, même.

Toutes ces révélations firent frissonner Seth.

— Il est trop tard pour reculer ?

— Oui. Tu as donné ton accord, tu viens. C'est comme un contrat.

— Quand partirons-nous ?

— Maintenant.

Wilson se leva. Seth se plaça devant lui, les bras écartés.

— Un instant ! Mes parents ne savent pas que vous êtes là !

— Tu as raison. Ils trouveraient cela étrange. As-tu un miroir de poche ?

— Non. Mais je pourrais en prendre un dans la salle de bain.

— Parfait, prends-en un. Je dois aller voir Gary pour qu'il vienne nous chercher.

— Comment allons-nous à Magistra ?

— En voiture, voyons ! Oh ! Dernière chose… as-tu un téléphone cellulaire, Seth ?

— Oui.

— Laisse-le ici.

— Quoi ? !

— Laisse-le ici. Il ne fonctionnera pas à Magistra, de toute manière.

À contrecœur, Seth sortit son téléphone portable de sa poche et le lança sur son lit. La surface du miroir scintilla de nouveau en bleu, et Craig retourna dedans. Quand la surface redevint normale, Seth pouvait apercevoir son reflet. L'aventure était sur le point de commencer.

Chien de garde

Sans perdre un instant, Seth courut vers la salle de bain. Là, il s'empara d'un petit miroir avec un manche noir. Il retourna dans sa chambre et mit le miroir dans l'une de ses valises. Ensuite, il prit ses bagages et descendit l'escalier. Il les porta près de la porte avant de s'aventurer dans la salle de séjour. Son père et sa mère l'attendaient là.

— Alors? demanda nerveusement Kim.

— Il va venir me chercher.

L'émotion était à son comble. Seth était sûr qu'il allait pleurer. Kim, elle, ne se retenait pas. Les larmes coulaient à flot sur ses joues. Une fois de plus, elle étreignit son fils.

— Il te reste encore quelques minutes à passer avec nous, murmura-t-elle. Profitons-en.

Seth en doutait. Ses parents ignoraient que Wilson pouvait voyager au travers des miroirs, et Gary en était sûrement capable aussi. Donc, ils pouvaient être de retour bien assez tôt. Trop tôt, même.

— Mon fils, dit Gabriel, la voix tremblante, tu entres dans le monde des adultes, maintenant.

— Papa, ricana Seth, je n'ai pas encore 18 ans.

— Depuis quand l'âge a-t-il une vraie signification ? C'est ce qu'on est qui compte le plus, pas ce que la société dit.

Kim lâcha son fils et lui donna un baiser sur le front.

— Tu nous téléphoneras régulièrement ? voulut-elle savoir.

— Quand je le pourrai, répondit Seth. J'ignore s'il y a des horaires pour appeler, ou quoi que ce soit… Je pars à zéro dans cette nouvelle école.

Seth aperçut alors son portefeuille sur la table basse. Il s'en empara, s'assura que sa carte de débit, sa carte d'assurance sociale ainsi que son argent de poche s'y trouvaient, et le serra dans une de ses poches.

— Je ferais mieux de l'apporter, dit-il. J'ignore s'il y a des frais de scolarité liés à cette Académie. Et, s'il y a des sorties, j'aurai besoin de mon argent.

Au fond de lui, Seth savait très bien qu'il n'y aurait aucune activité. S'il ne pouvait pas revoir ses parents pour les vacances, pourquoi Wilson permettrait-il aux élèves de quitter pour une quelconque raison en plein milieu de l'année scolaire ?

Quelqu'un cogna à la porte, et Kim sursauta.

— Ce doit être lui.

Elle accourut dans le hall d'entrée, suivie par Gabriel et Seth. Personne ne fut étonné que Craig Wilson entre dans la maison quand Kim eut ouvert la porte.

— Bonjour, s'exclama Wilson. Comment allez-vous ?

— Bien, mentit Kim. Nous nous disions justement au revoir.

— Prenez le temps qu'il vous faut. Je ne suis pas pressé.

Ses yeux disaient le contraire. Seth savait qu'il voulait en finir au plus vite, et lui aussi. Plus longtemps dureraient ces adieux, plus pénibles ils seraient. Seth serra fermement la main de son père.

— Bonne chance, mon fils, dit Gabriel, une larme roulant sur sa joue.

C'était la première fois que Seth voyait son père pleurer.

— Nous allons nous revoir, papa.

— Dans cinq ans.

— Le temps passe vite, tu sais. Et puis, maman et toi profiterez de mon absence pour vous amuser. Mais pas de fête, d'accord ? Je n'ai pas envie de voir la maison en bordel à mon retour.

Gabriel éclata de rire. Seth se tourna vers sa mère, toujours en larmes. Elle embrassa son fils et lui caressa les cheveux.

— Il n'y a pas si longtemps, tu entrais en première année, confia-t-elle. Et je me tenais ici, à pleurer. Aujourd'hui, tu entres en première année à l'Académie Magistrale, et je me tiens ici à pleurer. Les temps ne changent pas, il faut croire.

— Il faut croire, répéta Seth, incapable de rajouter un seul mot.

Craig Wilson s'éclaircit la gorge.

— Votre fils sera très bien à l'Académie ; ne vous inquiétez pas. Je dois vous répéter que vous le reverrez dans cinq ans, quand il aura terminé ses études dans notre prestigieuse école.

Wilson lança un regard à Seth pour s'assurer qu'il écoutait.

— Vous devez également savoir qu'un diplôme de notre établissement est aussi bon que celui de n'importe quelle autre école. Dès que Seth entamera sa quatrième année d'étude, il étudiera plus en profondeur le domaine professionnel qu'il aura choisi. Par la suite, quand il quittera notre Académie, il sera immédiatement envoyé sur le marché du travail.

Seth acquiesça, et Wilson fut satisfait. Peut-être qu'il voulait éviter certaines questions lors du trajet.

Un bruit de klaxon leur parvint depuis la cour.

— Ce bon vieux Gary, dit Wilson. Il n'a jamais été très patient, je dois bien l'avouer. Alors, au revoir, monsieur et madame Langlois. Et, surtout, merci pour tout.

— Au revoir, papa.

— Salut, mon fils.

— Au revoir, maman.

— À bientôt, mon trésor.

Sans regarder ses parents, Seth prit ses bagages et sortit de la maison en compagnie de Wilson. Une larme coula malgré lui, et il la laissa descendre le long de sa joue, tomber et s'écraser sur le balcon. Pour lui, une nouvelle vie commençait.

Une voiture d'un noir de jais attendait Seth et Wilson. Comme un portier, Craig ouvrit la porte à Seth, qui entra en laissant ses valises par terre. Wilson les prit et alla les ranger dans le coffre. Puis, il vint prendre place à côté de Seth.

— C'est bon, Gary, dit-il. Tu peux y aller.

Alors que la voiture s'engageait dans la rue, silencieusement, Seth regarda par derrière pour apercevoir une dernière fois la maison dans laquelle il avait vécu les 17 dernières années. Il laissait tout cela derrière lui.

Quand Seth se retourna, il observa Gary pianoter sur le volant, concentré sur la route. Étrangement, Gary semblait grand.

— Sans vouloir vous vexer, commença Seth, comment arrivez-vous à conduire ?

— En gardant les yeux sur la route, jeune homme, répondit froidement Gary. Ne l'as-tu pas appris ? Pourtant, j'aurais cru qu'un jeune en saurait plus que moi sur ce sujet.

Seth soupira.

— Je veux dire que vous êtes… petit.

Gary éclata de rire.

— Cette voiture est faite sur mesure pour moi, Seth.

Le jeune garçon acquiesça. Le chagrin provoqué par les adieux l'empêchait d'avoir peur d'être seul dans une voiture noire avec deux hommes encore inconnus.

— Seth, fit Craig Wilson, il est temps de répondre à certaines questions. Mais pas toutes, je te préviens. Tout d'abord, je me dois de te dire quelque chose.

La voiture arrêta à un feu rouge ; le même feu où Seth et son père s'étaient immobilisés en revenant de l'aéroport.

— Seth, tu n'es pas quelqu'un comme les autres. Tu es un Monstre.

Seth dévisagea Wilson.

— Monstre vous-même ! s'exclama-t-il. Vous croyez que vous pouvez m'insulter comme ça ? Ça ne marchera pas, je vous le jure.

— Seth, je ne t'insulte pas. Tu *es* un Monstre. Tout comme Gary et moi.

Wilson sortit un miroir de sa veste et regarda son reflet.

— Miroir, miroir, montre mon vrai visage.

Cette fois, au lieu de voir la surface du miroir scintiller comme dans sa chambre, Seth contempla le visage de Wilson scintiller d'une lueur dorée. Quand il revint à la normale, les poils blancs avaient poussé sur son visage, et il ressemblait comme deux gouttes d'eau à…

— Un singe ! s'écria Seth. Vous êtes un singe !

— Oui.

Seth chercha la poignée de la porte à tâtons. Quand il la trouva, il tira de toutes ses forces dessus, mais elle resta fermée.

— Verrouillée de l'extérieur, désolé. Une petite option sur ce bolide.

— Et vous, quelle sorte de Monstre êtes-vous ? demanda Seth avec dégoût.

— Moi ? ricana Gary. Je n'ai pas besoin de miroir magique. Tu me vois tel que je suis.

— Parce que vous êtes une petite personne, vous êtes un Monstre ?

— Je ne suis pas une *petite personne*, Seth. Je suis une *très petite personne*. À chaque fois que tu m'as vu, je portais des échasses. Ça ne paraissait pas, hein ?

— Effectivement.

Seth riva de nouveau son regard sur Wilson. Les yeux du singe le sondaient, et Seth trouva cette sensation atroce.

— Donc, dit Seth en détournant le visage, je suis un Monstre moi aussi.

— C'est plus complexe que ça, répondit Wilson.

Seth était décidé à ne pas l'observer. Il admirait, ou plutôt fixait sans vraiment le voir, le paysage qui déferlait devant lui.

— Plus compliqué ? Que voulez-vous dire ?

— Il y a une machine que l'on appelle le Monstre-ô-mètre. Cette machine sert à détecter les nouveaux Monstres sur un territoire et nous informe de la nature de ce dernier afin que l'on puisse savoir si nous devons agir vite ou non. Seulement voilà, le Monstre-ô-mètre ne nous a pas dit quelle sorte de Monstre tu étais, Seth.

— C'est normal, fit Seth, je ne suis tout simplement *pas* un foutu Monstre ! Laissez-moi sortir d'ici, ou j'appelle la police.

— Avec quel téléphone ? se moqua Gary. Seth, nous voulons seulement ton bien.

Un rire qui n'était pas du tout le sien s'échappa de la gorge de Seth.

— M'aider, ironisa le garçon. M'*aider* ? Vous m'enlevez à mes parents pour me terroriser et vous prétendez m'aider ? On n'a pas la même définition du mot aide, à ce que je vois.

Wilson parut offusqué.

— Te terroriser ? Seth, ne comprends-tu pas ? Si nous ne t'avions pas enlevé, comme tu dis, tu aurais développé ton côté Monstre, et plus personne n'aurait jamais voulu de toi. Au contraire, nous venons de t'épargner des années de souffrances !

— Merci beaucoup, dans ce cas ! Adieu, années de souffrances, et bonjour aux cinq années de calvaire qui s'en viennent ! Vraiment, je suis fou de joie !

Gary freina brusquement, et Seth percuta le banc en avant de lui.

— Il faudra t'apprendre le respect, garçon !

— Gary, ordonna Wilson, conduis. J'aimerais être à Monstrum avant la tombée de la nuit.

— Monstrum ! s'exclama Seth. Allez-vous enfin me dire ce que c'est réellement ?

La voiture reprit son chemin. Gary regarda dans son rétroviseur et échangea un regard avec Wilson. Ce dernier soupira et s'exclama :

— Nous n'avons plus le choix.

L'excitation qui aurait normalement envahi Seth n'arriva pas. Le chagrin était toujours là, plus intense que jamais. Tel son père, Seth ne voulait pas montrer ses émotions. Il les gardait en lui, s'assurant que personne ne sache réellement ce qu'il ressentait.

— Monstrum, expliqua Wilson, est un Sanctuaire de Monstres. Nous y allons, justement. Magistra se trouve là-bas. Des centaines de Monstres vivent à Monstrum.

Au fond de lui, Seth était époustouflé. Un Sanctuaire de Monstres ! Et puis quoi, encore ?

— Est-ce que Monstrum est le seul Sanctuaire dans le monde ?

— Pas du tout ! s'esclaffa Gary. Il y en a sept.

— Mais, ajouta Craig, il y a une multitude de Réserves.

Seth fronça les sourcils.

— Je ne comprends pas, avoua-t-il.

Craig changea de position pour mieux voir le nouveau Monstre.

— Il existe sept Sanctuaires. Ces emplacements sont reconnus comme étant les lieux les plus importants regroupant des Monstres de toutes sortes sur leur territoire. Les autres endroits, appelés Réserves, sont identiques aux Sanctuaires, sauf qu'ils sont plus petits et comportent moins de Monstres. Ils ne sont pas reconnus comme des Sanctuaires selon le Conseil des Sanctuaires de Monstres.

— Le Conseil des Sanctuaires de Monstres ?

Wilson hocha la tête.

— Les sept Sanctuaires en sont les créateurs et, par le fait même, les dirigeants. Lorsque le Conseil se réunit, il est obligatoire que les représentants des Sanctuaires soient présents, ainsi que les représentants de six Réserves.

— Pas plus de six Réserves ? Pourquoi ?

— Par simple sécurité. Ce ne sont pas tous les Monstres qui sont gentils, et, avec le passé sombre des Monstres, il vaut mieux être prudent.

Seth ignorait de quoi parlait Wilson. Toutefois, une chose lui semblait sûre : il y avait eu un problème dans le passé, et la menace semblait toujours flotter.

— De quelles choses discute le Conseil ?

— De tout et de n'importe quoi. Le bien-être des Monstres, d'abord, jusqu'aux rumeurs à propos d'Humains qui ont été en contact avec des gens de chez nous.

— Que faites-vous quand quelqu'un aperçoit un Monstre ? Je veux dire, les Humains, comme vous dites, ne sont pas habitués à cela.

— Nous ne faisons rien. Justement, crois-tu qu'ils iraient crier sur tous les toits qu'ils ont vu un être sorti tout droit des contes pour enfants ?

— Pourtant, le Yéti, le monstre du Loch Ness et toutes ces légendes…

— Sont réelles, je te l'accorde. Seulement, elles ont été utilisées à des fins purement égoïstes de la part des Humains pour des raisons d'intérêts financiers. Tu vois pourquoi notre monde doit rester secret ? Les Humains ne sont pas aptes à découvrir la vérité et à nous accepter tels que nous sommes.

Seth ouvrit grand la bouche. Toutes ces légendes, toutes ces histoires, étaient donc *vraies* ! Lui qui n'y croyait pas avant, il apprenait maintenant qu'il faisait partie du même monde qu'eux : le monde des Monstres.

Wilson regardait attentivement Seth. Il s'attendait à le voir hurler de peur, ou pleurer de terreur. Seth semblait terrorisé, certes, mais il prenait également bien la nouvelle. Le départ de sa maison l'avait si bouleversé que rien ne l'étonnait plus.

— Je sais que c'est beaucoup pour toi, Seth, reprit Wilson, mais tu dois t'y faire. Une fois à Monstrum, tout va bien aller, je te le jure. Personne ne s'est plaint, jusqu'à présent.

Seth éclata de rire et hocha vigoureusement la tête.

— Ce doit être un rêve. Un cauchemar, plutôt. Je vais bientôt me réveiller dans mon lit et rire de cette aventure, n'est-ce pas ?

— Non, Seth, tout cela est réel.

— Il ne va pas bien, je crois, commenta Gary.

Wilson lança un regard noir au chauffeur, qui l'ignora.

— Monsieur Wilson, dit Seth, pesant ses mots, pourquoi suis-je un Monstre ? Je veux dire, pourquoi venir me chercher maintenant, mais pas avant ?

— Tout revient au Monstre-ô-mètre. Quand il t'a détecté, il a réveillé la Source du Monstre en toi. À partir de ce moment, tous les Monstres et tous les animaux t'ont perçu tel que tu es : l'un des nôtres.

— Je suis un Monstre… à cause d'une *machine*?

— Oui. Une très bonne machine, sois-en assuré.

— Qui l'a construite?

— Je ne le sais pas. Selon mes souvenirs, elle a toujours été à Monstrum. C'est un artefact très ancien. Et il y en a beaucoup d'exemplaires dans le monde. Chaque Sanctuaire possède son propre Monstre-ô-mètre. Cependant, ce ne sont pas toutes les Réserves qui en ont un.

Seth n'ajouta rien. Il regardait toujours par la fenêtre. Le paysage défilait devant lui. Il suivit un arbre des yeux. Quand il eut disparu de son champ de vision, Seth comprit que, tout comme cet arbre, son bonheur avait disparu. Les larmes lui montèrent aux yeux une nouvelle fois, et il les ferma étroitement.

— Donc, résuma Seth, selon vous, je suis un Monstre qui doit absolument aller étudier à l'école Magistra qui se trouve dans le Sanctuaire Monstrum.

— Exactement, fit Gary.

— Quels cours y a-t-il à Monstrum?

Wilson échangea un nouveau regard avec Gary par le biais du rétroviseur.

— Il y en a plusieurs, répondit Craig Wilson. Il y en a sept obligatoires pour les cinq années d'études : le Monstrubilus, la langue parlée par les Monstres d'antan; il y a aussi le cours de Fuite, de la course, pour être précis; comme tu t'y attends, il y a l'Histoire des Monstres; la Science de la Magie; Mythologies et croyances; Arts; Carrière.

— La Science de la Magie? Il y a de la magie dans votre monde?

Seth jugea préférable de faire de nouveau face à Wilson. Son visage de singe ne faisait pas si peur que ça. En fait, plus Seth fixait Wilson, plus il trouvait cette anomalie... *normale*.

— Oui, il y a de la magie, Seth. On la trouve chez certains Monstres et dans certains objets.

— Comme le Monstre-ô-mètre?

Au grand étonnement de Seth, Wilson fronça les sourcils tout en levant les épaules.

— C'est un très grand débat. Certains disent que oui, d'autres affirment que non.

— Selon vous, il y en a ou pas?

— Il peut y en avoir, comme il est possible qu'il n'y en ait pas.

Seth hocha la tête. Wilson ne voulait visiblement pas s'aventurer dans un débat dont personne ne connaissait la vraie réponse.

— Quels sont les cours non obligatoires?

— Les cours non obligatoires sont accessibles seulement en quatrième et cinquième année. Il y en a seulement deux : Chimie et Objets Magiques. En Chimie, les étudiants explorent les propriétés de certains artefacts, et, en Objets Magiques, ils étudient le fonctionnement de ces derniers.

Les cours semblaient amusants. Sauf peut-être pour les cours de Monstrubilus et Histoire des Monstres.

Seth se cala dans son banc. Maintenant, il ne pouvait plus rien faire. Son devoir était d'aller à Magistra, point à la ligne. Là-bas, il serait éduqué comme il se devait puisqu'il n'était pas comme les autres, les gens *normaux*, les Humains.

— Mais, dit Seth, qui êtes-vous par rapport à Monstrum?

Gary s'éclaircit la gorge.

— Comme je l'avais dit chez toi, je suis le directeur de l'école. Si tu as des problèmes à Magistra, c'est moi que tu dois venir voir.

— Quant à moi, expliqua Wilson, je ne t'avais pas menti non plus. Je suis le Gardien de Monstrum. Il est de mon devoir de m'assurer que tous soient bien et qu'ils ne manquent de rien. Mais, surtout, qu'aucun Humain ne trouve Monstrum.

— Est-ce déjà arrivé? Je veux dire, qu'un Humain trouve Monstrum?

— Heureusement, non! Il faut dire que notre Sanctuaire est bien protégé.

— Qu'est-ce qui le protège?

— Dis donc, tu en as des questions! s'indigna Gary. Tu vas tout apprendre une fois là-bas!

Wilson leva une main pour indiquer à Gary de ne pas s'en mêler.

— Ce jeune homme a le droit de tout savoir, Gary... ou presque.

Craig baissa sa main avant de répondre.

— Il y a une arche qui indique l'entrée de Monstrum. N'essaie pas de la contourner, ou tu mettras ta vie en danger. Pour protéger l'arche, il y a deux gargouilles. Ne compte pas trop devenir ami avec elles, elles sont plutôt arrogantes. Pour protéger l'enceinte du Sanctuaire, nous avons un chien.

— Un chien? Pas de clôture, rien?

— Si, il y a une clôture invisible! Et ne pense pas que le chien n'est qu'un *chien*. Il se nomme Gurt et il vient tout droit de Somerset, en Angleterre. Il fait deux fois la taille d'un chien normal, et ses yeux sont rougeoyants. Il est invisible, tel un spectre. C'est même grâce à lui que la clôture est également invisible : son énergie est si énorme qu'elle englobe la clôture. Lorsqu'une personne arrive trop près du Sanctuaire, il apparaît. Parfois, il s'amuse un peu à faire peur aux gens en apparaissant et disparaissant sans cesse. Il avertit les gens de partir. S'ils le font, leur mémoire sera trafiquée lorsqu'ils quitteront l'espace du chien, et ils ne se souviendront de rien.

— Et s'ils n'obéissent pas?

— Gurt les tue. Habituellement, il est très gentil comme chien, et on peut devenir son ami. Sauf que, si on ne l'écoute pas, on s'en fait un ennemi redoutable.

— Crois-moi, ajouta Gary, je connais quelqu'un qui s'est fait mordre par Gurt, et il ne veut plus jamais le revoir. Je parle de Gurt… le gars en question a voulu l'approcher de nouveau, mais Gurt l'en a dissuadé avec ses crocs.

Seth était livide. Wilson lui posa une main sur l'épaule d'une manière si paternelle que Seth eut un pincement au cœur; son père ne lui avait jamais fait cela. D'un coup d'épaule, Seth se défit de l'étreinte de Craig, qui ne s'objecta pas.

— Ne t'inquiète pas, tenta de le rassurer Craig, il ne t'arrivera rien, puisque tu es l'un des nôtres.

— Dis-lui, ordonna Gary.

— Pardon?

— Dis-lui, ou il voudra t'assassiner lorsqu'il l'apprendra!

Le cœur de Seth se mit à battre la chamade. Qu'est-ce que Craig devait lui dire? Est-ce qu'il servirait de goûter pour Gurt? Est-ce qu'il affronterait le chien pour survivre?

Si seulement Seth n'avait pas accepté d'aller à cette fichue école! Il serait encore chez lui, à profiter du beau temps, le cœur joyeux! Peut-être qu'il s'amuserait dans la piscine avec ses amis. Sauf que le monde que Seth voyait dans sa tête n'était plus qu'une fiction. La page avait été tournée, et une nouvelle vie commençait. Une vie de malheurs. Une vie… de monstre.

La voiture tourna brusquement à une intersection. Où était donc la police? C'était peut-être le dernier espoir de Seth. Si les autorités les arrêtait, Seth pourrait les supplier de l'aider, tout leur expliquer, et il serait en mesure de se sauver de l'enfer qui se préparait pour lui! Il ne voulait pas finir en chair à pâté pour un chien qui avait bon appétit.

Seth voulut crier de joie lorsqu'ils passèrent à côté d'une voiture de police. Gary conduisait beaucoup trop vite dans cette zone, mais l'agent ne réagit pas. Seth se sentit perdu.

— Seth, dit Wilson, ce que tu dois savoir est que tu devras passer seul devant Gurt et les gargouilles avant de pouvoir entrer dans Monstrum. C'est obligatoire. Sois sûr que Gary et moi voudrions y aller avec toi, mais c'est impossible; les gargouilles ne te laisseraient pas entrer puisqu'elles doivent absolument te faire passer un... examen. Elles vont t'analyser pour savoir quelle sorte de Monstre tu es et pour savoir si oui ou non tu mérites une place dans le Sanctuaire. Quant à Gurt, il doit te sentir pour te reconnaître les prochaines fois que tu sortiras de l'enceinte.

Malgré la peur qui naissait en lui, Seth avait enregistré une partie de la phrase et se mit à dévisager longuement Wilson.

— *Les prochaines fois que je sortirai du Sanctuaire*? Je croyais que je devais y rester cinq ans!

Wilson se tordait maintenant les mains.

— Tu as la mémoire courte? J'en ai parlé chez toi quand je suis venu en tant que représentant. Il y a un programme pour les élèves de deuxième année qui permet à un élève ou à un groupe d'étudiants de quitter le Sanctuaire pour aller passer un an dans un autre Sanctuaire.

— Un échange étudiant?

— Non, puisque ce n'est pas sûr que des élèves des autres Sanctuaires viennent à Monstrum. Il s'agit plutôt d'un Transfert.

— Où sont les autres Sanctuaires?

— Il y en a un ici, au Québec. Les autres sont à Londres, en Angleterre ; à Stornoway, en Écosse ; en Normandie, en France ; à Los Angeles, aux États-Unis ; à Durban, en Afrique ; et au Plateau du Tibet, en Chine.

Les sept Sanctuaires étaient là. Certains dans des villes que Seth n'aurait jamais soupçonnées. Par exemple : à Londres. Comment un Sanctuaire pouvait-il tenir dans une ville comme Londres ? Ville préférée de Seth, d'ailleurs.

Le regard de nouveau rivé sur la vitre, Seth examina le décor. Au départ, il ne voyait que des maisons et parfois des arbres. Maintenant, il n'y avait que des arbres de chaque côté de la route. Un peu lassé par le paysage, Seth ferma les yeux un moment.

Le ventre de Seth grogna. Machinalement, Seth posa ses mains dessus pour tenter de camoufler le bruit qui n'avait toutefois pas échappé à ses hôtes.

— Tu as faim ?

— Oui.

— Je comprends ; l'heure du souper arrive.

— Déjà ?

— Oui, pourquoi ?

— J'ai l'impression que ça ne fait que 20 minutes que je suis parti de chez moi.

— Mais Seth, tu t'es endormi.

— Je me suis… ah bon.

Seth savait très bien qu'il n'avait pas dormi. La fatigue ne s'emparait pas facilement de lui, surtout avec la tristesse qu'il accumulait depuis son retour de Cuba. Il préféra toutefois ne pas poser de question à Wilson. Peut-être que leur voiture avait la faculté de voyager dans l'espace-temps. Plus rien ne pouvait surprendre Seth, désormais.

Wilson regarda sa montre et sursauta. Il s'empressa de prendre un miroir dans son veston.

— Miroir, miroir, montre-moi ce qui se passe dans le monde.

Tout comme avec le miroir de la chambre de Seth, la surface miroita d'une lueur bleutée. Après un moment, un homme en veston rouge apparut dans la glace en disant :

— ... comme on s'y attendait tous. Vous n'êtes pas sans savoir que ce chanteur a déjà eu recours à cette technique de nombreuses fois.

» Passons à un sujet plus d'actualité. Depuis quelque temps, *Les Nouvelles des Monstres* vous parlent d'un Monstre n'ayant aucune anormalité spécifique. Eh bien, j'ai l'honneur de vous annoncer qu'il a accepté d'aller à l'école Magistra à Monstrum.

» Monstrum est classifié comme étant le Sanctuaire le plus réputé de l'Histoire. Ses nombreux professeurs expérimentés pourront peut-être en savoir plus sur ce jeune garçon et nous feront part de leur impression.

— Miroir, miroir, arrête la diffusion.

L'image de l'homme disparut spontanément. Seth comprit que *Les Nouvelles des Monstres* étaient exactement comme le bulletin de nouvelles qu'il avait l'habitude d'écouter le soir lorsque ses parents lisaient un bon livre et que lui n'en avait pas envie.

Wilson observait Seth et lui souriait bêtement.

— Devine de qui il parlait, demanda inutilement le propriétaire du Sanctuaire.

— De moi ?

— Exactement. Tu es une personne hors du commun, Seth. Tout le monde veut savoir quel type de Monstre tu es. Tu es la première exception.

— C'est peut-être une erreur de votre machine !

— Je n'y crois pas. Sais-tu pourquoi je voulais absolument que tu entendes ceci ?

— Pas du tout.

— Pour que tu saches à quel point tu es important dans notre monde. Tu es un vrai mystère, Seth. Il est sûr que certaines personnes voudront te connaître pour tenter de savoir qui tu es vraiment. Entre nous, personne ne le saura, n'est-ce pas ?

Seth ne répondit pas. Non, personne ne saurait qui il était : sa vie avec ses parents était du passé. Il n'était plus Seth Langlois, il était désormais Seth le Monstre. Seth le Mystère. Seth la Première Exception.

Gary coupa le moteur, et Seth se rendit compte qu'ils étaient garés à un restaurant.

— Seth, dit Wilson, tu dois nous promettre une chose. Une fois dehors, tu ne cries pas, tu n'essaies pas d'attirer l'attention. Tu joues le rôle d'un fils qui sort au restaurant avec son père et son oncle, d'accord ? De toute manière, personne ne nous adressera la parole si nous ne parlons à personne.

Seth ferma les yeux en sentant les larmes monter à nouveau. Il était dans un étau qui se refermait peu à peu sur lui. Les animaux parlants, Monstrum, Magistra, les Monstres, l'exception, les miroirs magiques... Tout de ce nouveau monde effrayait Seth, et il voulait absolument retourner chez lui.

— Il faut que tu viennes avec nous à Monstrum, Seth. C'est essentiel pour toi et pour notre monde.

Alors Seth acquiesça.

Comme Wilson l'avait prédit, personne ne leur prêta attention une fois dans le restaurant. Seth avait la forte envie de hurler, de faire savoir au monde qu'il était avec des fous... mais quelque chose l'en empêchait.

Après avoir commandé, ils choisirent une table. Le dernier occupant y avait laissé son journal. Gary s'empressa de le prendre et se mit à lire la page couverture. Ses yeux s'agrandirent, et il ouvrit le journal pour lire un article.

— Qu'y a-t-il? interrogea Wilson.

— Attends...

Gary poursuivit sa lecture un moment avant de lire à voix haute :

Cet après-midi, Irma Schandiez, une employée de l'aéroport de la Havane à Cuba, a été arrêtée pour avoir fait entrer clandestinement un homme dans un avion. En effet, l'homme en question n'avait ni passeport ni papiers pour prouver son identité.

« Je ne crois pas avoir fait quelque chose de mal, a affirmé madame Schandiez aux autorités lorsqu'ils sont arrivés sur les lieux de l'incident. L'homme voulait entrer, et je l'ai fait entrer. Je l'ai personnellement interrogé dans un local privé, et il m'a convaincue. »

Convaincue ou non, Irma n'aurait jamais dû l'introduire illégalement dans l'avion. Après une petite enquête, nous avons été informés de l'exactitude des dires de l'employée. Elle s'est en effet entretenue avec l'intrus. Une fois sortie de la cabine, dont les caméras de surveillance étaient hors tension, elle l'a aidé à pénétrer dans l'avion qui devait se rendre...

Gary arrêta sa lecture.

— Où devait se rendre cet avion? s'inquiéta Wilson.

— Ici! Attends, l'article ne s'arrête pas là!

Malheureusement, les autorités ont été avisées après le départ de l'avion qui fut intercepté à mi-parcours. L'avion en question a bien sûr été fouillé de fond en comble. Le plus surprenant fut, sans l'ombre d'un doute, que l'homme ne se trouvait pas à l'intérieur. Cependant, ses bagages, une simple valise avec deux ou trois vêtements, s'y trouvaient. *Tout porte à croire que l'individu aurait bel et bien monté à bord, mais qu'il aurait réussi à s'échapper avant que les policiers n'embarquent dans l'appareil. Pour ajouter au mystère, personne n'est sorti de l'avion avant l'arrivée des autorités.*

Pendant ce temps, les autorités cubaines ont interrogé Irma Schandiez sans obtenir grand succès.

« Elle disait ne plus entendre les questions, nous confia un agent. Elle a affirmé avoir l'impression que nous étions au bout d'un long tunnel. Elle se lamentait que son avant-bras gauche lui faisait énormément mal et qu'elle voulait sortir pour se rendre à l'hôpital. »

Ce qui arriva. Trente minutes après le début de l'interrogatoire, des marques de morsure sont apparues sur le bras de la dame. Du sang en coulait en abondance. Les autorités l'ont immédiatement amenée à l'hôpital.

En ce moment même, Irma est dans un état critique. Elle perd son sang, et les médecins n'arrivent pas à fermer la plaie. Tous pensent qu'elle ne s'en sortira pas.

Pour ce qui est de l'avion, les autorités n'ont toujours pas donné le feu vert pour un nouveau décollage. On veut à tout prix trouver l'homme et soigner Irma pour éclairer ce mystère.

Gary reposa le journal et échangea un regard avec Wilson. Seth se sentait totalement exclu. Mais il n'était pas dupe. Cette histoire n'avait rien de normal. Avec la mine que faisaient les deux hommes, Seth comprit que les Monstres étaient impliqués. Plus il y pensait et plus il trouvait logique que l'individu en question soit un Monstre.

— Qu'est-ce qui se passe ? voulut savoir Seth.

— Disons…, commença Wilson, disons que nous devons retourner à Monstrum immédiatement. Nous avons deux ou trois choses à régler.

Ils apportèrent leur commande à la voiture et y montèrent. Peu importait la question, Wilson ne disait rien à Seth à propos de la terrible découverte. La seule chose que Seth put soutirer fut :

— Seth, tu devras être très prudent. Comme je t'ai dit, il y a plusieurs personnes qui voudront te voir. Jure-moi d'être prudent.

Seth jura. La pression sur ses épaules se faisait énorme. D'abord il apprenait qu'il appartenait à un nouveau monde, puis qu'il devait passer devant un chien féroce ; ensuite il déduisait qu'un Monstre pas tout à fait gentil voulait s'infiltrer dans la province et voulait peut-être voir Seth... ou avoir sa peau...

La voiture roula encore presque deux heures. Seth ne reconnaissait plus rien dans le paysage qu'il voyait par la fenêtre. Il n'y avait que des arbres. Parfois, il voyait une plaine. Mais le plus étrange restait la route qu'ils utilisaient... Elle était là, sous leurs yeux, mais, quand Seth regardait derrière, elle semblait disparaître. Il finit par se convaincre de poser la question.

— Objet magique, expliqua Wilson. Cette rue est faite d'un matériel unique. Elle n'apparaît que pour les Monstres. C'est une protection supplémentaire contre les Humains.

— Mais les Humains voient l'espace entre les arbres qui forme un chemin.

— Non. Tout ce qu'ils voient, c'est une forêt.

Visiblement, tout était bien organisé. Seth réussit même à sourire. Avec un pincement au cœur, il comprit que, même si ses parents le cherchaient, ils ne le trouveraient jamais à cause du chemin invisible.

Bientôt, le soleil fut couché, et une légère brume survola le sol. Avec un frisson, Seth ne put s'empêcher de penser aux centaines de films d'horreur dont ces paysages évoquaient toujours une scène terrible où la créature tuait l'une des victimes. Et cette créature était…

Non, Seth ne voulait plus y penser. Même s'il devait le voir, penser au chien lui était insupportable. Une abominable bête comme lui ne devrait pas exister. Un chien normal, ça aurait pu aller, mais un monstre cannibale…

La voiture ralentit et finit par s'arrêter. Les mains du jeune homme étaient moites. L'heure approchait. Wilson ouvrit sa portière et quitta son siège. Contre son gré, Seth fit la même chose, vite imité par Gary.

La forêt paraissait peu attirante. Un hibou ulula dans le lointain, et un loup répondit à cet appel.

— Nous sommes presque arrivés, fit Gary.

— Presque, dit Seth. Si nous sommes *presque* arrivés, pourquoi avoir arrêté ?

— Parce qu'il faut faire le reste du chemin à pied, railla Gary. Tu crois vraiment que j'aurais arrêté pour rien ?

Wilson leva une main pour imposer le silence. Il ne voulait pas avoir à jouer l'arbitre, mais Seth et Gary l'obligeaient.

— Seth, dit Wilson avant que Gary ne reprenne la parole, tu devras emprunter un sentier différent du nôtre. Tu vois, là ? C'est le sentier que Gary et moi allons prendre. Il mène directement aux gargouilles. Tandis que toi, tu prendras celui-là.

Le premier sentier que Wilson lui avait désigné semblait normal. Quant à l'autre, celui qu'il devait prendre, il paraissait… effrayant. Les arbres tordus montraient le climat rude, les feuilles mortes sur le sol en ce temps de l'année inspiraient le dégoût, et le chemin tortueux semblait mener nulle part.

— Au bout du chemin, poursuivit Wilson, Gurt ira te rejoindre. N'aie pas peur, surtout. Il saura que tu es un Monstre et voudra simplement en savoir plus, c'est sûr. Réponds du mieux que tu peux à ses questions et laisse-le faire son travail.

Ensuite, Gurt t'amènera aux gargouilles pour que tu puisses entrer dans le Sanctuaire. Tu as compris?

— Oui, murmura faiblement Seth.

— Très bien. Inutile d'attendre plus longtemps. On se reverra de l'autre côté de l'arche.

Wilson et Gary partirent ainsi, sans rien ajouter de plus, laissant Seth là, seul, l'air déconcerté. Ce qu'il devait accomplir était simple, sauf que l'idée d'affronter Gurt lui faisait peur.

Rester là n'aiderait pas le jeune homme. Aussi décida-t-il d'avancer. Plus vite il rencontrerait ce chien, plus vite il pourrait le quitter. Il gagna le sentier et commença l'ascension.

À chaque pas, Seth éprouvait l'étrange sentiment d'être épié. L'ombre des arbres donnait l'impression que ceux-ci bougeaient. Le hibou ulula encore une fois...

Crac!

Une branche tomba d'un arbre, et cinq oiseaux s'envolèrent en piaillant, comme pour se plaindre que quelqu'un venait perturber leur paisible soirée. Le cœur battant, Seth resta un moment sans bouger pour reprendre ses esprits.

— Calme-toi, se disait-il à voix haute. Il n'y a rien de mauvais dans cette forêt. Calme-toi.

Dans une situation comme celle-là, la pire chose qui pouvait arriver à Seth était de laisser son imagination prendre le dessus sur sa raison. Car une fois que l'imagination entrait en jeu, un simple ver de terre pouvait devenir une bête féroce et dangereuse.

Le vent se leva et apporta aux oreilles de Seth le son d'une eau qui coulait à flot. Il devait y avoir une rivière non loin de lui. Le brouillard s'épaississait tellement que Seth n'aurait pas pu la voir même si elle s'était trouvée à quelques pas devant lui.

Plus il avançait sur le sentier, plus Seth frissonnait. Tout à coup, il entendit un léger *pop*, et une lumière blanche l'aveugla. Cette dernière disparut aussi vite qu'elle était apparue.

— Tu sens, dit une voix, tu sens... étrange.

— Qui est là?

La voix de Seth tremblait. Il y eut un deuxième *pop*, et la lumière blanche clignota une nouvelle fois. Seth arrêta de marcher brusquement.

— Es-tu un Monstre ou un Humain? Car je l'ignore, continua la voix.

— Où êtes-vous et qui êtes-vous?

L'être invisible se mit à rire. Il y eut un dernier *pop*, et la lumière blanche réapparut. Quand elle disparut, cette fois, un chien d'un noir de jais occupait à présent son champ de vision. Un poil long et broussailleux formait son pelage. Des canines, très longues, dépassaient de son museau. Ses yeux rougeâtres n'inspiraient pas du tout confiance. Et sa taille! Il faisait deux fois la grosseur d'un chien normal.

— Gurt, murmura Seth, les jambes flageolantes.

— C'est moi, dit le chien en ouvrant sa gueule et dévoilant ses crocs. Toi, tu es?

— Seth Langlois.

— Seth Langlois, répéta le chien. Intéressant. Vois-tu, je n'arrive pas à te cerner, ce qui fait de toi un ennemi potentiel.

Seth claquait des dents. Non, il n'avait plus froid maintenant, mais il avait terriblement peur. Le chien tournait autour de lui en le reniflant. Seth se tordit les mains et déglutit.

— Je suis venu ici avec messieurs Wilson et Gary, expliqua Seth.

— Je sais, dit Gurt. Je les ai sentis. Mais pour l'instant, c'est toi qui me préoccupes, pas eux. Tu sens l'Humain et... quelque chose que je n'arrive pas à déterminer. On dirait que j'ai déjà senti cela quelque part et que ça a fini en fiasco... Peut-être que je me trompe. Que viens-tu faire ici?

— Je viens étudier à Magistra pour apprendre à vivre comme un Monstre.

— Je sens de la peur... beaucoup de peur. Et du chagrin. Dis-moi, as-tu dit adieu à tes parents au cas où tu mourrais ici?

— Quoi?

— Je ne dis pas que Monstrum est un lieu dangereux, loin de là! Cependant, il y a quelques personnes qui se croient malignes de vouloir sortir sans autorisation, et je m'en occupe personnellement. Alors, tu as dit adieu à tes parents?

— Ou... oui.

Seth tremblait de plus en plus et il sentait la sueur couler sur son front. Les cheveux de sa nuque se hérissèrent quand Gurt fit semblant de lui mordre le pied. Machinalement, Seth leva sa jambe et poussa un petit cri.

— J'adore faire ça, ricana Gurt en s'assoyant de dos à Seth. Maintenant, poursuivit-il, montre-moi que tu n'as pas peur de moi, Seth, et tu pourras passer.

Seth déglutit à nouveau. De la manière dont le chien était placé, il savait ce qu'il devait faire. Il avança d'un pas.

— Dis-moi, comment trouves-tu Craig et Gary?

— Ils sont gentils, dit Seth en faisant un deuxième pas. Au début, j'avais un peu peur d'eux, mais maintenant ça va.

Il continua de marcher.

— Prévois-tu quitter Monstrum?

— Peut-être au cours de ma deuxième année, si je m'inscris pour étudier dans un autre Sanctuaire, reprit Seth en se rappelant ce que Wilson lui avait expliqué dans la voiture.

Il poursuivit son chemin et tendit la main.

— Dernière question, annonça Gurt. Aimes-tu les chiens?

— Je les adore. Sauf que vous, en ce moment, vous me faites un peu peur...

Le chien éclata de rire, et Seth en profita pour le gratter en arrière de l'oreille. Aussitôt, Gurt se leva d'un bond et fit face à Seth. Avait-il fait la bonne chose ? Au plus grand soulagement du jeune homme, le chien sourit.

— Monte sur mon dos, Seth Langlois. Je vais t'amener à l'arche.

— Monter sur... votre dos ?

— N'aie pas peur, je n'ai pas l'habitude de manger mes nouveaux amis.

Comme Seth ne bougeait pas, Gurt dut le forcer à grimper sur son dos.

— Tiens-toi bien à mon cou et prends une profonde inspiration !

Seth obéit avant que Gurt ne s'élance à toute vitesse entre les arbres en poussant un hurlement de triomphe.

Monstrum

Le vent fouettait le visage de Seth et, contre toute attente, ce dernier aimait la sensation. Chevaucher un énorme chien était assez étrange, mais Seth s'y habitua sans même s'en rendre compte. Il filait sur le dos du chien tel un chevalier montant fièrement son destrier. Après quelques minutes, Gurt s'immobilisa doucement et se coucha pour laisser Seth descendre.

Ils étaient arrivés sur un nouveau sentier non occulté par la brume, et Seth comprit que c'était celui que Wilson et Gary avaient emprunté pour gagner les gargouilles.

— Merci, Gurt, dit Seth.

— Il n'y a pas de quoi. Va par là, ajouta-t-il en pointant la patte droit devant lui. Tu atteindras les gargouilles. Elles ne voudront pas te laisser passer. Pour les convaincre, tu devras leur dire : «*Gurt monstreak me.*» À ce moment, elles sauront que tu m'as rencontré et que tu peux franchir l'arche.

— *Gurt monstreak me*, répéta Seth. C'est dans quelle langue, au juste ?

— Du Monstrubilus. Dépêche-toi ! Gary et Wilson doivent t'attendre.

Seth acquiesça et remercia une dernière fois le chien avant d'avancer dans le sentier. Celui-ci, contrairement à l'autre, n'inspirait pas la terreur, mais la confiance. Les arbres bien droits et le chemin de terre dégagé de toute feuille laissaient voir au loin deux formes noires indistinctes, chacune de la taille d'un éléphant. Seth comprit que c'étaient les gargouilles.

Le cœur battant, Seth gagna vite l'arche. Elle était immense, et une inscription, écrite tout en haut, semblait défier quiconque s'en approchait. Malheureusement, la lune ne produisait pas assez de lumière pour que Seth puisse déchiffrer quoi que ce soit. Quand il eut fini d'admirer la voûte de pierre, qui n'avait rien d'extraordinaire, Seth décida d'étudier les gargouilles avec le peu d'assurance qui lui restait.

La première gargouille ressemblait à un énorme crapaud ailé. Elle avait une face ratatinée et des pieds palmés. Ses ailes étaient si détaillées que Seth aurait pu compter le nombre de « plumes » que possédait la statue.

L'autre gargouille représentait tout simplement un tigre ailé. Les détails sur celle-ci étaient encore plus saisissants que sur la première gargouille.

Ne sachant pas trop quoi faire, Seth attendit bien droit, l'air tendu. Enfin, la gargouille crapaud ouvrit la bouche.

— Tu crois qu'il nous voit ? demanda-t-elle à l'autre gargouille.

— Bien sûr, idiot ! Il ne resterait pas planté là s'il ne nous voyait pas ! Allez, suis le protocole !

— Ah ! Je suis tanné de toujours faire la même chose… Pourquoi on ne ferait pas changement ? Allez, commence.

— Pas question !

La gargouille tigre lança un regard féroce au crapaud qui recula un peu en arrière.

— D'accord, rétorqua le crapaud. Je vais le faire…

Le crapaud toussota et fixa son regard de pierre dans celui de Seth qui tremblait de peur.

— Bonjour, je me nomme Flant, et voici mon frère, Flint.

— Je t'ai déjà dit que nous ne sommes pas frères ! Nous avons seulement le même créateur !

— Bah, pour moi, mon créateur est mon père ; donc tu es mon frère.

— Si tu oses redire le mot frère une fois de plus, je te bouffe !

— Oh, la, la ! Que j'ai peur ! Non, sérieusement, combien de fois m'as-tu fait cette menace ? Et, regarde, je suis toujours en vie.

— Bof… Si une pierre peut être en vie…

— Quel rabat-joie ! Tu me dis de commencer et, regarde, tu effraies le petit.

Flint, le tigre, observa à son tour Seth qui tremblait toujours comme une feuille.

— Est-ce que je te fais peur ? demanda-t-il.

— Un peu, avoua Seth.

Flant eut l'air triomphant.

— Tu vois, tu lui fais peur.

— Vous aussi, vous me faites peur, ajouta maladroitement Seth.

Le tigre éclata de rire.

— J'aime bien ce petit, dit-il. Il ferait un très bon petit déjeuner.

— On ne mange pas les nouveaux venus, c'est la règle, rappela sombrement Flant. À moins qu'il n'insiste…

Les deux gargouilles se tournèrent vers Seth. Étrangement, le garçon se sentait de plus en plus rassuré.

— Sans façon, dit-il. Je dois me rendre à Monstrum. *Gurt*…

— Ouais, ils doivent tous se rendre là-bas, maugréa Flint. Et, nous, nous restons ici à attendre que quelque chose se passe.

— Ne te plains pas, rétorqua Flant. Tu n'aimerais sûrement pas vivre avec les Monstres. J'ai entendu dire qu'ils décapitent les nouveaux arrivés et s'en servent pour faire des expériences ultrasecrètes !

— C'est impossible, tu le sais bien...

Subtilement, Flant pointa Seth de ses doigts palmés et lança un regard lourd à Flint qui se reprit immédiatement :

— Je veux dire, oui ! J'en ai entendu parler moi aussi.

La peur menaçait de ronger à nouveau Seth. Cependant, comme il avait vu Flant le désigner, il savait pertinemment que les gargouilles se payaient sa tête.

— *Gurt monstreak me*, dit-il à toute vitesse.

Les deux gardiens de l'arche le regardèrent bouche bée.

— Il ne ment pas, murmura Flant.

— Pourtant, ajouta Flint, il n'a rien d'un Monstre. Moi qui espérais le manger. Il faudra attendre qu'il tente de s'enfuir. Tant pis... Tu peux...

— Tu peux entrer, coupa Flant en indiquant l'arche d'un geste empressé.

Flint grogna.

— Hé ! C'est ma partie du travail de laisser entrer les nouveaux !

— Tu as oublié ? On a inversé les rôles.

— Pas du tout ! Je n'ai jamais accepté cette supercherie ! Attends un peu que je t'attrape !

Seth se dépêcha de traverser l'arche. Il s'attendait à quelque chose de magnifique, de voir un nouveau monde se dessiner devant lui. Sauf qu'il faisait trop noir, et tout ce qu'il vit fut Gary et Wilson qui l'attendaient, chacun avec une torche dans la main. Seth constata que Wilson s'entretenait à voix basse avec Gurt. Quand le chien l'aperçut, il échangea deux derniers mots avec Wilson avant de détaler à la vitesse de l'éclair.

Une fois arrivé devant ses hôtes, Seth s'immobilisa. Gary fixa longuement Seth avant de se mettre en marche, vite imité par Wilson et Seth qui restèrent un peu plus en arrière.

— Tu n'as pas eu trop de difficulté? voulut savoir Wilson.

— Pas du tout.

— Et les gargouilles?

— De vrais casse-pieds, mais elles m'ont laissé passer.

Wilson pouffa de rire. Lui aussi voyait Flint et Flant ainsi : des casse-pieds. Chaque fois que quelque chose se passait, elles voulaient être mises au courant! Et, quand Wilson leur racontait, elles se fâchaient, assurant que les problèmes des Monstres ne les intéressaient pas.

— Elles croyaient même que j'étais un Humain et qu'elles pouvaient me manger, poursuivit Seth.

— Oui, Gurt aussi croyait que tu étais un Humain.

— Il m'a confié renifler une odeur qu'il ne reconnaissait pas, mais qu'il avait déjà sentie.

Wilson hocha la tête.

— Il me l'a dit aussi. Il fouille dans sa mémoire, mais rien ne lui revient. Il croit même que cette odeur l'a fait halluciner. Nous en venons au verdict qu'il a dû capter l'odeur sur Gary et sur moi.

— C'est aussi son avis?

— Il nous a reniflés tous les deux et admet que ce pouvait être le cas. Toutefois, il n'est pas tout à fait certain. Si jamais il se rappelle où il a perçu cette odeur, il m'avisera. Ne t'inquiète pas, Seth, tout va bien, maintenant.

Seth ignorait pourquoi cette histoire d'odeur le dérangeait tant que ça, mais il mourait d'envie de savoir ce que Gurt avait senti sur lui. Une sensation de saleté s'infiltra en Seth qui, machinalement, s'essuya les bras comme pour se défaire de l'émanation mystérieuse.

Le trio se retourna, et Seth vit une plaine à la lumière des torches. Elle était immense, et des centaines de maisons prenaient place un peu partout. Seth comprit qu'ils venaient de pénétrer dans une sorte de ville ; là où vivaient les Monstres de Monstrum.

Certaines maisons diffusaient un peu de lumière. Par contre, la plupart semblaient vides et sans vie. Sans doute parce que leurs occupants dormaient.

Assez vite, Seth repéra une lueur qui s'avançait vers eux. Seth dut plisser les yeux pour voir qu'il s'agissait d'une femme portant une torche. Le visage de la femme était étiré par la fatigue. Ses cheveux en bataille montraient clairement qu'elle avait eu une journée difficile.

— Au nom des Monstres, souffla-t-elle. Je me demandais quand vous alliez arriver !

— Bonjour, Alicia, s'exclama Gary. Vous allez bien ?

— Maintenant, oui ! Qu'est-ce qui a fait que ça vous a pris autant de temps ?

— Rien, je t'assure. Mais le petit habite loin d'ici.

La dénommée Alicia se tourna vers Seth. Son visage pointu contrastait bien avec ses longs cheveux noirs. Ses fines lèvres rappelèrent à Seth celles de Joanne. Sa poitrine proéminente avait sûrement attiré le regard de plus d'un homme. Bref, Alicia était d'une incroyable beauté, malgré ses oreilles pointues et ses yeux d'un mauve inhabituel. Quand elle se tourna vers Wilson, Seth sursauta : des ailes s'étiraient depuis son dos. Était-elle une *fée* ?

— C'est lui ? fit-elle.

— Oui, confirma Wilson. C'est bien lui, Seth Langlois.

— Heureuse de faire ta connaissance, Seth, ajouta Alicia en serrant sa main, tandis qu'il était toujours ébahi par les ailes de la femme. Ici, tu es chez toi.

Elle se tourna de nouveau vers l'homme-singe et le petit homme.

— Fay refuse toujours de s'intégrer. Elle dit être un Monstre. Nous n'arrêtons pas de lui dire que c'est ce qu'elle *est*. Elle pleure de plus belle en nous disant que nous ne comprenons pas ce qu'elle veut dire ! Pourtant, qui est mieux placé que moi pour la comprendre ?

— Il faut lui laisser du temps, renchérit Wilson. Peut-être que, lorsqu'elle rencontrera Seth, elle ne se sentira plus toute seule.

— Je ne crois pas, répliqua Alicia. Je lui en ai parlé, et elle m'assure ne pas vouloir voir Seth. Je crois qu'elle souhaite volontairement rester à part des autres...

Lassé de ce sujet, Gary décida de s'interposer.

— Et cet Alan ? dit-il. Ne peut-il pas la faire changer d'avis ? Je veux dire... toutes les filles de Monstrum sont attirées par lui, et il est arrivé il y a une semaine.

— Il n'a aucun effet sur elle, il faut croire, car nous avons essayé.

— J'irai la voir demain, conclut Wilson. Alicia, pourrais-tu conduire Seth à sa chambre.

— Bien sûr. Suis-moi, Seth.

Alicia se mit en marche, et Seth lui emboîta le pas. Gary et Wilson, quant à eux, prirent une autre direction. Ils avaient d'autres chats à fouetter.

— Où vais-je dormir ? demanda le jeune garçon.

— Là où chaque nouveau va, répondit Alicia. À l'auberge Freak. C'est une belle petite auberge qui tient son nom de son défunt propriétaire : Freak London, un anglophone.

Ils passèrent devant une dizaine de maisons. Seth tenta de les étudier, mais la noirceur l'en empêchait. Ils finirent par arriver à l'auberge. La façade en bois rappelait étrangement l'allure d'un chalet, et les fenêtres semblaient sales. Ou était-ce un reflet dû à la torche ? Alicia fit entrer Seth.

La salle où venait de pénétrer Seth était ronde et pleine de tables. Tout au fond, il y avait un bar et un homme avec de grandes oreilles, si grandes que leurs lobes touchaient au ventre de l'homme, qui nettoyait des verres.

— Toujours pas couché à cette heure tardive ? interrogea Alicia.

— J'attendais le nouveau, répondit le barman en reposant son verre pour s'approcher de Seth. Bonjour, je me nomme Yvon. Installe-toi et fais comme chez toi.

À ce moment, Seth prit conscience qu'il n'avait pas ses bagages. Ils étaient restés dans la voiture.

— Mes valises…, commença-t-il.

— Ne t'inquiète pas, dit Yvon, tout est dans ta chambre. Gurt les a apportées. Il est rapide, tu sais ?

Alicia posa une main sur Seth et le força à lui faire face.

— Seth, demain je t'emmènerai faire un tour de la ville. Ensuite, tu devras te débrouiller seul, car j'ai toutes sortes de choses à régler. Avec l'école qui commence dans un mois, je dois courir un peu si je veux en finir ! Alors arrange-toi pour être debout de bonne heure. On se revoit demain.

Sans laisser le temps à Seth de poser une question, Alicia tourna les talons et quitta l'auberge. Yvon le poussa jusqu'à un escalier en colimaçon que Seth n'avait pas remarqué jusqu'alors.

Le premier étage était tout le contraire du rez-de-chaussée : rectangulaire. Yvon l'entraîna dans le couloir et lui ouvrit la porte de la chambre numéro sept.

La chambre était si luxueuse qu'elle en paraissait incon-fortable. Le lit simple avait l'air dur, mais les couvertures chaudes. La salle de bain était d'une couleur lilas, mais il y faisait extrêmement froid. Comme promis, les bagages de Seth se trouvaient au pied du lit.

— Voilà, garçon, dit Yvon. C'est ta chambre pour les cinq prochaines années ! À 7 h demain matin, c'est le déjeuner. Une cloche sonnera pour te prévenir. Sois prêt. Il est déjà très tard ; tu ferais mieux de te mettre au lit.

Yvon s'apprêta à quitter la chambre lorsqu'il s'arrêta et demanda, toujours de dos à Seth :

— Est-ce vrai ? Es-tu un Monstre sans caractéristique ?

Seth soupira de lassitude.

— Écoutez, dit-il. Je ne comprends rien à cette histoire et n'y comprendrai sûrement jamais rien. Oui, je suis un Monstre sans en être un, ça vous va ?

Yvon ne répondit pas. Il quitta en refermant la porte derrière lui. Seth se laissa tomber sur son lit et pensa à ses parents qui devaient dormir paisiblement en imaginant que leur fils se trouvait dans une Académie… Seth se mit à pleurer.

*

Le tintement d'une cloche réveilla Seth. Les yeux bouffis d'avoir pleuré toute la nuit, Seth se leva lentement. Une fois debout, il étudia la pièce du regard et se souvint de tout. Une nouvelle vague de tristesse l'envahit. Tout comme son père l'avait fait à de nombreuses reprises, Seth refoula ses émotions et entreprit de fouiller dans ses valises pour se changer. Ensuite, il alla faire sa toilette.

Quand il fut fin prêt, Seth descendit pour aller déjeuner. La salle circulaire de l'auberge était bondée. Toutefois, quand Seth entra dans la salle, le silence tomba, et tous les occupants de la pièce le fixèrent intensément. Yvon, le barman, vint le rejoindre.

— As-tu bien dormi ?

— Oui, merci, mentit Seth.

Le barman conduisit son invité à une table et lui dit qu'il lui apportait son déjeuner dans un instant. Peu à peu, le brouhaha d'une vingtaine de conversations envahit l'auberge, et Seth en fut soulagé.

Sans avertissement, un garçon vint s'asseoir à la table de Seth. Avec ses cheveux blonds, ses yeux d'un bleu éclatant et ses épaules carrées, Seth comprit d'un seul coup d'œil que ce garçon faisait chavirer le cœur de n'importe quelle fille.

— Bonjour, s'exclama le garçon. Tu es nouveau ?

— Oui.

— Pourtant, tu n'as rien d'un Monstre.

Seth étudia bien le garçon. Ensuite, il entreprit d'analyser toute la salle. Il y avait des animaux-humains (dont Seth n'aurait pu dire le nom de leur race), des nains encore plus petits que la moyenne et beaucoup de personnes avec des membres en surplus. Il y avait même une personne avec huit jambes telle une araignée. Une femme, assise au bar, avait un bec de canard au lieu d'une bouche. Seth fixa à nouveau le garçon.

— D'après ce que je vois, dit-il, toi non plus tu n'as rien d'un Monstre.

Le jeune garçon hocha la tête.

— Tu te trompes du tout au tout. Je me présente : Alan Lajoie. Je suis un métamorphe. Et toi, tu es ?

— Je suis Seth Langlois. J'ignore quel type de Monstre je suis. Mais c'est quoi un métamorphe ?

Alan se massa la nuque.

— Un métamorphe est quelqu'un qui peut changer d'apparence lorsqu'il le souhaite. Je ne contrôle pas encore mon pouvoir ; je suis ici pour l'apprendre.

— D'où viens-tu ?

— De Londres.

Seth ouvrit grands les yeux. Yvon arriva et posa une assiette devant lui en lui souhaitant un bon appétit avant de repartir derrière son bar.

— De Londres ? s'étonna Seth. Tu n'as même pas un accent anglais, rien !

— C'est normal, je vivais par ici, avant. Mes parents ont décidé de déménager à Londres, mais quand est venu le temps pour moi d'étudier dans un Sanctuaire ou dans une Réserve, j'ai décidé de venir ici, à Monstrum.

— Donc tu es ici pour tes cinq ans d'études ? Ce n'est pas seulement pour une seule année ?

— Non, c'est pour les cinq. Et je ne m'en plains pas ! Le Sanctuaire de Londres est bien, je dois l'avouer, mais je trouvais qu'il manquait quelque chose.

— Comme quoi ?

— Bah, à moi, il me manquait un sentiment d'appartenance. Mes parents ont décidé de rester là-bas, et moi, je suis revenu ici. La seule condition est que je leur envoie des cadeaux de temps en temps.

Seth sourit à cette remarque. Il était un peu dans la même situation, sauf que ses parents attendaient de lui un appel téléphonique. Par déduction, Seth comprenait que les parents d'Alan étaient eux-aussi des Monstres.

La porte de l'auberge s'ouvrit, laissant entrer les rayons du soleil. Seth vit Alicia entrer, et elle le chercha du regard. Enfin, elle le trouva et accourut vers lui.

— Tu es là, dit-elle. Prêt pour ton tour de Sanctuaire ?

— Mais je viens à peine de commencer mon déjeuner !

— Je n'ai pas que ça à faire, Seth. Dépêche-toi.

— Pourrais-je venir avec vous, madame ? demanda poliment Alan.

— Bien sûr.

Seth se dépêcha d'engloutir son dernier œuf ainsi que ses deux rôties et s'apprêta à rendre l'assiette à Yvon, mais Alicia lui saisit le bras, prit l'assiette et la posa sur la table.

— Il va venir la ramasser. En route !

Elle entraîna Seth hors de l'auberge, suivie de près par Alan. Le soleil plombait sur tout le village, et Seth vit des maisons des plus extraordinaires. Il était rare de voir deux maisons de la même couleur. Certaines changeaient même de teintes selon l'angle dans lequel on les observait ! Il y en avait des petites et des plus grosses. Même de très petites pour des gens comme...

— Gary ? s'exclama Seth en voyant l'homme sortir d'une minuscule maison.

Contrairement à la veille, Gary mesurait au maximum 50 centimètres.

— Bonjour, Seth. Ici, je préfère que l'on m'appelle «monsieur Lachance».

— Désolé, monsieur Lachance. On dirait que vous n'avez pas mis vos échasses.

— As-tu vraiment cru à cette histoire ? Voyons, Seth, j'utilise un miroir comme tout le monde !

Gary tourna les talons en marmonnant :

— Cet enfant ! Il goberait n'importe quoi.

Seth était époustouflé par tout ce qui l'entourait. Les maisons étaient placées pêle-mêle, de sorte qu'il n'y avait aucune rue à proprement parler. De jeunes Monstres couraient un peu partout, criant et riant de bon cœur. Seth vit même une enfant toute verte. Il la pointa du doigt pour la signaler à Alicia, mais celle-ci rétorqua :

— Ce n'est pas poli de pointer du doigt.

Seth s'excusa et baissa la main.

— Ne t'en fais pas, dit Alan. Tous les nouveaux sont comme ça. Tu vas vite t'habituer, je te le jure.

Ils marchèrent un bon moment avant d'arriver à une place circulaire couverte de pavé uni. Tout au bout du pavé, des dizaines de commerces s'alignaient en demi-cercle.

— Comme tu t'en doutes, expliqua Alicia, ici c'est le centre-ville. Entre nous, nous appelons cet endroit le Terrain Pavé. Habituellement, il y a une foule de personnes ici. Sauf qu'il est encore un peu tôt.

Seth regarda sa montre. Il était 7 h 45.

— Si tu as des choses à acheter, c'est ici, continua Alicia.

— Vous prenez l'argent... normal ?

— Non. Nous utilisons les Mons. C'est la monnaie utilisée par tous les Monstres, dois-je préciser.

— Mais je n'ai pas de Mons !

— Nous avons un système dans notre monde par lequel on offre une certaine somme aux nouveaux pour les aider. Dès ton premier jour d'école, il te sera remis une enveloppe avec une lettre. Tu devras te rendre à la banque pour recevoir ton argent. Sache, Seth, qu'au moment où tu commences ta quatrième année, l'école ne t'aidera plus financièrement. Tu devras te trouver un travail.

Seth acquiesça. C'était déjà assez gentil de leur part de l'aider de cette manière. Il n'avait pas à se plaindre de trouver un travail dans quatre ans. Surtout qu'il aurait 21 ans à cette époque.

Alicia conduisit Seth et Alan dans un petit passage entre deux commerces. Ils arrivèrent sur une route de bois de chêne qui menait vers une immense bâtisse. Quand ils furent au pied de l'établissement, Seth constata qu'elle comportait deux étages. La porte de métal était fermée, au grand désarroi de Seth qui aurait bien aimé visiter cet établissement.

— Wow, fit Seth, admiratif.

— C'est Magistra, dit Alan. C'est ici que tu vas étudier.

Seth remarqua alors une citation écrite juste au-dessus de la porte. Il la lut à voix haute :

— « *Le plus grand des sages a dû commencer au bas de l'échelle.* »

— C'est la devise de Magistra, dit Alan. J'ai hâte de commencer l'école, pas toi ?

— Tu n'as pas commencé ? s'étonna Seth. Tu as quel âge ?

— Quinze ans.

Seth lança un regard à Alicia qui souriait devant l'attitude de Seth. Enfin, elle lui répondit :

— Habituellement, c'est à 15 ans que les jeunes Monstres commencent leurs études. Ainsi, ils finissent à 20 ans, et c'est lors de leur troisième année, à 18 ans, qu'ils choisissent ce qu'ils veulent faire dans la vie. Toutefois, cette année, deux personnes commencent en étant un peu plus âgées. Il y a toi et une fille, Fay, qui a 16 ans. Deux nouveaux Monstres récemment révélés par le Monstre-ô-mètre.

Pour être honnête, Seth n'était pas surpris. Si Magistra pouvait permettre aux jeunes de maîtriser un métier ou une profession en cinq ans, elle ne pouvait pas se permettre de les faire entrer à huit ans. Ce serait trop tôt pour eux ; les enfants ne sauraient pas quoi choisir et ne comprendraient pas que leur métier serait celui qu'ils accompliraient pour le reste de leur vie. À moins de retourner aux études, ce qui n'était peut-être pas possible dans ce monde-ci. Seth l'ignorait.

Il aurait pu passer une trentaine de minutes à admirer sa future école, mais Alicia se remit à marcher en direction du Terrain Pavé.

— Quand est-ce que l'école commence ? demanda Alan.

— Le 1er septembre, répondit Alicia.

Bientôt, ils furent de retour au Terrain. Alicia les guida à travers le dédale de maisons, et ils se retrouvèrent devant une petite bâtisse en brique rouge.

— C'est la banque, dit-elle.

Elle se tourna et indiqua du doigt :

— Vous voyez cet énorme bâtiment bleu ? C'est la Grande Bibliothèque. C'est là aussi qu'ont lieu les réunions du Conseil des Sanctuaires.

— Ont-elles toujours lieu à Monstrum ? voulut savoir Alan.

— Les réunions ? Non, évidemment.

Alicia désigna alors la forêt à côté de la Grande Bibliothèque. Seth y voyait très clairement un sentier.

— Ce chemin, expliqua Alicia, mène tout droit au téléphone.

— Il mène au téléphone ? s'étonna Seth. Il n'y en a pas dans chaque maison ?

— Ce serait trop compliqué. Le Monstre-ô-mètre envoie trop de zones, ce qui brouillerait complètement le réseau.

— C'est donc pour cela que je n'ai pas pu apporter mon téléphone cellulaire !

— Voilà.

Alicia regarda sa montre et ouvrit grands les yeux.

— Au nom des Monstres ! Déjà 9 h ?!

Seth fronça les sourcils et vérifia sur sa montre. Alicia ne se trompait pas. Le temps passait vite !

— Je dois absolument y aller. Wilson m'attend ; nous devons préparer les inscriptions pour l'échange des deuxièmes années… Alan, pourrais-tu, s'il te plaît, montrer le terrain de jeu à Seth ? Je n'ai vraiment pas le temps de le faire moi-même.

— Bien sûr, madame Baldwin.

— Merci énormément, Alan.

Elle s'apprêta à les quitter, mais freina son élan.

— En passant, dit-elle, si vous voulez vous inscrire pour faire l'échange de deuxième année, les inscriptions pour l'an prochain se feront le 27 septembre.

— Parfait, lança Alan pendant qu'Alicia se sauvait en courant.

Alicia déguerpit en direction de Magistra. Alan fit signe à Seth de le suivre. Ils marchèrent entre les maisons, et Seth se demanda comment il ferait pour mémoriser tous ces passages qui servaient de rues. Il y en avait tellement ! Une chose était sûre : il se perdrait à Monstrum. Et plus d'une fois, selon lui.

Après une quinzaine de minutes, les garçons arrivèrent à une aire de jeu : un terrain gros comme six terrains de football, entouré de roche pour délimiter la zone. Des arbres et des obstacles ici et là obstruaient le terrain, mais cela paraissait *normal*.

— C'est ici qu'on joue à Capture l'Humain, expliqua Alan.

— Capture l'Humain ? Qu'est-ce que c'est ?

— On pose un Humain au centre du jeu — en fait, c'est un robot-humain — et deux équipes aux extrémités. Tu vois tout au bout ? Il y a ce qui semble être deux grottes. Le but est d'attirer l'Humain dedans. Celui qui réussit à le faire entrer dans sa grotte trois fois gagne.

Seth ne put s'empêcher de rire.

— C'est facile, dit-il.

— J'oubliais, ajouta Alan. Il est interdit de toucher l'Humain de n'importe quelle façon. Il doit se déplacer selon sa propre volonté.

Hochant la tête, Seth demanda :

— Et comment est-on censé faire entrer l'Humain sans le toucher ?

— Simple : en lui faisant peur. N'est-ce pas pour cela que les Humains craignent les Monstres ? Parce qu'ils font peur ? C'est ça l'inspiration de ce jeu. Il y avait un temps où les Monstres utilisaient de vrais Humains et les tuaient pour qu'ils ne révèlent jamais leur monde.

— Ils les *tuaient* ?

En plus de ne pas aimer être à Monstrum, savoir que les Monstres s'amusaient autrefois à tuer des Humains donnait à Seth le goût de vomir.

— Oui. Mais parfois ils laissaient les Humains partir. Sauf qu'une fois dans leur monde, lorsqu'ils révélaient ce qu'ils avaient vu, les autres Humains les condamnaient en prétendant que ce qu'ils racontaient relevait de la sorcellerie. Ah, les Humains ! Ils croient tout connaître alors qu'ils ne savent rien.

Seth acquiesça. C'était vrai : les humains croyaient maîtriser une multitude de choses alors qu'en fait il ne s'agissait que de théories provisoires qui risquaient d'être détruites par d'autres théories quelques années plus tard.

Le terrain de jeu baignait dans la lumière du soleil, et Seth le contempla un moment. Peut-être qu'un jour il voudrait jouer à Capture l'Humain. Qui sait ?

Alan tourna les talons, et Seth le suivit. Ils gagnèrent le village, et Alan désigna une énorme bâtisse blanche.

— C'est l'hôpital, dit-il.

— C'est énorme !

— Oui. Contrairement aux Humains, les Monstres ont eu la brillante idée de construire un hôpital où il y a plus de chambres qu'il n'en faut. Ainsi, s'il arrive malheur à plusieurs Monstres, nous sommes prêts à les soigner.

— Les Monstres pensent vraiment à tout.

— Ce n'est pas difficile quand nos voisins les Humains n'arrêtent pas de faire des erreurs ! Nous les corrigeons.

Ils retournèrent au Terrain Pavé. Seth trébucha contre une roche et s'affala sur le sol. Un bruit inquiétant se produisit lorsque son bras racla les pierres : le son d'un métal qui se casse. Lentement, Seth leva les yeux pour voir qu'il avait brisé une maille de sa montre.

— Non ! se plaignit Seth. Non !

— Ça va ? s'inquiéta Alan en l'aidant à se relever.

— Non, pas du tout. Mes parents m'ont acheté cette montre pour mon départ.

Heureusement, la montre fonctionnait toujours. Sauf que Seth ne pouvait plus la mettre à son poignet.

— Je voudrais bien te prêter de l'argent, dit Alan, mais comme je suis nouveau, je dois attendre la première journée d'école avant d'avoir des Mons.

Seth ne répondit pas. Le simple fait d'avoir cassé la montre le remplissait d'un chagrin indescriptible. Le seul lien direct qu'il avait avec ses parents venait de se briser sous ses yeux, parce qu'il n'avait pas fait attention. Seth rangea la montre dans sa poche.

Ils marchèrent encore dans le village, et Alan s'amusa à raconter des histoires sur les lieux à Seth.

— Tu vois cette maison ? avait-il dit. L'homme qui l'a construite se nommait Frank Watson. Un très grand homme qui n'a apporté que du bonheur à Monstrum. Il a inventé le système d'aqueduc. Et il niait sans cesse ce qu'il était.

— Qu'est-ce qu'il était ?

— Un satyre. Une créature mi-homme mi-bouc.

— Il y a des satyres ici ?

— Oui. Mais la plupart se servent d'un miroir pour changer d'apparence. Ils ont tous un léger complexe avec leur aspect. C'est pourquoi les centaures ne veulent pas les voir proches de leur territoire.

— Il y a des centaures ?

— Évidemment ! Petit conseil : n'essaie pas de les trouver. Ils sont peu loquaces et pourraient te faire du mal si l'envie leur en prenait.

Seth déglutit. Alan lui donna une tape amicale dans le dos.

— Relaxe, ils ne viennent pas nous voir. Par contre, si tu t'aventures sur leur territoire... Oh, la, la ! Ça peut être dangereux.

— Dis donc, tu en sais beaucoup sur Monstrum pour un nouveau !

— J'ai beaucoup lu sur les lieux avant de venir.

— Toi, au moins, tu as eu cette chance ! Moi, je me sens un peu comme un chien dans un jeu de quilles.

Alan éclata de rire. Il n'avait jamais entendu cette expression auparavant. Seth le laissa s'esclaffer en repensant au fait qu'il venait d'Angleterre et qu'il n'utilisait pas les mêmes métaphores.

— Ce doit être étrange pour toi d'être la seule personne d'une nationalité différente, dit Seth quand Alan se fut calmé.

— Je ne suis pas le seul. Il y a un professeur de Magistra qui est londonien lui aussi. C'est Light Fast. Et, crois-moi, quand il court, il va à la vitesse de la lumière.

Ils arrivèrent devant une maison en brique brune. La demeure était un peu délabrée, mais Seth pressentait que l'intérieur devait être très riche.

— Plus personne ne vit ici, expliqua Alan. C'est un musée qui porte sur la vie de son ancienne propriétaire.

— Qui vivait ici ?

— Va voir.

Seth s'approcha de la porte. Dessus, un écriteau en or y avait été cloué, et Seth put lire :

Musée en mémoire de la plus célèbre spécialiste
des Objets Magiques : Anne Gilman

Seth dut relire l'écriteau une bonne dizaine de fois. Anne Gilman était un Monstre ? Oui, bien sûr ! Si elle avait une lettre de Monstrum, elle ne pouvait pas être autre chose qu'une des leurs.

— Je connais Anne Gilman, confia Seth à son nouvel ami.

— Vraiment ?

— Si, je t'assure ! Elle habite juste en face de mon ancienne école !

L'attention de Seth retourna à l'écriteau.

— « La plus célèbre spécialiste des Objets Magiques », dit-il. Qu'est-ce que ça veut dire ?

— Anne Gilman est connue mondialement pour avoir étudié sans relâche toutes les formes de magie qui se cachent dans les objets. Elle connaît toutes les histoires rattachées aux Objets Magiques. Sauf pour ce qui est des Monstre-ô-mètres, évidemment. C'est un vrai mystère pour nous tous.

Seth n'en revenait toujours pas. Anne Gilman... *Anne Gilman* !

Ils retournèrent se promener, et Alan ne se privait pas pour divulguer ses connaissances sur le Sanctuaire à Seth. Ils passèrent devant une taverne où un soûlard sortit pour les saluer.

— Ze ne vouz ai zamais vu zici, avait-il dit. D'êtes-vous zumeaux ?

— Jumeaux ? avait fait Seth. Pas du tout.

— Pas zumeaux ! Zumeaux.

— Oui, nous sommes *nouveaux*, s'était empressé de répondre Alan. C'est Rupert, un satyre, avait-il ajouté quand ils furent un peu plus loin. Il se réveille avec une bouteille de bière à la main chaque jour.

Plus la journée avançait, plus Seth avait du plaisir à se trouver à Monstrum en compagnie d'Alan. Ce qui semblait être un univers effrayant devint un monde où tous les gens s'amusaient comme ils le pouvaient. Seth adorait cela. Et, pour une fois, il voyait des personnes qui ne l'aimaient pas pour son argent.

Le soleil commençait à descendre dans le ciel quand Seth décida de téléphoner à ses parents. Alan, quant à lui, avait quelques petites choses à faire et rappela le chemin à Seth qui devrait y aller seul. Loin d'être rassuré, Seth écouta tout de même attentivement les indications d'Alan.

Étonnamment, trouver le chemin qui menait au téléphone fut un jeu d'enfants. Toutefois, le soleil déclinait de plus en plus vite à l'horizon et, bientôt, il serait caché par les arbres. Prenant son courage à deux mains, Seth commença l'ascension du sentier.

Contre toute attente, le sentier n'avait rien d'effrayant. Au contraire, les feuilles des arbres qui tombaient sur le chemin caressaient le visage du jeune garçon. Après un tournant, Seth aperçut enfin le téléphone. Il se trouvait accroché à un arbre. Juste devant, il y avait une souche pour que Seth puisse s'asseoir. Seth prit le combiné et composa le numéro de ses parents.

— Oui ?

La voix de Kim eut l'effet d'une gifle pour Seth. Il avait oublié le son de sa voix et s'en voulait.

— Maman ? C'est Seth.

— Seth ? ! Mon chéri, comment vas-tu ?

— Bien. Et vous ?

— Nous allons très bien. Ton père n'est pas là, malheureusement. Il a eu un appel urgent pour un contrat.

— Dommage, j'aurais aimé lui parler.

— Une autre fois, ne t'inquiète pas. Comment a été ta journée? C'était moins épouvantable que tu ne le croyais, j'en suis sûre!

Des Monstres saouls, un jeu qui comporte le nom «Capture l'Humain», des êtres avec des membres en trop, des anomalies effrayantes... Est-ce que cela pouvait être *moins épouvantable*?

— Oui, mentit Seth. Je m'attendais à quelque chose de *monstrueux*, mais c'est tout le contraire.

— Bien! Je suis si heureuse, Seth. Tellement fière.

Les larmes montèrent aux yeux de Seth. Sa mère entreprit de lui raconter sa journée. Pour la première fois de sa vie, Seth l'écouta attentivement, savourant chaque détail de la plantation de tulipes.

— Et toi, ta journée? Tu ne me la racontes pas?

— Rien d'extraordinaire, mentit une nouvelle fois Seth. J'ai fait le tour de l'Académie Magistrale et je me suis fait un nouvel ami, Alan.

— Tu as déjà un ami! Je savais que tu t'intégrerais bien.

Crac!

Non loin de Seth, une branche craqua. Une deuxième. Puis une troisième. Le cœur battant, Seth s'empressa de dire :

— Je vais devoir te laisser, maman.

— D'accord, mon fils. On se reparle bientôt! Fais attention à toi. Bisous!

— Ouais, toi aussi. Bisous.

Seth raccrocha et s'adossa à l'arbre. Les craquements se rapprochaient. Une ombre passa dans le sentier. S'il y avait un Monstre là, comment Seth ferait-il pour retourner au village?

Une deuxième ombre apparut. Une très grosse. Seth s'agrippa à l'arbre. Voulait-il réellement voir qui produisait cette ombre? La malencontreuse mésaventure avec Fabrice lui revint en mémoire et, sans vraiment réfléchir, Seth partit en courant dans la forêt, ayant pour seule idée de fuir l'ombre.

Il courait sans relâche, la peur lui donnant l'énergie nécessaire pour avancer toujours de plus en plus vite. Il évitait les branches, les racines et tous les obstacles qui se présentaient à lui. Il n'entendit même pas le hibou ululer au-dessus de sa tête lorsqu'il passa sous son arbre.

Le soleil était totalement couché, désormais. Seth ne savait plus où aller. Il était perdu, au milieu de la forêt, où pouvaient se cacher d'horribles créatures.

Seth ralentit et s'arrêta. Il écouta attentivement, à la recherche d'un bruit suspect. Rien. Il continua d'avancer. La lumière de la lune perçait le feuillage au-dessus de sa tête. En écartant une branche, Seth tomba alors sur quelque chose qui lui coupa le souffle.

Au centre d'une petite plaine, pas plus grande qu'un terrain de soccer, il y avait une statue. Une énorme statue. Doucement, Seth s'en approcha.

La statue représentait une femme dans toute sa beauté. De longs cheveux cascadaient sur ses épaules. Ses yeux fixaient l'horizon avec un regard perçant. Ses mains, paumes vers le haut, étaient collées contre sa poitrine et, dans celles-ci, d'un or pur, reposait une jarre qui s'appuyait sur son cœur. La statue était d'une beauté éblouissante.

Alors qu'il contemplait la statue, oubliant tout danger, quelqu'un toussota dans le dos de Seth qui fit volte-face et trébucha de surprise.

Une horde de centaures se tenait devant lui. L'un deux, au pelage blanc, s'approchait de Seth en raclant le sol de ses sabots larges. Le regard menaçant, il défiait le jeune garçon du regard.

— Que fais-tu sur notre territoire ?

La voix du centaure ressemblait à un grognement.

— Je… quoi ? Sur votre territoire ? Je ne le savais pas.

— Désolé, dit un autre centaure, avançant d'un pas. C'est ma faute et celle d'Erwin. Nous avons voulu examiner le garçon, tel que demandé, et nous lui avons fait peur.

Un sourire s'afficha sur le visage menaçant du centaure blanc.

— Alors tu es Seth, le Monstre qui n'en est pas un ! Je suis Centaurus, le chef de la horde des centaures.

Se tournant vers ses fidèles, Centaurus déclara :

— Vous pouvez disposer. Je m'occupe du petit.

Tous les centaures, sans exception, partirent dans un brouhaha de sabots et de murmures.

Centaurus désigna du doigt la statue à Seth.

— Tu es le premier à venir la voir depuis des centaines d'années, jeune humain.

— Qui représente-t-elle ?

— Nous l'ignorons tous. Cette statue fut créée en même temps que ce Sanctuaire, je crois. Ce qui voudrait dire, lorsque le monde a été créé. Ou presque.

Centaurus balaya la plaine du regard pour s'assurer que personne n'écoute leur conversation.

— Seth, il n'est pas sage d'être ici. Surtout le soir.

— Je suis désolé.

— Ne le sois pas. Écoute, je te conseille de ne plus jamais remettre les pieds ici. Tu devrais partir. Toutefois, si jamais tu reviens ici, je devrai te tuer, même si cela ne m'enchante pas.

Le regard de brute que Centaurus avait au début de la conversation s'était volatilisé pour faire place à un regard tendre et amical.

— Il est contre notre nature à nous, les centaures, de laisser des Humains ou des Monstres nous chevaucher, mais je ferai une exception pour toi ce soir. Grimpe sur mon dos, je te ramène à Monstrum. À moins que tu aies peur de moi.

Seth monta sur le dos de Centaurus qui, aussitôt, partit au galop.

— Une dernière chose, dit le centaure durant le voyage. Ne dis jamais à personne que j'ai été gentil avec toi et que je t'ai ramené à Monstrum sur mon dos, d'accord?

— D'accord.

Fay

Seth se réveilla le lendemain avec un atroce mal de jambes. La veille, il avait dû courir au moins 10 kilomètres sans réellement s'en rendre compte. Cependant, ce matin, ses jambes lui faisaient savoir tout le désagrément causé par sa petite escapade nocturne.

Alan attendait Seth dans la salle à manger de l'auberge. Yvon vint servir un petit déjeuner à Seth qui remarqua quelque chose d'étrange.

— On ne doit pas payer pour manger ?

— Habituellement, oui, expliqua Alan. Monsieur Wilson a dû parler à Yvon, et c'est gratuit pour toi, jusqu'à ce que tu reçoives tes Mons.

Seth commença à manger ses œufs et son bacon.

— Comment s'est passé ton coup de fil, hier ? voulut savoir Alan.

Seth avala sa bouchée.

— Très bien.

Il hésita un moment, puis déclara :

— J'ai même vu un centaure !

Alan ouvrit grand les yeux.

— Quoi ? Tu t'es rendu sur leur territoire.

— Non, mentit Seth. Il m'épiait.

Poussant un soupir, Alan se cala dans sa chaise et croisa ses bras.

— J'aurais dû m'en douter. Tout le monde ne parle que de toi, Seth. Tu es le mystère de Monstrum. Tu es une légende.

Seth ne dit rien et s'attaqua de nouveau à son assiette. Il posa une main sur une de ses poches pour s'assurer que sa montre y était toujours. Même si elle était brisée, il l'apportait avec lui.

La porte de l'auberge s'ouvrit, et un homme entra. Il était très grand, et ses airs humains ne trompaient pas : il avait utilisé un miroir pour ne pas être vu sous son apparence de Monstre. Alan désigna l'homme d'un mouvement du menton.

— Lui, dit-il, c'est Walter Drainville, notre professeur de Science de la Magie.

Walter commanda quelque chose à manger et s'apprêta à quitter lorsqu'Alan lui fit de grands signes de la main. Walter alla les rejoindre à leur table.

— Bonjour, monsieur Drainville, fit Alan. Comment allez-vous?

— Je vais très bien, merci.

Walter dévisagea longuement Seth avant que son visage ne s'illumine d'un sourire.

— Serais-je devant Seth Langlois?

— Oui, c'est moi.

Maladroitement, Walter tendit une main à Seth qui la serra aussi malhabilement qu'il l'avait tendue.

— C'est un honneur, Seth, dit-il. Un très grand honneur.

— Pourquoi ça? ne put s'empêcher de demander Seth.

— Parce que vous êtes un cas spécial. Si vous me donnez la permission, j'aimerais bien vous étudier un peu. En tant que spécialiste de la magie, je pourrais peut-être comprendre pourquoi vous avez été désigné comme étant un Monstre sans en avoir aucune caractéristique.

— Euh… je ne sais pas. Je veux dire…

— Merveilleux!

Walter Drainville se positionna confortablement sur sa chaise.

— Dites-moi, Seth, avez-vous ressenti quelque chose d'étrange lorsque le Monstre-ô-mètre vous a détecté?

— Non. Enfin, je l'ignore. Je ne sais même pas quand votre machine m'a détecté.

Rapide comme l'éclair, le professeur fouilla dans ses poches et sortit un calepin et un crayon, et se mit à noter à toute vitesse.

— Avez-vous déjà éprouvé des gonflements ou autre chose de suspect depuis votre arrivée a Monstrum.

— Non.

Il prit à nouveau des notes en hochant la tête. Walter prenait tout cela au sérieux.

— Depuis les 24 dernières heures, avez-vous…

— Walter, cessez, supplia une femme qui s'était jointe silencieusement au groupe. Ce pauvre garçon est arrivé avant-hier.

La femme se tourna vers Seth et lui présenta humblement la main.

— Stéphanie Frenière. Professeur de Mythologies et Croyances.

Seth lui serra la main. Stéphanie se tourna à nouveau vers Walter.

— Allez, Walter! Nous devons préparer la Grande Fête qui souligne la fin de l'été. Vite!

Le calepin du professeur lui glissa des doigts, et il s'empressa de le ramasser. Il remercia Seth avant de suivre Stéphanie hors de l'auberge.

— Walter a toujours été maladroit, avoua Alan. Enfin, depuis que je suis ici, chaque fois que je le vois, il commet une maladresse.

— Qu'est-ce que la Grande Fête ?

— Je ne le sais pas. Tu oublies que je suis nouveau, moi aussi.

Yvon, qui passait devant leur table, s'arrêta.

— Je ne veux pas que vous croyiez que j'écoutais votre conversation, dit-il, mais la Grande Fête aura lieu le 31 août toute la soirée. Cette fête est organisée pour les étudiants qui vont commencer l'école le lendemain. Bref, c'est pour marquer la fin des vacances.

Yvon retourna derrière son bar sans leur laisser le temps de lui répondre.

— Par chance qu'il n'écoutait pas notre conversation, ricana Seth.

— Ouais ! Tu imagines s'il avait écouté. Il ne nous aurait probablement pas répondu !

Les deux garçons rirent ainsi tout le matin. Analysant chaque personne qui entrait et sortait de l'auberge.

Après s'être amusés dans le bâtiment, les deux amis décidèrent de prendre un peu d'air frais. Ils firent le tour du village, un trajet qui dura environ deux heures. Ce n'était pas un petit village. Devant la taverne, ils croisèrent à nouveau Rupert avec un verre d'alcool à la main.

— Da va, les petits ?

— Ouais, merci.

Le terrain de Capture l'Humain n'était toujours pas utilisé.

— Oh, c'est normal, avait répondu Alan quand Seth lui avait fait remarquer. La saison est terminée. Elle reprendra au mois de septembre.

Bientôt, le soleil monta dans le ciel, et ils comprirent qu'il était temps d'aller manger un petit quelque chose lorsque leurs ventres exprimèrent la faim.

Sur la porte de l'auberge, il y avait maintenant une affiche. Seth s'approcha en premier et lut à voix haute :

Grande Fête de fin des Vacances !
Étudiants et étudiantes, préparez-vous pour une grande fiesta.
Venez seul ou accompagné.

En dessous, une image montrait un feu avec des personnes qui tournent autour. La fumée créée par le feu montait en spirale au-dessus des têtes et formait un livre pour représenter l'école, sans doute.

— Seul ou accompagné, lut Alan à voix haute. Je crois que je vais emmener quelqu'un. Toi ?

— Bah, comme je ne connais personne à part toi, je vais y aller seul.

Dans l'auberge, tout le monde parlait de cette grande soirée. Tous étaient excités comme s'ils y participaient pour la première fois. À moins que ce soit vraiment la première fois…

— Pas du tout, dit Alan en analysant bien ce qui se disait au sujet de la fête. Ça ressemble beaucoup à une tradition à Monstrum.

Ils demandèrent quelque chose à manger à Yvon, de simples sandwichs. Il les servit avec grand plaisir, leur souhaitant bon appétit.

— Tu ne m'as pas beaucoup parlé de toi, fit Alan. Dis-moi, comment était ta vie avant de venir ici ?

Seth se pétrifia. Il s'était juré de ne jamais révéler à quiconque qu'il était le fils d'un homme d'affaires très riche et d'une mère ayant une aussi belle fortune. Non, ici, dans cet endroit hors du commun, Seth voulait être aimé pour ce qu'il était, pas pour ce qu'il possédait dans son compte en banque ! Le seul moyen de faire dévier cette question était de mentir. Ce qui ne démarrait pas leur relation de la bonne façon.

— Eh bien, je vivais dans un petit village tranquille. J'avais deux meilleurs amis : Joanne et Tommy. Je donnerais tout pour les retrouver. À l'école, j'avais de très bonnes notes. Par contre, je ne sais pas si j'ai réussi ma dernière année puisque je suis parti avant d'avoir mes notes.

» À la maison, l'ambiance n'était pas aussi joyeuse que je le voulais. Mes parents ne se sont jamais réellement occupés de moi. Ils préféraient me voir dans une situation fâcheuse et me regarder comme si j'étais l'acteur d'un bon film.

Alan continua de manger pendant que Seth lui relatait des exemples de situations embarrassantes auxquels il avait dû faire face tout seul.

— Somme toute, conclut-il, on dit que les parents sont censés être là pour leur enfant ?

Alan termina sa bouchée avant de répondre.

— Je ne veux pas te manquer de respect, Seth, loin de là, mais n'as-tu jamais imaginé que cette manière de te mettre à l'écart était plutôt une façon pour eux de te laisser faire l'expérience de la vraie vie ? Tu es chanceux, toi, ils t'ont donné des libertés. Je connais un jeune garçon qui n'a pas eu cette chance.

» Il se nommait Wilfrid. Très jeune, ses parents lui ont imposé une éducation très stricte. Pour te donner une idée, cet enfant ne pouvait même pas s'exprimer sinon ses parents le remettaient à sa place. Ne t'inquiète pas, ils ne le battaient pas. Sauf que Wilfrid était quelque peu… fatigué par cette situation.

» Tout le monde dans le Sanctuaire de Londres prétendait que Wilfrid irait loin dans la vie grâce à son instruction. Ses parents, lui ayant très bien appris la différence entre le bien et le mal, croyaient avoir fait de lui quelqu'un de sage. Sais-tu ce qui lui est arrivé à l'adolescence ?

» La drogue. Wilfrid en prenait sans arrêt. Ses parents l'avaient tellement privé de liberté qu'il s'est rebellé à l'adolescence. Et le seul moyen qu'il a trouvé a été de prendre de la drogue. Il croyait que ce « nouveau monde » allait l'aider à tout oublier, à partir sur de nouvelles bases. À faire une bonne vie, quoi. Il est mort d'une surdose à l'âge de 15 ans.

Seth déglutit.

— Tout ça pour dire que tes parents ne t'ont pas mis des bâtons dans les roues, Seth. Au contraire, ils t'ont aidé d'une manière que peu de parents oseraient tenter. En te laissant te débrouiller seul, ils t'ont appris à être débrouillard et à avoir de la suite dans les idées. Quand tu es seul, tu dois te sentir bien, je présume ? Ce qui est normal puisque tes parents t'ont inculqué cela. Pense à ce pauvre Wilfrid… Ce n'est pas parce que l'enfant, en bas âge, écoute et respecte ses parents à un point tel qu'on dit qu'il est l'enfant le mieux élevé du monde, que lui est *forcément* heureux. Car ses parents sont peut-être, de son point de vue, ses bourreaux.

Tout ceci fit réfléchir Seth. Alan avait totalement raison. Oui, Seth avait bien été éduqué, tout compte fait. Il se rappelait qu'alors qu'il était jeune, ses parents le traitaient de « gâté pourri », car ils achetaient tout ce qu'il demandait ! Seth avait mené la vie dure à ses parents, au départ. Puis, en vieillissant, il s'était calmé et avait forgé sa propre opinion sur divers sujets. Il comprit enfin qu'une bonne éducation reposait sur la liberté que les parents offraient à leur enfant. Et Seth en avait eu beaucoup !

Après le dîner, ils retournèrent à l'extérieur. Ils ne purent y rester très longtemps car le ciel se couvrit d'épais nuages et la pluie tomba en abondance tout le reste de la journée. Seth retourna à l'auberge en compagnie d'Alan. Ce dernier, affirmant qu'il avait quelque chose d'important à faire, se barricada dans sa chambre et promit à Seth de le rejoindre dès qu'il aurait terminé.

Seth ne voulait pas être enfermé dans sa chambre. Le bruit de la pluie qui tombait sur l'établissement résonnait dans le couloir des chambres. Au bout de celui-ci, Seth entendait le brouhaha de l'auberge.

Décidant qu'il valait mieux se promener dans l'établissement que de rester assis sur un lit, Seth décida d'explorer le couloir. Toutes les portes paraissaient fermées. Il marcha en silence et découvrit qu'une porte était entrouverte. Des sanglots de jeune fille lui parvenaient depuis la chambre. Le cœur serré, et piqué par la curiosité, Seth poussa un peu la porte pour mieux voir.

Une jeune fille était assise sur son lit, face à la fenêtre. Seth ne voyait que son dos. Ses longs cheveux noirs cascadaient sur ses épaules, et son corps sursautait au rythme de ses sanglots.

Seth remarqua alors un petit détail qu'il n'avait pas distingué jusqu'alors : le chandail de la jeune fille était troué entre les deux omoplates, et des ailes transparentes sortaient du trou.

Seth toussota pour attirer l'attention de la jeune fille, qui se retourna d'un coup.

Ses yeux bleus perçants contrastaient avec son visage rond. Elle possédait des lèvres fines, et ses grands yeux faisaient en sorte qu'elle était l'incarnation de la beauté selon Seth.

— Va-t'en ! cria la jeune fille.

— Désolé, dit Seth en ne montrant aucun signe à l'effet qu'il voulait partir. Je t'ai entendue sangloter et j'ai voulu voir si tout allait bien.

— Si tout allait bien? *Si tout allait bien*! Bien sûr, voyons! Je suis enfermée dans cet asile de fous avec des Monstres pour cinq ans; quoi rêver de mieux?

Seth fit quelques pas en avant.

— Je te comprends, confia-t-il. J'ai vécu la même chose que toi.

— C'est *elle* qui t'envoie?

— Qui?

— Alicia. Elle veut toujours me voir sourire et *prendre goût à la vie*. Mais elle ne comprend pas que je n'ai pas le goût de m'amuser. Tout ce que je veux, c'est retourner chez moi!

Seth était maintenant tout près du lit. Il osa s'y asseoir. À son grand étonnement, la jeune fille ne lui ordonna pas de partir.

— Comment t'appelles-tu?

— Fay. Et toi?

— Seth.

Fay essuya les larmes qui coulaient sur ses joues et parvint à sourire.

— Seth? C'est un joli nom. Mon chiffre préféré est le sept.

— Le mien aussi!

Il y eut un moment de silence pendant lequel Fay continua de pleurer, bien qu'un peu moins qu'auparavant.

— Ma famille me manque aussi, souffla Seth. Je suis arrivé ici il y a trois jours, je crois.

— Tu es nouveau toi aussi!

— Ouais.

— Quelle a été la réaction de tes parents lorsqu'ils ont appris que tu étais un... enfin, tu ne sembles pas être un Monstre!

— Je suis un Monstre sans caractéristique. J'ignore ce que cela veut dire.

En fait, Seth ne voulait pas entrer dans ce sujet un peu trop délicat à son goût.

— Mes parents ne savent pas que je suis un Monstre. Ils me croient à l'Académie Magistrale.

— Moi, Wilson l'a avoué à mes parents. Il n'a pas eu le choix, ils ont vu mes ailes. Ils doivent se faire un sang d'encre pour moi. Tu sais ce qu'ont été les dernières paroles de mon père? Il a dit : « Merci de nous débarrasser des monstres de la société, monsieur Wilson. C'est très aimable. »

Fay se mit à pleurer de plus belle. Seth lui frotta le dos, compatissant. Ses parents, au moins, ne lui avaient pas manqué de respect. Qu'aurait été leur réaction s'ils avaient su la vérité?

Seth sortit la montre de sa poche et la montra à Fay.

— Mes parents m'ont donné cela avant mon départ.

Fay pris la montre et l'étudia.

— Elle est brisée, fit-elle.

— Oui, je suis tombé dessus, et un maillon s'est cassé. Je crois que…

— Je peux te la réparer, si tu veux.

La bouche ouverte, Seth étudia Fay un moment.

— Quoi?

— Je peux te la réparer, si tu veux.

— Je… oui, je le veux. Merci!

Fay posa la montre sur sa table de chevet.

— Je le ferai ce soir, lui promit-elle. Je vais demander à Alicia de m'apporter les outils nécessaires.

Au lieu des larmes roulant sur ses joues, Seth pouvait maintenant voir un beau sourire déployé sur son visage. Seth sentit la fierté monter en lui. Il avait réussi à rendre Fay heureuse.

— Fay, dit Seth, pris d'un élan de gratitude, tu as sans doute entendu parler de la Grande Fête, non?

— Bien sûr.

— J'ai lu sur une affiche qu'on peut y aller accompagné. Ça te dirait de venir avec moi ? En ami, je t'assure.

Fay étudia la question un moment, pesa le pour et le contre. Elle regarda la montre.

— Ce sera comme monnaie d'échange pour la réparation de ta montre ? demanda-t-elle.

— Si tu veux, répondit Seth.

— Alors j'accepte.

*

— Tu as *quoi* ?

Alicia tenait son verre serré dans ses mains tout en regardant Seth, ébahie. Est-ce qu'il mentait ? Au fond d'elle, elle était sûre que oui. Ce qu'il venait de lui dire n'avait aucun sens.

— J'ai réussi à faire sourire Fay, répéta Seth pour la énième fois.

Seth avait croisé Alicia par hasard alors qu'il redescendait dans la salle à manger pour voir si Alan ne l'y attendait pas. Il s'était alors empressé de tout raconter à la femme, et Alan les avait rejoints durant leur échange.

— Et elle a accepté de m'accompagner à la Grande Fête, continua Seth.

Alicia tira une chaise et s'assit dessus. Le regard admiratif, elle n'avait d'yeux que pour Seth.

— Je n'en reviens pas, murmura-t-elle. Je n'en reviens tout simplement pas !

— Elle veut vous voir, ajouta Seth. Mais n'allez pas lui raconter tout ce que je vous ai dit, d'accord ?

— Ne t'inquiète pas, dit Alicia, se levant d'un bond et ne profitant même pas du peu de repos qu'elle aurait pu s'offrir en restant assise.

Pressée de constater elle-même les changements, Alicia accourut dans la chambre de Fay. Alan donna une tape dans le dos de Seth.

— Tu es capable de te faire remarquer, fit-il.

— C'était facile, dit humblement Seth. Je ressentais exactement la même chose qu'elle. Elle a donc voulu se confesser à moi plutôt qu'à des gens qui *croient* savoir de quoi ils parlent.

Quelques instants plus tard, Alicia fut de retour dans la salle et regarda Seth.

— Des outils, marmonna-t-elle. Elle veut des outils pour réparer une montre.

— C'est la mienne, expliqua Seth, se rendant compte qu'il avait oublié cette partie de l'histoire.

Alicia sourit. La joie se voyait dans ses yeux étincelants.

— Tu es un garçon formidable, Seth. Fay n'aurait peut-être jamais voulu entendre raison sans toi. Maintenant, elle me semble renaître.

Alicia quitta l'auberge d'un pas léger. Dehors, la pluie tombait toujours, et Seth et Alan étaient séquestrés à l'intérieur.

La journée s'annonça plus longue que prévu. Seth oublia vite l'idée de téléphoner à ses parents. La pluie tombait de plus en plus fort au fur et à mesure que la journée avançait. Certains Monstres étaient dehors et dansaient sous la pluie.

— Tu connais la légende des naïades? demanda Alan. Elle tire son origine d'ici.

Seth hocha la tête. Ses pensées étaient dirigées un peu plus loin des Monstres. En fait, à une dizaine de kilomètres d'eux. Il se demandait ce que faisaient les centaures en une journée pareille. Il aurait bien aimé le demander à Centaurus, mais il se rappela que ce dernier l'avait averti qu'il le tuerait s'il remettait les pieds sur son territoire.

La journée passa moins vite que la précédente, mais Seth fut tout de même triste de gagner son lit. Il aurait aimé faire plus de choses. Il était étrange de penser que, quelques jours auparavant, il voyait Monstrum comme le pire endroit au monde. Maintenant, il était presque heureux d'y être. Et, comble du bonheur, il s'était fait deux amis.

Comme promis, Fay vint donner la montre à Seth le lendemain matin. Rayonnante de joie, Fay resta un bon moment dans la chambre de Seth. Le jeune garçon ne comprenait pas pourquoi Alicia avait eu tant de mal à essayer de la rendre heureuse.

— Merci, répéta pour la millième fois Seth. C'était très gentil de ta part.

— De rien. Et c'est très gentil de ta part de m'inviter à la Grande Fête. Personne ne l'aurait fait, sinon. Même dans le monde normal.

— Pourquoi ?

Fay se mit à jouer distraitement avec une mèche de ses longs cheveux.

— En général, les garçons me fuient.

Seth la regarda, perplexe. Fay poursuivit :

— Ils me trouvent étrange. Mon surnom était la « folle » de l'école, puisque j'adorais lire et être seule. Malheureusement, il y en a qui se croient trop mûrs et qui n'acceptent pas ce qui sort un peu de l'ordinaire. Ils me traitaient alors d'immature. Dis-moi, qui est le plus enfantin ? La personne qui s'affiche telle qu'elle est ou la personne qui se façonne un masque pour être aimée et appréciée ?

Seth se mordit la lèvre. Fay était une fille très brillante et posait d'excellentes questions. Effectivement, qui était puéril dans tout cela ? Sauf que Fay n'attendit pas la réponse de Seth.

— Pauvre toi. Je suis là à t'ennuyer avec mes histoires idiotes...

— Non, tu ne m'importunes pas, loin de là. J'ai finalement l'impression d'avoir un égal ici.

La porte de la chambre s'ouvrit, et Alan entra.

— Bon matin, Seth! Je ne te voyais pas dans la cuisine; donc je suis... Oups! Je vous dérange, non?

— Pas du tout, répondit Seth, qui se leva d'un bond.

Fay resta assise sur le lit de Seth et étudia Alan du regard.

— Alan, je te présente Fay. Fay, c'est Alan.

Tel un gentleman réputé, Alan prit la main de Fay et la baisa. Cette dernière retira sa main.

— Enchanté, fit Alan.

— Moi de même, dit Fay.

Fay détourna le regard. Visiblement, elle faisait tout en son pouvoir pour ne pas tomber sous le charme d'Alan.

— Tu voulais me voir? s'empressa de dire Seth.

— Oui! Enfin, je me demandais ce qui se passait. Tu as envie de faire quoi, aujourd'hui?

— Je ne sais pas...

Une idée frappa soudain Seth, qui s'empressa de s'exclamer :

— Fay! As-tu déjà visité Monstrum?

— Non, j'ai catégoriquement refusé.

— Viens, dans ce cas! Alan et moi allons te faire visiter. Tu vas voir, c'est très beau.

Fay hésita un moment et finit par accepter. Ils quittèrent l'auberge le ventre vide, trop excités à l'idée de faire découvrir le Sanctuaire à Fay.

À peine furent-ils dehors qu'un garçon grand et costaud leur barra le chemin. Les bras croisés sur sa poitrine, il examina le trio.

— C'est donc toi le centre d'attention, cracha-t-il.

Sa voix grave s'agençait avec son apparence : cheveux bruns courts, visage carré et yeux verts.

— Euh… bonjour, fit Seth, ne sachant pas trop quoi faire.

— Ne fais pas le malin, avertit-il. Je me nomme Hayden Heyman. Ici, c'est *moi* le centre d'attention, d'accord ?

— J'ai connu un Hayden, dit Seth, sentant une bouffée de chaleur mêlée de courage monter en lui. Il était un intellectuel.

Hayden serra les poings.

— Rien à voir avec moi ! Je suis le meilleur joueur de Capture l'Humain du Sanctuaire.

Furieux, Hayden décroisa les bras. Avec horreur, Seth vit deux autres membres apparaître en dessous des premiers. Ce garçon avait…

— Tu as quatre bras ? ricana Fay, ne pouvant pas se retenir.

Alan et Seth lui lancèrent un regard noir.

— Désolée, c'est juste que je trouve cela vraiment drôle ! Quatre bras et pas de cerveau !

Seth dut se retenir pour ne pas s'esclaffer. Hayden, rouge de colère, s'approcha d'eux.

— Vous vous moquez de moi ?

— Belle déduction, fit Fay. Tu as trouvé ça où ? Dans un biscuit chinois ?

— Vous allez moins rire lorsque mes amis vous auront attrapés !

— Tu as des amis ? dit théâtralement Fay. Combien les paies-tu ? J'espère que ce n'est pas trop cher ; sincèrement, tu ne vaux pas plus que deux cents.

Hayden respira de plus en plus fort, les quatre poings serrés.

— Ça ne finira pas ainsi !

Il partit, furieux. Fay éclata de rire tandis qu'Alan et Seth la regardèrent et demandèrent des explications.

— Devant une brute comme lui, il faut simplement le faire se sentir comme un moins que rien. Nous ne risquions rien. Hayden se pense plus fort que tout le monde, mais il ne l'est pas et il le *sait*. Il joue la brute pour que les gens l'aiment.

Seth sourit en se rappelant ce que Fay lui avait dit le matin même : qui est immature ? La personne qui s'assume ou celle qui s'invente une vie pour être aimée ?

Durant leur visite de la ville, ils croisèrent Alicia, qui regarda Fay estomaquée. Son attention était à ce point rivée sur la jeune fille qu'elle fonça dans une maison.

La journée s'annonça plus belle que la veille alors que la pluie ne voulait pas cesser. Pour le dîner, Seth, Alan et Fay commandèrent des sandwichs au jambon à Yvon pour emporter, et ils allèrent manger à l'ombre d'un arbre.

— C'est étrange de voir tous ces gens avec des anomalies, fit Fay.

Seth acquiesça, mais pas Alan.

— Pour eux, ce sont les gens normaux qui sont étranges, non ? Ça peut se voir dans les deux sens.

— Sûrement, avoua Fay, mais quand même. C'est rare une personne à quatre bras.

— Tu devras t'y faire. Daphné Triade, notre professeur de Monstrubilus, a trois bras.

Seth avala sa bouchée avec difficulté. Il ne passa pas de commentaire même si plusieurs lui venaient en tête.

— Que faites-vous l'année prochaine ? demanda soudainement Alan.

— Nous allons être séquestrés ici, répondit Fay, comme si c'était une évidence.

— Je voulais savoir si vous pensiez vous inscrire pour passer votre année en France.

Fay, qui n'était au courant de rien, demanda des explications, et Alan les lui offrit. Le regard rayonnant, Fay s'exclama :

— Bien sûr que je veux y aller ! Toi, Seth ?

— Bah… ça pourrait faire du bien de sortir de Monstrum, non ? Y vas-tu, Alan ?

— Je ne sais pas si j'ai le droit. J'ai demandé à étudier à Monstrum pour toutes mes années d'études. Je devrai aller voir Wilson pour savoir si je peux.

— Tu n'as qu'à y aller tantôt, dit Fay.

— Ouais, je verrai.

Après le souper, Alan décida justement de tenter sa chance et disparut, laissant Fay et Seth seuls à l'auberge. Leur ami réapparut seulement une heure plus tard.

— Wilson dit que je dois y penser sérieusement. Si je veux vraiment y aller, il me donnera une mention spéciale et il devra informer le Gardien du Sanctuaire de Londres.

— Mais tu aimerais y étudier ?

— Évidemment !

*

Les jours passèrent, et Seth trouva du plaisir à être à Monstrum. Il appela ses parents régulièrement, mais les mit au courant qu'il ne pourrait plus les appeler aussi souvent lorsque l'école serait commencée.

Deux semaines avant la fin des vacances, les futurs étudiants de Monstrum reçurent la liste des effets scolaires à se procurer. Seth, qui n'avait pas d'argent, avait également reçu un papier lui permettant d'aller chercher tout son matériel puisque l'école lui avait déjà payé. Alan, Fay et Seth ne perdirent pas un instant et allèrent s'équiper au secrétariat.

La dernière journée de congé arriva plus vite qu'il ne l'avait prévu, et Seth remarqua qu'il n'avait rien de très chic à se mettre pour la Grande Fête.

— Pas besoin de quelque chose de très chic, je crois, assura Alan. C'est pour les *étudiants*. Pas pour des hommes d'affaires qui vont discuter d'un contrat très important !

Seth trouva alors une chemise brune à carreaux et des pantalons noirs. Il les enfila, ravi d'avoir quelque chose d'assez beau pour l'occasion.

La soirée allait avoir lieu sur le Terrain Pavé. Seth était surexcité. Il n'avait jamais assisté à une fête, mis à part Noël et ces fêtes-là. À son ancienne école, il avait été invité des centaines de fois mais comme tout le monde l'abordait simplement pour son argent, il avait toujours décliné les offres.

Alan avait trouvé une compagne assez vite : Hilary, une petite blonde qui tombait souvent dans la lune et parlait de sujets hors contexte. Seth était sûr qu'elle consommait de la drogue. Quand il vit une petite poudre blanche apparaître au coin d'une de ses narines tandis qu'elle se grattait, il sut qu'il ne s'était pas trompé.

Bien entendu, Alan ne s'en souciait pas. Pour lui, le simple fait de ne pas aller seul à la Grande Fête était le plus important. Peu importait que sa cavalière ait une queue d'âne et qu'elle soit droguée.

Seth s'observa dans le miroir de sa chambre, épousseta sa chemise et la lissa. Il se passa la main trois ou quatre fois dans les cheveux pour s'assurer qu'ils étaient bien peignés. Puis, il regarda sa montre : 16 h. L'heure de rejoindre Fay dans la salle à manger de l'auberge.

Il descendit et l'attendit. Quelques minutes plus tard, Fay arriva dans une robe verte. Ses fines ailes dépassaient du trou fait spécialement pour elles. Éblouissante, Fay salua maladroitement Seth.

— Je suis un peu nerveuse.

— Je suis nerveux moi aussi. On y va ?

Fay acquiesça, et ils partirent de l'auberge. Sur leur chemin, ils croisèrent d'autres couples qui se dirigeaient vers le Terrain Pavé, main dans la main.

— J'espère qu'il y aura de la bonne musique, fit Fay.

Son ton de voix montrait qu'elle était à la fois nerveuse et gênée.

— Je l'espère aussi.

Seth entendit un homme complimenter une femme, et il eut une bouffée de chaleur. Il s'empressa de dire à Fay :

— Ta robe est ravissante.

— Oh, merci. C'est Alicia qui me l'a prêtée. Elle m'a dit qu'elle m'irait très bien. Je trouve qu'elle me donne l'air plus jeune, tu ne crois pas ?

— Non, tu as simplement l'air plus magnifique que d'habitude.

Fay fronça les sourcils, et Seth s'empressa d'ajouter :

— Ce qui est difficile à battre !

Ils entendirent de la musique non loin d'eux. Ils arrivèrent au Terrain Pavé et virent une énorme foule attroupée autour. Tous attendaient. Il n'y avait personne sur le Terrain.

— Qu'est-ce qu'on attend ?

— Aucune idée.

D'autres Monstres s'ajoutèrent au groupe, et ils restèrent plantés là un bon moment. De là où ils étaient, Seth et Fay avaient une bonne vue sur le Terrain. Seth regarda impatiemment sa montre. Il était presque 17 h.

Enfin, Alicia s'avança sur le Terrain Pavé. Elle portait une belle robe bleue qui moulait bien ses formes. Ses cheveux brillants et bouclés contrastaient avec sa chevelure habituellement lisse et terne. Quand elle fut au milieu du Terrain, la musique cessa, et elle prit la parole.

— Bonjour chers amis et bienvenue à cette 70e Grande Fête annuelle pour souligner la fin des vacances.

Il y eut une salve d'applaudissements.

— Demain, nos jeunes partiront pour l'école, et nous serons fiers d'eux, car il n'y a que là qu'ils pourront se construire un avenir.

Il y eut une deuxième salve d'applaudissements, et Seth se rendit compte qu'il y avait beaucoup de parents dans l'assistance.

— Je tiens, encore une fois, poursuivit Alicia, à souligner l'importance de soutenir votre enfant. S'il semble sur le point de tout abandonner, c'est le rôle du parent de le motiver, de lui faire comprendre que Magistra existe pour son propre bien.

» Avant de laisser nos étudiants ouvrir cette soirée avec la première danse, je tiens à souligner également certaines choses pour tous les nouveaux étudiants qui vont entrer à Magistra cette année.

» Les règlements de l'école sont et seront toujours les mêmes : respect, responsabilité et entraide. Bien sûr, vos professeurs vous expliqueront tout en détails dès demain.

» J'inviterais maintenant les étudiants à venir sur le Terrain Pavé pour la première danse.

Alicia se retira, et les étudiants gagnèrent le centre de la place sans perdre un instant. Seth aperçut même Hayden en compagnie d'une fille se dépêcher à rejoindre la piste de danse. Seth et Fay s'y aventurèrent, plus gênés qu'emballés.

Un son mélodieux s'éleva alors dans les airs. Tous dansaient collés les uns contre les autres. Ceux qui n'étaient pas accompagnés restaient un peu en retrait. Certains, même, n'avaient pas osé poser le pied sur la piste de danse et attendaient que la soirée prenne feu pour s'amuser.

Seth était mal à l'aise de sentir Fay collée contre lui. Ils se laissèrent bercer au gré de la musique et ne parlèrent pas. Bientôt, la musique devint plus endiablée, et les danseurs se séparèrent. Les parents avaient pris part à la fête, ainsi que les étudiants non accompagnés.

Seth et Fay décidèrent d'arrêter de danser. Sous les lumières, Seth remarqua que Fay était toute rouge. Lui aussi, d'ailleurs, il en était sûr.

Ils trouvèrent Alan et Hilary un peu à l'écart du groupe. Ils s'approchèrent d'eux, mais le regrettèrent très vite ; ils auraient préféré ne pas être témoins de cette scène.

Alan tenait Hilary par le bras et la suppliait de rester avec lui. Hilary se débattait, voulant à tout prix s'éloigner le plus loin possible de son geôlier.

— Lâche-moi !

— Hilary, ce n'est qu'une petite soirée. On va s'amuser !

— S'amuser ? Mon œil, oui ! Tu as accepté de venir avec moi juste pour ne pas être seul. Ne le nie pas, c'est toi-même qui me l'as dit.

— Ne m'as-tu pas demandé de t'accompagner pour la même raison ?

— Je... quoi ? Enfin... Ce n'est pas pareil. Je dois aller aux toilettes.

— C'est ça, va te droguer !

Faisant attention pour qu'Alan ne les voie pas, Seth et Fay retournèrent à la Grande Fête. Ils se divertirent un peu, mais sans plus, revoyant sans cesse l'échange entre Alan et Hilary.

À 21 h, Alicia arrêta la musique.

— Je sais que vous vous amusez beaucoup, mais c'est l'heure d'aller au lit. Une grande journée vous attend demain. Bonne nuit, tout le monde.

Seth et Fay ne se le firent pas répéter, contrairement à certains qui souhaitaient que la Grande Fête dure plus longtemps. Ils retournèrent à l'auberge, et Seth raccompagna Fay à sa chambre.

— J'espère qu'Alan va bien, murmura Fay, regardant de gauche à droite pour s'assurer que celui-ci n'était pas là.

— Je l'espère aussi. Je ne l'ai pas vu depuis qu'Hilary... enfin, tu sais de quoi je parle.

— Ouais. Bref, ce n'est pas que je ne veux pas te parler plus longtemps, Seth, mais je veux être en forme pour notre première journée de cours, demain.

— Oh, d'accord. Eh bien, merci d'avoir accepté de m'accompagner, Fay. J'ai adoré passer cette soirée en ta compagnie.

Fay devint à nouveau toute rouge, et Seth sentit ses oreilles chauffer. Il aurait tout donné pour mettre en accéléré ce moment-là.

— Ça m'a fait plaisir, répondit Fay. Merci à toi de m'avoir invitée. J'ai également adoré être en ta compagnie.

Silence.

— Eh bien, je dois y aller.

— Ouais. Bye.

Fay referma sa porte, et Seth gagna sa chambre. Il s'empressa de mettre son pyjama et se coucha. Avant de s'endormir, il ne put s'empêcher de sourire : outre ce qu'il avait vu entre Alan et Hilary, il avait passé une excellente soirée. Finalement, il ne dirait peut-être plus non lorsqu'il s'agirait d'aller à une fête.

Magistra

L e lendemain, Seth se réveilla de bonne heure et fut incapable de se rendormir. Il était surexcité à l'idée de passer
sa première journée à Magistra. Si on lui avait assuré quelques
jours plus tôt qu'il se sentirait ainsi, il aurait douté de la santé
mentale de son interlocuteur. Cependant, avec ses deux nouveaux amis, Seth avait trouvé une raison d'être à Monstrum et
y prenait plaisir.

Il était 6 h quand Seth descendit pour déjeuner. L'école ne
commençait pas avant 8 h, et la plupart des étudiants dormaient encore. Toutefois, Seth fut surpris de voir Yvon debout,
derrière son comptoir, en train de parler avec Wilson et Gary.
Seth se colla contre le mur pour se dissimuler et écouta.

— … ne peut pas être un hasard, affirma Gary. Il va là-bas
et, tout à coup, tout déboule. Sérieusement, il s'est peut-être
passé quelque chose, et nous ne le saurons jamais.

— Nous le saurons bien assez vite, rectifia Wilson. Si
jamais notre hypothèse s'avère vraie, nous aurons droit à une
visite des plus déplaisantes.

Yvon leur servit un copieux petit déjeuner qu'ils dégustè-
rent avec enthousiasme.

— Avez-vous prévenu Gurt ? demanda le serveur.

— Bien sûr! répondit Wilson. C'est l'une des premières choses que j'ai faites en arrivant ici.

— C'est peut-être ça qu'il a senti sur Seth! s'exclama Gary. L'odeur qu'il n'arrivait pas à retracer.

Seth sentit son estomac se contracter.

— Peut-être, admit Wilson, mais ne l'aurait-il pas compris quand je lui ai raconté l'histoire?

Machinalement, Yvon prit un verre et se mit à le nettoyer.

— Mais vous êtes sûrs de ce que vous avancez, dit-il, frottant le verre toujours au même endroit. Vous êtes tout à fait certains qu'il s'agit d'un Traqueur?

— Quoi d'autre?

— Oui, répéta Wilson en faisant la moue, comme s'il répondait à cette question pour la énième fois. Les signes ne trompent pas. La femme s'est mise à saigner sans aucune raison. Elle avait des marques de morsure. Et quelle autre créature est si habile dans l'art de se déguiser qu'un Traqueur? C'est logique que personne ne l'ait vu dans l'avion, non?

— Juste, approuva Yvon. Avez-vous mis des personnes sur ce cas?

— Une vingtaine. Peut-être même plus, j'ai perdu le compte exact. Le Conseil a jugé bon de lancer également une alerte à la télévision des Humains leur disant d'être très vigilants. Qui sait ce que le Traqueur pouvait envisager pour arriver à ses fins?

Yvon posa son verre sur le comptoir et se pencha vers ses invités. Il parla si bas que Seth dut tendre l'oreille pour arriver à l'entendre correctement.

— Quel indice vous fait penser qu'il en a contre Seth Langlois?

— Le fait qu'il soit allé à Cuba juste avant que tout cela arrive ne ment pas, répondit aussitôt Gary, si fort que Seth eut un sursaut.

— Ne sautons pas aux conclusions, avertit Wilson. Nous n'avons aucune preuve concrète que tout est lié à Seth, mais je ne vois pas à qui d'autre ce Traqueur en voudrait, par ailleurs.

Le barman prit un autre verre et décida de changer de sujet.

— L'école recommence aujourd'hui !

— Ouais, marmonna Gary. Je retourne m'enfermer dans mon bureau.

— Ne te plains pas, fit Wilson. J'échangerais bien mon travail avec le tien.

Sur la pointe des pieds, Seth retourna dans sa chambre et s'assit sur son lit. Tout ce qu'il venait d'entendre le laissait perplexe. Et puis, qu'était-ce qu'un Traqueur ?

Il resta là un bon moment. Puis, il entendit du bruit de l'autre côté de sa porte, et Alan entra. Lui aussi était prêt pour l'école, une feuille de papier à la main. Seth devait avoir l'air en piteux état, car Alan demanda :

— Ça va ?

— Oui, mentit Seth.

Alan s'approcha et sourit à pleines dents.

— C'est aujourd'hui ! Je suis si excité !

— Moi aussi. Dis, tu sais ce qu'est un Traqueur ?

La question était sortie de la bouche de Seth avant même qu'il ne s'en aperçoive.

— Un Traqueur ? répéta Alan. Non.

— D'accord.

Alan ne tenait plus en place. Il brandit sa feuille devant le visage de Seth.

— As-tu le tien ?

— C'est quoi ?

— Mon horaire, voyons ! Le tien doit être encore en bas. Ce matin, Gary et Wilson devaient faire la distribution.

Seth se leva d'un bond.

— Allons le chercher.

Ils descendirent dans la salle à manger. La plupart des clients habituels s'y trouvaient déjà. Seth regarda sa montre : 7 h. Ils s'avancèrent vers Yvon. Pas de trace de Wilson ni de Gary.

— Monsieur Yvon, avez-vous mon horaire ?

— Bien sûr, fiston. Tiens, le voilà.

Quand Yvon donna la feuille à Seth, ce dernier s'empressa de le comparer à celui d'Alan.

— Génial ! On a le même horaire !

— Seth ! Alan !

Les deux garçons levèrent la tête et virent Fay qui leur faisait de grands signes de la main au fond de l'auberge depuis une petite table tranquille. Ils prirent de quoi manger (de simples toasts) et la rejoignirent. Tout comme Seth l'avait fait, Fay compara son horaire aux deux autres.

— On a tous les mêmes cours, se réjouit Fay. Donc on commence avec un cours d'Histoire des Monstres avec Josh Dehin.

— J'ai déjà hâte d'y être, dit Seth.

Retrouver ses amis et partager cette euphorie avaient totalement éclipsé le Traqueur de ses pensées.

Ils déjeunèrent ensemble, imaginant à quoi ressemblerait leur cours. Ils souhaitaient avoir un enseignant plein d'envergure, passionné par son sujet.

— À mon ancienne école, raconta Seth, j'ai eu un professeur d'Histoire assez… déplaisant. Il avait de grosses lunettes, et on avait de la difficulté à le comprendre. Il faut dire qu'il bégayait beaucoup. Il s'appelait Fernand. Mais nous l'appelions tous : F… F… Fernand.

Alan et Fay éclatèrent de rire.

— J'espère qu'on n'aura pas un spécimen comme lui !

Seth regarda à nouveau sa montre. Il était 7 h 40.

— Il est temps d'y aller !

Ils prirent leur sac à dos et partirent. Sur le chemin, Seth étudia son horaire. Dans une journée de 7 heures à l'école, il avait 5 cours d'une heure chacun, une heure de dîner et 4 pauses de 15 minutes. En ce premier jour, Seth avait : Histoire des Monstres ; Fuite ; Mythologies et Croyances ; Monstrubilus et Arts.

Ils arrivèrent devant l'école et s'approchèrent des grandes portes de métal. Au-dessus, identique à ses souvenirs, il y avait la devise :

« Le plus grand des sages a dû commencer au bas de l'échelle. »

Ils entrèrent dans l'école et furent époustouflés. À peine avaient-ils mis un pied dans l'établissement qu'ils pénétraient dans un vaste hall d'entrée. Des peintures le décoraient, et quatre piliers soutenaient le plafond. Non loin d'eux, il y avait une salle en verre. Au-dessus du cadre de porte noir, on voyait un mot en lettres d'argent : « Secrétariat ».

— C'est… magnifique.

Alan et Fay acquiescèrent. Ils se mirent en marche pour laisser d'autres étudiants entrer.

— Nouveaux ? demanda un grand garçon blond en leur lançant un regard rempli de dédain.

— Oui.

— Quel cours avez-vous ?

— Euh… Histoire des Monstres.

— Aile K, deuxième étage, porte sept. Allez !

D'un geste de la main, le garçon les pressa de partir. Seth, Alan et Fay cherchèrent les escaliers et finirent par les trouver. Ils montèrent au deuxième étage, qui s'avéra plus haut qu'ils ne l'auraient cru. Ils croisèrent des centaines de Monstres, mais Seth ne remarquait plus leur anomalie, désormais. Comme si tout cela était devenu normal.

Une fois en haut, ils se retrouvèrent dans un long couloir rempli de portes menant à des salles de classe. Seth trouva vite une affiche en métal en haut du mur indiquant « Aile C ». Ils marchèrent de plus en plus vite, car la cloche menaçait de sonner à tout moment.

Heureusement, l'aile K croisait l'aile C. Ils trouvèrent facilement la salle sept et y entrèrent. La classe était pleine. Heureusement, trois pupitres côte à côte étaient libres, et ils s'empressèrent de les prendre. Dès qu'ils s'assirent, ils entendirent un hurlement. Seth sursauta, cherchant de la tête la source du cri. Voyant que personne d'autre n'avait réagi, il comprit qu'il s'agissait en fait de la cloche annonçant le début des cours.

La porte de la classe s'ouvrit, et un homme entra. Il était grand, avait des yeux d'un bleu électrique et arborait une crinière châtaine.

Josh Dehin s'assit sur son bureau et fit face aux élèves.

— Bonjour, chers élèves. Je suis votre professeur d'Histoire des Monstres. Dans ma classe, au cours des cinq années qui vont suivre, vous allez apprendre tout ce que vous devez savoir pour ne pas perpétrer les erreurs commises par d'anciens Monstres.

» Premièrement, je me dois de mettre l'accent sur quelques règlements. Comme vous devez vous en douter, et comme madame Alicia l'a si bien expliqué, le respect est primordial dans cette école. C'est pourquoi vous devez m'appeler monsieur Dehin ou monsieur Josh. Et c'est ainsi avec tous les enseignants.

» Deuxièmement, je suis heureux de vous apprendre que, cette année, je suis en charge des équipes de Capture l'Humain. Si vous voulez en faire partie, c'est moi que vous devez informer.

» Troisièmement, vous devez savoir que les retards vous sont permis cette semaine. À partir de lundi prochain, si vous arrivez en retard à un cours, vous allez être puni comme n'importe qui. C'est-à-dire que vous allez perdre du temps sur votre heure de dîner équivalant à votre retard. Est-ce clair ?

À l'unisson, les élèves hochèrent la tête. Josh se leva et se plaça devant le tableau noir de la classe, une craie à la main.

— Parfait, dit-il. Vous allez vite voir qu'on ne perd pas de temps, ici, à Magistra.

Josh Dehin se mit à écrire au tableau et, quand il se déplaça, Seth aperçut une date : 477 av. J.-C.

— C'est en cette année que Monstrum fut créé. Enfin, nous croyons que c'est à ce moment puisque nous ne sommes toujours pas certains de la date exacte. Bref, après quelques recherches, nous avons fixé cette date. Qui peut me dire sur quoi nous nous sommes basés pour trouver la date ? Inutile de sortir vos livres, cherchez dans votre tête.

Tous se regardèrent, perplexes. Étrangement, Seth leva sa main.

— Oui, monsieur… ?

— Langlois, monsieur. Seth Langlois.

Josh ouvrit grand les yeux. Il secoua la tête, et son regard redevint normal.

— Oui, monsieur Langlois ?

— Vous vous êtes basés sur le Monstre-ô-mètre ? Vous avez fixé une date approximative de sa création.

— Exactement ! Quelqu'un sait pourquoi nous avons choisi de nous appuyer sur le Monstre-ô-mètre ?

Cette fois, Seth n'avait pas de réponse. Alan et Fay le regardaient, bouche bée. Un garçon leva sa main. Au passage, il accrocha son manuel. Le bras de Josh s'allongea, et il attrapa le livre en plein vol avant de le poser sur le bureau du garçon que Seth avait commencé à examiner.

L'anomalie du garçon sautait au visage, et c'était le cas de le dire. Au lieu d'avoir un nez comme tout le monde, le garçon possédait... une trompe d'éléphant!

— Oui, monsieur Groin?

Seth prit note que Josh semblait connaître le garçon.

— Parce que le Monstre-ô-mètre est l'objet magique le plus ancien. Certains analystes pensent même que c'est le Monstre-ô-mètre qui a créé la race des Monstres.

— Excellent! Le Monstre-ô-mètre a, aussi étrange que cela puisse paraître, enregistré certaines actions des Monstres et...

Le cours continua, et Seth fut surpris de prendre goût à l'Histoire. Habituellement, il détestait cette matière. Mais Josh avait une manière inhabituelle d'accrocher les élèves, de mettre de la vie dans son cours.

Après une heure qui sembla avoir passé en une seconde, le cri retentit dans l'école, et Seth sursauta encore.

— Comme devoir, dit Josh alors que les élèves se levaient, je vous demanderais de lire les pages trois à sept pour le prochain cours qui est mercredi. Bonne journée.

— Je n'en reviens pas, dit Seth, une fois dans le corridor. Je n'en reviens tout simplement pas! C'est génial!

— Ouais, renchérit Alan. Mais dis-nous, comment savais-tu pour le Monstre-ô-mètre?

— Wilson m'en a parlé quand nous sommes venus ici. Sincèrement, la réponse s'est imposée à moi, et je l'ai tout simplement dite.

Sac à dos sur l'épaule, ils trouvèrent un banc et s'y installèrent. Alan vérifia que personne ne les écoutait avant de dire:

— Vous avez vu ce gars ? Avec la trompe d'éléphant, je veux dire.

— Oui, fit Fay. Et ?

— Vous ne trouvez pas ça… étrange ?

— J'ai des ailes dans le dos. Donc une trompe d'éléphant à la place du nez, ça me paraît presque logique.

La discussion se termina là, car ils devaient trouver leur deuxième salle de cours. Ils demandèrent le chemin à un élève de quatrième année qui leur dit que le cours de Fuite se donnait dans les gymnases en bas. Avec une moue amusée, il leur souhaita bonne chance.

Le regard perplexe, ils suivirent la direction indiquée par le garçon et trouvèrent vite les gymnases.

Fay se dirigea vers le vestiaire des filles tandis qu'Alan et Seth allèrent dans celui des garçons. Seth se questionna à savoir s'il aurait dû apporter des vêtements de rechange.

Une fois dans le vestiaire, il eut la surprise de découvrir des ensembles accrochés à des cintres. Il trouva le sien. Il était orange, comme chaque ensemble, sauf que, dans son dos, il était écrit :

Seth Langlois
07

Seth enfila son habit et sortit des vestiaires avec Alan, qui portait le numéro 13. Ils entrèrent dans le gymnase qui était identique à celui qu'on trouverait dans une école normale. Sauf qu'il n'y avait aucun panier de basketball.

Au centre du gymnase, un homme attendait les élèves. En pantalon rouge, comme sa casquette, et veston bleu, il tenait un sifflet dans ses mains. Pas de doute, c'était Light Fast.

Il y avait déjà des élèves assis par terre devant lui. Alan et Seth trouvèrent Fay, qui avait le numéro 8, et s'assirent avec elle. Le cri retentit, et le silence envahit le gymnase.

— Bonjour, tout le monde, dit Light. Je me présente : Light Fast. J'enseigne ici depuis 10 ans. Je ne veux pas perdre mon temps à vous expliquer le fonctionnement de ma classe. Aujourd'hui, nous allons courir un kilomètre. Simple petit échauffement.

Seth devait se concentrer pour bien comprendre ce que Light disait. Certes, il ne faisait plus de fautes d'accord ou quoi que ce soit, mais il parlait avec un accent *british* très prononcé.

— *First of all*, ceux qui habitent à l'auberge de monsieur Yvon, vous prendrez l'enveloppe adressée à vous sur mon bureau. Ce sont vos Mons fournis par Magistra. Bien sûr, inutile d'aller la chercher tout de suite ; vous la prendrez à la fin du cours.

Sans ajouter un mot, le professeur fit demi-tour et se dirigea vers une porte dans le fond du gymnase. Il emmena les élèves à l'ombre sous un saule pleureur.

— Pourquoi la course est-elle si importante ? demanda Light.

Alan leva la main.

— Parce qu'il est essentiel pour un Monstre de courir vite au cas où il serait repéré ou en danger de mort.

— *That's right*. Aujourd'hui, vous allez…

Fast leur expliqua leur parcours et, à son coup de sifflet, tout le monde se mit à courir, sauf Seth qui décida d'y aller lentement au début, en joggant. Il voyait ses camarades le distancer et trouva cela amusant. Il en profita pour admirer le paysage. Le professeur Light les faisait courir dans une zone déboisée, tout près de la forêt. Il y avait quelques tables à pique-nique, quelques bancs. Sur sa route, il rattrapa plusieurs personnes, dont Alan.

— Tu es parti trop vite, dit Seth. Lors d'une course, il faut y aller lentement.

— N'as-tu pas écouté ce que j'ai dit, fit Alan. Il faut *courir*. Tu n'éviteras pas le danger en joggant.

— Non, mais cela me permet de m'endurcir, et je courrai plus vite l'an prochain.

Sur ce, Seth accéléra un peu le pas pour dépasser Alan. Il finit la course troisième, ce qui n'était pas mal. À la ligne d'arrivée, sous le saule, Light expliqua à tout le monde qu'ils s'étaient trop essoufflés en maîtrisant mal leur vitesse de départ. Seth observa Alan avec un air supérieur, mais ce dernier ne daigna pas le regarder.

Ce fut un soulagement quand la cloche retentit. Seth se changea en vitesse dans le vestiaire, puis s'empara de son enveloppe remplie de Mons. Il aurait bien voulu prendre sa douche, mais il avait trop traîné et n'avait pas le temps pour cela. Il devait se rendre à son prochain cours.

Il s'avéra que le cours de Mythologies et Croyances était plus près du gymnase que Seth s'y attendait. Il s'installa dans la classe. Stéphanie Frenière, l'enseignante, était déjà assise à son bureau et lui sourit. Juste par son visage illuminé, Seth sut qu'il allait passer un cours merveilleux.

Le cri se fit entendre encore une fois, et Stéphanie quitta sa chaise.

— Bonjour, lança-t-elle à la classe. Bienvenue au cours de Mythologies et Croyances. Qui peut nommer certaines mythologies?

La main du garçon avec une trompe d'éléphant fendit l'air.

— Oui, monsieur Groin?

— Il y a la mythologie romaine.

— C'est vrai.

Alan leva à son tour la main.

— Il y a également la mythologie grecque, madame Frenière.

— Oui. Chaque mythologie a ses propres caractéristiques. Par exemple, dans la mythologie grecque, on trouve des objets magiques très puissants. Dont, entre autres, la boîte de Pandore qui, selon des rumeurs, pourrait donner le pouvoir ultime à celui qui l'ouvre une deuxième fois. Mais ce n'est qu'une légende qui se répand parmi les Monstres, ne vous en faites pas.

Elle prit une craie et dessina un cercle sur le tableau noir.

— Voilà la vie selon plusieurs religions : un cercle sans fin. Par le passé, la science n'était pas aussi développée ; les gens étaient donc prêts à croire que la vie prenait la forme d'un cercle sans fin... Tu meurs et tu reviens à la vie. Bien sûr, ils ont peut-être raison, comme ils ont peut-être tort. C'est ce qu'on appelle une opinion.

» Ma foi, plus d'une opinion a été émise par le passé...

Stéphanie débita ainsi un long discours. Elle s'interrompit au milieu et dévisagea ses élèves.

— Vous devriez prendre des notes, dit-elle doucement. Je suis en train de vous faire la classe.

D'un même mouvement, les élèves sortirent un cahier de leur sac, un crayon et une gomme à effacer, et ils se mirent à prendre des notes.

Quand la cloche sonna à 11 h 45, c'était l'heure du dîner. Le seul ennui était de trouver la cafétéria.

Seth, Alan et Fay la dénichèrent après 10 minutes de recherche. C'était une très grande salle. Tout au fond, il y avait des plats déjà préparés et, aussi incroyable que cela puisse paraître, gratuits. Des tables rondes étaient dispersées partout dans la salle, et tout le monde mangeait avec leurs amis. Alan, Fay et Seth allèrent chercher leur repas puis trouvèrent une table à trois places encore libre. Ils s'y installèrent et commencèrent à manger.

— Comment avez-vous trouvé votre avant-midi ? demanda Fay.

— Super !

— Trop cool.

Fay prit une bouchée de sa salade.

— Je suis d'accord avec vous. Dans le vestiaire des filles, j'ai entendu dire qu'il y avait 14 escaliers dans toute l'école. Imaginez un peu : 14 escaliers et seulement 2 étages !

— Comment est-ce possible ? voulut savoir Seth, ne comprenant pas comment il pouvait y avoir autant d'escaliers.

— Bien, des murs bloquent des chemins… Bref, nous avons été chanceux ce matin, il faut croire. La fille, Suzie, m'a expliqué que, pour aller au cours de Monstrubilus, il faut passer par trois escaliers !

— On va partir de bonne heure, dans ce cas, ricana Alan. Nous connaissant, nous pourrions nous perdre.

Ils continuèrent de manger un moment. Le gars à la trompe d'éléphant entra dans la cafétéria. Aussitôt, un grand silence, empli de malaise, s'installa dans la salle. Tous les regards se tournèrent vers le garçon.

— Qu'est-ce qui se passe ? murmura Seth.

Ni Alan ni Fay ne lui répondirent. Leur regard était fixé sur l'homme-éléphant. Tout à coup, un autre garçon se leva. Seth reconnut immédiatement Hayden.

— Tiens, si ce n'est pas Pachyderme Groin ! lança Hayden.

— Tiens, répliqua le dénommé Pachyderme, si ce n'est pas monsieur H.

Hayden prit une grande inspiration.

— Ne. M'appelle. Plus. Jamais. Ainsi…, la Trompe !

Pachyderme s'apprêta à répliquer, mais Hayden passa à l'action. Il s'empara de son plat — des nouilles encore bien chaudes — et le lança à Pachyderme. Le garçon à la trompe se baissa au dernier moment, et c'est une fille avec de grandes oreilles qui reçut tout le plat.

— NE TOUCHE PAS À MA COPINE! cria le garçon assis à côté d'elle.

Il s'empara à son tour de son plat et le lança.

Seth n'eut pas besoin de voir la suite des événements pour comprendre qu'une bagarre de nourriture se déclenchait.

Seth, Fay et Alan se cachèrent sous leur table. Ils croyaient y avoir trouvé un endroit sûr jusqu'à ce que la table soit renversée par Hayden.

— Belle trouvaille, se moqua-t-il.

Un bon litre de sauce à spaghetti tachait ses vêtements. Il avait une tarte à la crème dans la main et l'écrasa sur le visage de Seth.

À ce moment-là, une fille entra dans la cafétéria et hurla :

— ILS ARRIVENT!

Comme des rats dans un navire qui coule, les étudiants s'enfuirent à toute vitesse. Tous, sauf Seth, Alan et Fay. Quand il n'y eut plus personne d'autre qu'eux dans la salle, ils se levèrent. Fay s'empara d'une serviette et la donna à Seth, qui nettoya son visage.

— QUI A FAIT ÇA? rugit alors une voix que Seth connaissait trop bien.

Gary, Wilson, Alicia et les professeurs se tenaient sur le seuil de la porte.

— Qui? répéta Gary. C'est vous trois, n'est-ce pas?

— Non, monsieur Lachance...

— Je vous jure que...

— Nous n'y sommes pour rien...

— La punition va être sévère, poursuivit le petit homme. Premier jour de classe, et ils démarrent une bataille de nourriture! Ce sera quoi demain?

— Ce n'est pas eux, monsieur, dit alors une voix tout au fond de la salle.

Tout le monde sursauta. Pachyderme sortit de sous une table, couvert de nourriture.

— C'est moi.

— Non, monsieur, s'empressa de défendre Seth, cherchant désespérément à rendre justice. Ce n'est pas lui. C'est Hayden Heyman. Il a lancé ses nouilles sur une fille et...

— SILENCE !

— Gary, se fâcha Wilson, calme-toi ! Laisse les petits s'exprimer un peu. Continue, Seth.

— Oui, Hayden...

Seth lui raconta toute l'histoire, appuyé par Alan et Fay. Se comporter en délateur dès son premier jour d'école ne lui plaisait pas du tout, mais il devait sauver Pachyderme de ce problème. Le pire était que Seth ignorait pourquoi il voulait tant aider le garçon à la trompe d'éléphant.

— C'est vrai ? demanda Alicia en regardant Pachyderme, quand Seth eut terminé son récit. Tout s'est vraiment déroulé comme Seth l'a décrit ?

— Oui, madame, mais j'en suis le responsable. Si je n'avais pas insulté Hayden...

— Monsieur H n'est pas une insulte, dit Seth.

— Pour Hayden, si, expliqua Pachyderme. Il s'est tellement fait écœurer, étant enfant, parce que son prénom et son nom de famille commençaient tous les deux par la lettre H...

» Tout cela pour dire, madame, que c'est ma faute. N'accusez pas Hayden pour rien.

— NON ! protesta de nouveau Seth. C'est Hayden qui s'est levé, c'est lui qui t'a provoqué. Ce n'est pas ta faute.

— Si, c'est ma faute. C'est moi qui suis entré dans la cafétéria. Je n'aurais jamais dû. J'aurais dû me douter qu'ici aussi personne ne voudrait de moi.

La tête basse, Pachyderme sortit de la salle. Seth comprit qu'il pleurait. Il ne connaissait pas beaucoup Pachyderme, mais ce jeune garçon dégageait quelque chose... De la pitié ? Non, c'était plus que ça.

— Attends ! cria Seth.

Il s'apprêta à courir pour rejoindre Pachyderme, mais Alicia leva une main pour l'en empêcher.

— Pachyderme n'est pas comme tout le monde, expliqua-t-elle. Laissez-le tranquille un moment ; il retrouvera la forme, je vous le promets.

— Qu'allez-vous faire pour Hayden ? voulut savoir Fay.

— J'ai bien peur, avoua Wilson, que nous ne puissions rien faire puisque nous n'avons pas de preuve.

— Pas de preuve ? s'indigna Seth. Fay, Alan et moi pouvons vous assurer que...

— Oui, coupa Gary, mais Pachyderme dit tout le contraire. Et j'ose vous rappeler que Pachyderme est ici depuis longtemps. Vous trois, vous n'êtes que des nouveaux.

— Pachyderme ne dit rien parce qu'il a peur.

— Il n'est pas comme les autres, rappela Alicia.

Las de se répéter, les professeurs partirent de la cafétéria. Des concierges entrèrent et commencèrent à tout nettoyer. Seth fit signe à Alan et Fay. Ils quittèrent la salle et décidèrent d'aller dehors un peu. Ils s'assirent à l'ombre d'un arbre, leurs sacs à côté d'eux.

— Espèce de crapule sans cervelle ! railla Fay. Il brutalise les autres et s'en sort comme si de rien n'était ! Je ne comprends pas pourquoi les élèves ne se révoltent pas contre lui. Ce n'est qu'un trouillard manipulateur !

— Tu n'aimes vraiment pas Hayden, commenta Alan.

— Avec raison! Ce Monsieur H croit pouvoir tout gouverner. Il aura une surprise si jamais il tente à nouveau quelque chose en face de moi.

— Je me demande ce que tu peux lui faire, avec ses quatre bras…

— Justement, il se croit invincible. Il va mordre la poussière, je vous le garantis!

Alan se pencha vers Seth et lui souffla à l'oreille :

— Si jamais un jour je commence à être arrogant envers Fay, rappelle-moi cette scène, s'il te plaît.

— Promis.

Fay bouillonnait toujours de rage lorsqu'ils durent se rendre au cours de Monstrubilus. Ils montèrent au deuxième étage, trouvèrent un autre escalier et redescendirent au premier étage. Là, ils durent monter un autre escalier pour enfin trouver la salle de classe.

L'enseignante se tenait debout, les bras croisés. Au premier coup d'œil, Seth remarqua qu'elle avait trois bras, le troisième se trouvant sur son côté droit. Le cri indiqua le début des cours.

— Bonjour, je suis madame Daphné Triade. Dans ma classe, vous apprendrez la langue anciennement parlée par tous les Monstres du monde entier : le Monstrubilus.

Daphné s'approcha d'un tableau et se mit à écrire un mot dessus. Quand elle eut terminé, Seth pouvait lire «Freastrum». Le regard rayonnant, Daphné ne put s'empêcher de demander :

— Qui veut tenter de trouver la signification de ce mot?

Naturellement, personne ne leva la main.

— Allez, c'est facile.

Malgré les encouragements de Triade, personne ne savait ce que «freastrum» signifiait. Daphné fit la moue et expliqua :

— «Freastrum» signifie «Monstre». Le Monstrubilus est en fait un mélange d'anglais et de latin. On croit même que c'est le Monstrubilus qui est à l'origine de ces langues.

» Dans *freastrum*, il est facile de voir le mot *freak*. Un mot anglais qui veut dire "Monstre". Et il y a le *strum* de Monstrum, qui signifie également "Monstre", mais en latin.

Une main se leva dans les airs. Seth vit qu'il s'agissait d'Hilary, la fille qu'Alan avait invitée à la Grande Fête.

— Mais madame, est-ce que Monstrum ne signifie pas aussi «prodige»?

— Si. C'est pourquoi il est essentiel de connaître la signification des deux mots. Il peut y avoir plusieurs choix, mais à la fin, la racine anglaise et la racine latine ne se retrouvent qu'en un mot. Cela peut vous paraître complexe, je sais. Cette année, j'essaierai de vous éclairer sur le sujet. À la fin de votre cinquième année passée ici, vous serez en mesure de traduire un texte entier en Monstrubilus.

Seth n'était pas très convaincu de cela. Il n'était pas si bon que ça en anglais et ne connaissait rien au latin. Daphné leur distribua des dictionnaires *Français-Latin* et *Français-Anglais*. Par politesse, les élèves la remercièrent, mais Seth entendit du dédain dans le «merci» prononcé à l'unisson.

— Essayez d'écrire une phrase, dit Triade. «Je mange une pomme», tiens. Pensez à tout ce que je vous ai dit. Et n'oubliez pas : l'anglais avant le latin!

«Je mange une pomme»..., cette phrase si souvent utilisée par les professeurs pour donner un exemple.

Pas besoin d'être un érudit pour savoir que cette phrase en anglais était : «*I eat an apple.*» Il se mit à chercher les mots dans le dictionnaire latin. *Je... mange... une... pomme.*

Après un moment de travail, Seth arriva à un résultat. Il trouva sa phrase étrange, mais elle donnait :

Igo easse unan mallpe.

Triade passait dans les rangées et examinait les feuilles de tout le monde. Évidemment, elle souriait. Après une dizaine de minutes, elle retourna en avant de la classe.

— C'est assez. J'ai pu voir que, comme chaque année, vous avez tous écrit la même chose ou à peu près. La plupart d'entre vous ont bien traduit un seul mot : pomme. En effet, pomme est : mallpe.

Elle prit une craie et décida de traduire la phrase devant toute la classe.

— Vous devez savoir que traduire un pronom en Monstrubilus ne signifie pas chercher le « je » dans le dictionnaire latin, mais bien le « moi ». C'est l'erreur de tout le monde. Bien sûr, en anglais, nous prenons les pronoms personnels.

» Quant au mot "mange", il faut faire très attention. Beaucoup d'entre vous l'ont traduit par "easse" ou même "eatsse", mais c'est une petite erreur. Dans ce cas-ci, il ne fallait pas prendre la traduction "esse", mais bien l'autre, "edere". Il ne faut pas nécessairement prendre le premier mot qui apparaît dans le dictionnaire. Faites attention.

» La dernière erreur fréquente est avec le "une". Dans la phrase en anglais, ce déterminant est remplacé par "an". Sauf que "une", en anglais, c'est "one".

» La phrase est donc…

Daphné se remit à écrire au tableau et traduisit correctement la phrase :

Iego eare unone mallpe.

Le reste du cours, Daphné leur donna d'autres éléments théoriques qu'ils prirent en note. Par exemple, dans certains cas, lorsque le mot était petit, il était possible de le prendre au complet pour l'insérer dans le mot en Monstrubilus.

Seth commença à s'endormir. Avant qu'il ne puisse entrer dans le monde des songes, le cri retentit, et il quitta la classe.

— Ennuyant, non ? demanda Alan, lorsqu'ils furent de retour au deuxième étage.

— Pas du tout, répliqua Fay. J'ai adoré cela ! Apprendre la langue des Monstres, c'est… *fabuleux*. Qu'est-ce que tu en as pensé, Seth ?

— Endormant, perte de temps, fatigant… tu veux d'autres synonymes ?

Alan éclata de rire. Fay lança un regard de reproches à Seth, mais ce dernier ne s'en voulait pas ; n'était-ce pas elle qui voulait son avis ?

Ils allèrent à leur cours d'Arts. Pour ce faire, ils durent emprunter cinq escaliers qui menèrent à l'autre bout de l'école. La classe d'Arts était immense. Tout au fond, il y avait une petite scène. À gauche, une porte entrouverte laissait voir des centaines de costumes suspendus sur des cintres. Sur des étagères à sa droite, Seth voyait de la peinture, des pinceaux, des tabliers, etc. Sur les murs, des masques d'argile faits par d'anciens élèves étaient accrochés pour montrer le fruit d'un travail bien achevé.

L'enseignante sortit de l'entrepôt quand la cloche sonna.

— Bonjour, tout le monde ! s'exclama-t-elle. Je me nomme Micheline Falardeau. Ici, vous allez développer votre côté artistique et créatif. Pour commencer, nous allons tous faire une peinture vous représentant. Vous aurez environ trois cours pour peaufiner votre œuvre. Par la suite, nous passerons à un autre projet. D'ici la fin de l'année, mon but est de vous laisser explorer ce dont vous aurez envie. Et ce sera ainsi chaque année.

Personne ne perdit son temps. Au signal de madame Falardeau, tout le monde s'empressa d'aller chercher une grande toile et commença son dessin au crayon de plomb. Seth décida de dessiner la mer avec un soleil au-dessus et quatre silhouettes sur la plage. La mer le représentait : quelqu'un de calme et tranquille qui recherchait le bonheur, soit le soleil. Quant aux quatre silhouettes, elles représentaient ses amis : Joanne, Tommy, Alan et Fay. Les seules personnes qui l'aimaient pour ce qu'il était, lui donnant l'impression d'être humain. Sauf qu'aujourd'hui, le terme « Humain » avait une tout autre signification.

Seul Seth avait été original pour son œuvre. Tous les autres essayaient de faire leur propre portrait. Fay était excellente en dessin et elle avait terminé son portrait au crayon de plomb avant la fin du cours. Alan, de son côté, était assez mauvais. Le visage de son dessin était trop long, le nez trop petit, un œil était énormément plus gros que l'autre, il louchait, ses sourcils n'étaient pas égaux… En revanche, les cheveux étaient bien faits.

— Merci, ricana Alan quand Seth lui fit la remarque. Tu ne m'as jamais vu faire des bonshommes-allumettes, n'est-ce pas ? Les bras ne sont pas au même niveau. Et la tête est trop petite par rapport à la longueur du corps.

Seth aurait bien aimé que Fay s'amuse avec eux, mais elle était tellement concentrée sur son dessin qu'elle ne semblait pas voir ce qui se passait autour d'elle. Elle était en train de contempler son œuvre quand la cloche sonna pour souligner la fin de la première journée d'école. Ils rangèrent leur toile et quittèrent la classe.

Ils retournèrent dans le grand hall et virent Alicia dans le bureau du secrétariat. Elle était assise derrière le bureau et remplissait des dossiers. Quand elle leva les yeux et aperçut le trio, elle les salua chaleureusement.

Dehors, il faisait encore clair. Cependant, la journée était avancée, et Seth et ses amis avaient très faim. Ils se dépêchèrent à gagner l'auberge pour se prendre quelque chose à manger. Cette fois-ci, Yvon leur chargea le prix étudiant, soit un rabais de 30 %. Ils payèrent et s'installèrent à leur table habituelle.

— Comment avez-vous trouvé votre journée ? demanda avidement Seth. Moi je l'ai aimée.

— Elle était… magnifique.

— Si on oublie ce qui s'est passé ce midi, je suis d'accord avec vous, répliqua Fay. Je n'arrive toujours pas à comprendre comment Hayden arrive à faire ça.

— F'est simple, dit Alan, la bouche pleine. Il voit fenir d'une famille fiche et ve 'roit tout fermit.

— Pardon ?

Alan avala sa bouchée.

— J'ai dit : « C'est simple, il doit venir d'une famille riche et se croit tout permis. »

Seth eut une bouffée de chaleur.

— Il ne vient pas nécessairement d'une famille riche, riposta-t-il.

Mais Fay s'objecta.

— Tous les riches sont pareils : ils croient pouvoir tout se permettre parce qu'ils ont de l'argent. Ils ne comprennent pas que l'argent n'est pas tout dans la vie. Comme on dit, l'argent ne fait pas le bonheur.

— Non, répliqua Alan, l'argent aide à avoir tout ce qu'on veut, sans réellement nous laisser l'apprécier.

Seth n'était pas du tout d'accord avec eux. Comme son père avait beaucoup d'amis du même statut social que lui, Seth avait rencontré plus d'une famille riche. Et ils avaient tous été gentils. Bien sûr, il y en avait qui étaient exactement comme Fay et Alan les décrivaient, mais de là à généraliser…

Avant que Seth ait pu ajouter quoi que ce soit sur ce sujet, il y eut un bruit sourd dehors, comme si quelqu'un venait de tirer avec un fusil. D'un bond, le trio se leva et s'approcha d'une fenêtre. Une lumière rouge dans le ciel sombre s'éteignait quand ils regardèrent.

— Qu'est-ce que... ?

La question de Fay fut coupée par un autre bruit sourd, identique au premier. Un rayon de lumière bleu, cette fois, monta dans le ciel avant d'éclater en une dizaine d'étincelles.

Seth, Alan et Fay observèrent le feu d'artifices avec admiration. Il n'y avait aucun doute : des étudiants fêtaient la fin du premier jour de classe.

Quand le dernier feu explosa, ils finirent leur assiette et restèrent un moment à discuter de divers sujets. Mais tout revenait à Monstrum et à Magistra. Leur première journée à l'école les avait mis en appétit sur ce qui s'en venait. L'année allait passer vite, il n'y avait aucun doute là-dessus.

Fay bailla longuement et annonça qu'elle allait se coucher, laissant les deux garçons seuls à bavarder.

— Tu ne crois pas qu'elle en met trop à propos d'Hayden ? demanda Alan, quand Fay fut hors de portée de sa voix.

— Je ne sais pas. J'avoue penser comme elle.

Alan hocha la tête et il décida d'aller se coucher à son tour. Ne voulant pas être seul, Seth y alla aussi. Une fois en pyjama, il sauta dans ses couvertures et s'endormit d'un seul coup.

Il ne pensait plus du tout au Traqueur...

Capture l'Humain

Le deuxième jour d'école fut tout aussi intéressant que le premier. Seth eut un cours de Monstrubilus (Triade leur apprit quelques mots nécessaires de base), d'Arts (Micheline leur laissa une bonne partie du cours pour continuer leur dessin, et l'autre partie servit de théorie sur l'art chez les Monstres) et de Mythologies et Croyances (Stéphanie leur parla de la religion chrétienne et de son influence sur le mode de vie des Monstres à travers le monde). Et il y eut deux nouveaux cours.

Le premier était le cours de Science de la Magie. Dans cette classe, enseignée par Walter Drainville, Seth allait apprendre le fonctionnement des objets magiques en général (s'il voulait en savoir plus, il devrait prendre l'option *Objets Magiques* pour sa quatrième année) et leur apparition dans le monde.

Le second était : Carrière. Jean-François Brien leur montre-rait plusieurs métiers et professions, cours après cours, pour que les étudiants puissent choisir leur occupation avec brio. Brien leur avait dit que, pour les Monstres, il était préférable d'aller dans un domaine en relation avec les animaux. Tout simplement parce qu'ils pouvaient lire les émotions des animaux et ainsi mieux les comprendre.

La tête remplie d'éléments théoriques, Seth termina sa deuxième journée avec une énorme migraine. Il se coucha dans l'espoir de se réveiller le lendemain et ne plus avoir mal. Par chance, sa prière fut exaucée.

La troisième journée d'école s'annonça comme les autres, jusqu'à ce qu'Hayden passe devant le trio sur l'heure du dîner, un troupeau de filles autour de lui.

— C'est vrai ?

— Tu blagues ?

— Moi, je te crois. Tu es si… musclé !

— Oui, les filles, je vais jouer dans une équipe de Capture l'Humain. L'équipe Infensus a de bonnes chances de gagner la compétition, cette année ! Avec moi comme meneur, il faut dire que ce sera un jeu d'enfants.

Fay ferma les poings de colère et se tourna vers les deux garçons.

— J'espère que l'un d'entre vous n'a pas encore pensé à s'inscrire dans une équipe.

— Non, pourquoi ?

— Parce que vous allez le faire maintenant !

Fay tira Alan et Seth jusqu'à la classe de Josh Dehin, qui était en train de remplir des papiers.

— Bonjour, fit le professeur, que puis-je faire pour… ?

— Monsieur Dehin, dit Fay, ces deux garçons voudraient s'inscrire dans une équipe de Capture l'Humain.

— Vraiment ?

La main de Fay se resserra sur l'épaule de Seth, qui hocha vigoureusement la tête. Quand il vit Alan faire de même, il comprit qu'elle lui infligeait le même traitement.

— Merveilleux !

Josh fouilla dans ses feuilles un moment.

— Voilà! Il manquait justement deux joueurs pour compléter la sixième équipe : les Servators. Je vous ferai parvenir une lettre d'ici la semaine prochaine qui précisera le calendrier des entraînements. Ça vous va?

— Bien sûr, s'empressa de dire Seth avant que Fay ne le force à parler.

Les trois amis s'apprêtaient à partir lorsque monsieur Dehin les interpella.

— Une minute! Je viens de voir que les Servators n'ont pas de capitaine. Seth, voudriez-vous l'être?

— Je… quoi? Enfin… je n'ai jamais joué à Capture l'Humain ni vu une partie.

— Moi, monsieur, j'ai vu des centaines de parties. Un de mes amis était capitaine de son équipe à Londres, et j'ai participé à plusieurs de leurs entraînements.

— Merveilleux! Alan, vous serez donc le capitaine des Servators.

Remerciant Josh de son amabilité, le trio quitta la classe. Une fois qu'ils furent assez loin, Alan fit face à Fay et s'exclama :

— J'ai toujours eu envie de jouer à Capture l'Humain.

— Je suis heureuse d'avoir permis à ton rêve de s'accomplir.

— J'étais sarcastique. Seth et moi n'avons jamais joué, Fay! J'ai seulement vu des parties, jamais participé! L'équipe d'Hayden va nous battre, c'est sûr.

Le regard de Fay se durcit, et elle pointa Alan de l'index.

— Ton équipe n'a pas intérêt à perdre, *capitaine*! Hayden doit mordre la poussière!

— Pourquoi tu le hais tant que ça? Il ne t'a rien fait…

— Ce n'est pas une raison! Il se croit si malin en se vantant de ses mille et une qualités alors que ce n'est qu'un vaurien. Je veux que toute l'école soit au courant qu'il ment.

Le cri retentit, et Fay poussa elle aussi un petit cri, oubliant son air dur.

— Vite ! Nous allons être en retard !

Ils réussirent à atteindre la classe à temps. Seth n'écouta même pas le professeur. Tout ce qu'il voyait dans sa tête était le terrain de jeu. Il allait devoir pratiquer très fort s'il ne voulait pas qu'Hayden gagne et affronter la colère de Fay. Peut-être qu'imaginer Fay en colère contre lui stimulerait son énergie et l'aiderait à gagner.

Cette nuit-là, Seth se coucha l'esprit confus. Ce n'était pas sa meilleure journée, il fallait l'admettre. Et il accumulait déjà quelques devoirs en retard. Il devrait les faire demain soir s'il ne voulait pas se retrouver dans la purée jusqu'au cou...

Il rêva qu'il marchait sur le terrain de jeu. Juchée dans les estrades, Fay lui criait de courir plus vite. Sauf que ses jambes ne le lui permettaient pas. Il avait l'impression de marcher dans de la boue.

Puis, les centaines de spectateurs se transformèrent tous en Fay et crièrent à l'unisson :

— Tu es un incapable, Seth Langlois ! Pourquoi fais-tu cela ? Dis-le !

Voulant montrer qu'il n'était pas un incapable, Seth essaya d'accélérer la cadence, mais il trébucha. Les rires des spectateurs résonnèrent dans tout le Sanctuaire et même au-delà. La gêne s'empara de Seth qui sentit ses oreilles prendre feu. Il aurait tout donné pour ne pas vivre cela.

Le sol se mit à trembler. Il se déchira comme une toile. Une lumière blanche sortait des crevasses. Seth se releva et se mit à courir, heureux de voir qu'il avait récupéré le contrôle de ses jambes. Malheureusement, il ne courait pas assez vite, et une déchirure se forma sous ses pieds, et il tomba... tomba...

Des formes plus sombres apparurent dans la lumière blanche, et bientôt Seth se retrouva debout dans une ruelle. Le soleil était couché, et un réverbère permettait de voir une boîte en carton avec un itinérant. Ce dernier se piquait avec une seringue.

Un homme entra dans la ruelle. Il portait une longue cape, et un capuchon cachait son visage. Toutefois, sa manière de marcher rappelait quelque chose à Seth, mais il ne trouvait pas quoi exactement.

— Un peu de monnaie? demanda l'itinérant, cachant la seringue et tendant la main.

Sans crier gare, l'homme lui sauta dessus et lui arracha le bras. Le cri d'horreur que poussa l'itinérant fut bientôt camouflé par la main que l'inconnu enfouit dans sa bouche. Telle une bête sauvage, il se mit à sucer le sang de l'homme et lui mangea l'intérieur de l'épaule.

Malgré la douleur, la victime trouva la force de se débattre. Son assaillant leva une main et, d'un coup de griffe, trancha la gorge de sa proie. Ce dernier devint inerte, mort. Pendant un moment, Seth resta pétrifié en regardant l'homme dévorer sa victime.

Lentement, l'assassin leva la tête et regarda Seth droit dans les yeux.

— Bientôt, ce sera ton tour, Seth Langlois.

Seth se réveilla en sursaut, couvert de sueur. Il venait de faire le pire cauchemar de sa vie. L'image du mort et de son agresseur était gravée dans sa rétine, et il cligna plusieurs fois des paupières pour l'effacer.

Il s'assit dans son lit, la peur nouant ses entrailles. La première partie du rêve était insignifiante, il l'admettait. Même qu'il commençait à en perdre des bouts.

Par contre, la deuxième partie était… effrayante. Le pire dans tout cela était que Seth avait l'étrange impression que ce n'était pas un rêve, que c'était bel et bien réel.

Et l'homme ! Pourquoi lui semblait-il si familier ? Il était sûr de l'avoir déjà vu quelque part. Sa démarche ne pouvait pas mentir sur son identité.

Seth prit sa montre et, grâce à la lumière de la lune qui entrait dans sa chambre, il regarda l'heure. Il était passé minuit. Il devait absolument dormir s'il voulait être en forme pour sa journée du lendemain.

Lorsqu'il s'étendit de nouveau, Seth ne pouvait penser à autre chose qu'à son rêve. Plus il tentait de s'en souvenir, plus il perdait des morceaux de cette horrible scène. D'une part, c'était mieux ainsi. D'autre part, il aurait préféré se rappeler tout afin de l'analyser le lendemain avec l'aide de Fay et Alan.

« Bientôt, ce sera ton tour, Seth Langlois. » Que voulait-il dire par là ? Que Seth allait subir le même destin que l'itinérant ? Où était-ce pire que cela ?

Seth frissonna. Il tenta de toutes ses forces de chasser ses pensées. Mais chaque fois qu'il concentrait son esprit ailleurs, la scène revenait à l'assaut dans sa tête. Après une bonne heure, Seth finit par s'endormir. Et il ne rêva plus ce soir-là.

*

— Quoi ?

Fay prit une bouchée de sa rôtie et examina attentivement Seth. Celui-ci savait que sa question était étrange, mais il voulait absolument une réponse.

— Est-ce que vous savez s'il est possible de rêver de quelque chose qui est en train de se produire ?

Alan et Fay échangèrent un regard.

— Tu veux parler d'un voyage astral ? demanda Alan. J'ignore si cela est réel ; donc…

— Non, ce n'était pas un voyage astral. Du moins, je ne crois pas.

Fay, qui avait compris plus vite qu'Alan, s'empressa de s'enquérir :

— De quoi as-tu rêvé ?

Étonnamment, Seth croyait être à l'aise pour tout leur raconter, mais devant leur visage mêlé à la fois d'effroi et de suspicion, il se résigna.

— Je ne le sais plus, mentit-il. C'est extrêmement flou. Sauf que je me souviens de m'être réveillé et d'avoir eu l'impression que tout cela avait été… réel.

— Parfois, ça m'arrive aussi, avoua Alan. Je suis sûr que c'est la même chose pour toi, Fay. Tu sais, tu te réveilles la nuit en sursaut et tu te sens extrêmement soulagé de n'avoir que rêvé, car autrement la vie aurait pris un tout autre tournant. Dans ce cas, le rêve parait si réel qu'il est impossible de faire la différence entre le rêve et ce qui est réel. Jusqu'à ce que tu te réveilles.

— Non, ce n'était pas ça, dit froidement Seth.

Il se frotta le menton pensivement. Ses amis ne pouvaient pas le comprendre, il en était sûr. Son rêve n'en était pas un. Il s'était trouvé à, peut-être, des centaines de kilomètres de Monstrum la nuit dernière, et pourtant il n'avait pas bougé de son lit.

Ils n'eurent pas le temps d'en parler davantage, car ils durent aller à Magistra pour une nouvelle journée d'école. Alors qu'ils venaient de mettre les pieds dans leur classe d'Histoire des Monstres, Josh se dirigea vers eux et s'arrêta devant Alan, alors que le son de la cloche retentissait dans toute l'école. Le professeur tendit alors une feuille à Alan avant de retourner devant la classe pour donner son cours.

— C'est quoi ? chuchota Seth, quand Alan termina la lecture de la lettre.

Subtilement, Alan lui envoya le papier.

À l'équipe des Servators
Les joueurs sont :
    — *Alan Lajoie, capitaine*
    — *Seth Langlois*
    — *Annie Stanton*
    — *Jilian Tremblay*
    — *Dave Bilodeau*
    Les entraînements ont été approuvés et fixés pour chaque vendredi d'ici le premier match. Ensuite, ils seront revérifiés pour un nouvel horaire, le tout en fonction du gagnant du match.

Avec tous mes meilleurs vœux, et bonne chance,

Josh Dehin

— Pas de vendredi soir pour se reposer, il faut croire, dit Alan. Moi qui espérais fêter la fin de la première semaine.

Honnêtement, Seth avait prévu la même chose. Maintenant qu'il était inscrit à Capture l'Humain grâce à Fay, il pouvait dire adieu à ses plans. Il espérait de tout cœur que l'issue du match leur garantirait plus de soirées pour eux.

*

La semaine passa plus vite que prévu. Ce qui fut le plus étonnant fut l'amélioration instantanée d'Alan au cours de Monstrubilus. Il avoua que ses parents lui avaient déjà enseigné cette langue et qu'il la connaissait assez bien, mais qu'il faisait encore quelques erreurs parfois.

Le jeudi soir, Seth téléphona à ses parents. Il put parler à son père cette fois-ci. Il fut heureux d'entendre leur voix. En même temps, ses parents lui apparaissaient comme de vieilles connaissances… comme s'ils appartenaient à une autre vie… comme si c'était eux les Monstres et Seth la personne normale. Quand Seth raccrocha le combiné, il ne versa aucune larme. Même que la tristesse ne s'empara pas de lui. Son destin était ici, à Monstrum, nulle part ailleurs.

Le vendredi soir arriva, et Seth ne se sentait pas prêt du tout pour la pratique de Capture l'Humain. Savoir que son équipe allait bientôt disputer son premier match ne l'enthou-siasmait guère. Même si son ami était le capitaine, il ne se réjouissait pas de cette situation.

En ce qui la concernait, Fay paraissait heureuse de son coup. Elle avait fait quelques petites recherches dans l'école.

— Dave Bilodeau est un dur, dit-elle. Il sera un atout aux Servators. Quant aux filles, elles semblent plus en forme que vous ! Par contre, j'ai entendu dire qu'aucun d'eux n'avait jamais joué à Capture l'Humain. Tu devras tous leur expliquer, Alan.

Seth aurait volontiers voulu réprimer le sourire qui illumi-nait le visage de Fay. Alan et lui allaient assurément vivre l'hu-miliation de leur vie pendant qu'elle regarderait tout depuis les gradins. Si l'opportunité de lui rendre son coup s'avérait possible, Seth se jurait de saisir l'occasion. Fay était peut-être son amie, mais il y avait des limites à tout !

Seth et Alan arrivèrent ensemble au terrain de jeu. Les autres joueurs les attendaient déjà. Tous étaient vêtus de leurs habits du cours de Fuite.

Alan se plaça face au groupe, qui formait un demi-cercle devant lui.

— Bonjour, je suis votre capitaine, Alan Lajoie. Le but pre-mier de ce jeu est de s'amuser.

— Non, coupa Bilodeau, un garçon grand et très costaud, le but est de gagner !

Seth déglutit avec difficulté.

— Oui, avoua Alan, nous aimerions tous gagner, mais il se peut que nous vivions des échecs. Il est donc préférable de se dire que le but est de s'amuser et de participer.

» Avant de commencer l'entraînement, j'aimerais savoir qui a déjà joué à Capture l'Humain.

Personne ne leva la main, ni ne dit quoi que ce soit. Seth sentit la chaleur monter dans ses oreilles.

— Très bien, fit Alan, plus désespéré que jamais. Nous allons commencer par nous échauffer avec de la course. Pourquoi pas un aller-retour du terrain ? Ensuite, j'irai chercher le robot-humain afin de nous exercer.

Sans émettre de commentaire, tous se placèrent en ligne droite à l'extrémité du terrain. Au signal d'Alan, les joueurs se mirent à courir.

Ce fut un bon premier exercice. De cette manière, Alan put voir qui se débrouillait bien en course : Dave Bilodeau et Seth étaient les meilleurs. La dernière était Annie Stanton. Mais, avec ses trois yeux, elle faisait peur et pouvait être un atout.

Quand tout le monde fut de retour et à bout de souffle, Alan alla chercher le robot-humain qui était déjà prêt pour leur pratique. Seth sonda les estrades du regard et aperçut Josh Dehin en train de les surveiller avec un calepin. Il devait prendre des notes sur leurs méthodes de travail.

— D'accord, c'était très bien, encouragea Alan. Maintenant, nous allons faire deux équipes.

— Mais nous sommes cinq, intervint Jilian Tremblay, dont la peau d'écaille reluisait au soleil. Une personne devra se contenter de ne pas jouer ?

Alan resta songeur un bon moment. Tous le regardaient, incrédules. Avait-il une autre idée ou pouvaient-ils regagner leur chambre ?

— Nous pourrions séparer l'équipe autrement, dit Seth, qui avait une idée. Si nous faisions une équipe de quatre, par exemple ? La cinquième personne pourrait protéger le but adverse, et nous devrions essayer de faire passer le robot-humain dans la grotte. Quand ce serait réussi, on changerait de gardien jusqu'à ce que tout le monde ait essayé ce poste.

Alan claqua des doigts.

— Excellente idée, Seth ! Allez, qui veut commencer comme gardien ?

Dans le but de promouvoir son idée, Seth se proposa. Juste avant que l'équipe ne se sépare, Alan rappela les règles : ils devaient faire peur à l'Humain pour le faire entrer dans la grotte adverse. Toutefois, ils n'avaient pas le droit d'y toucher.

Seth alla se positionner devant la grotte. Les joueurs, au centre du terrain, lui apparaissaient tout petits. Il y eut un coup de sifflet, et Seth aperçut une silhouette sortir du regroupement de personnes. Ce devait être l'Humain.

Des sons parvenaient jusqu'à Seth : des cris, des râles, des raclements, des grognements… tout était utilisé pour faire peur à l'Humain. Bientôt, Seth distingua facilement chaque joueur.

Dave courait derrière l'Humain, hurlant à s'en percer les poumons. L'Humain ressemblait plus à une poupée de chiffon qu'à un robot. Seth eut un soudain intérêt pour la chose quand il comprit qu'elle devait être animée par magie, puisqu'elle semblait respirer. Les mains sur les oreilles, le robot-humain courait vers Seth. Ne sachant trop que faire, Seth essaya de hurler, en vain.

L'Humain poussa Seth et entra dans la grotte. Dave leva les bras en signe de triomphe. Le reste de l'équipe le rejoignit.

— Bravo, commenta Alan. Maintenant, Dave, tu vas dans les buts. Seth, viens.

Alan frappa trois fois dans ses mains et, docilement, l'Humain sortit de la grotte et suivit Alan.

Une fois au centre du terrain, Alan s'assura que tout le monde était prêt avant de compter :

— Un… deux… trois… C'est parti !

Ce fut comme une formule magique pour l'Humain. Il se redressa, fixa les quatre personnes devant lui et recula de quelques pas.

Jilian fit un saut en avant pour faire peur à l'Humain. Seth remarqua une étiquette sur son torse qui indiquait : Barney. L'Humain recula encore de quelques pas.

Alan hurla et se mit à courir autour de Barney, qui se boucha les oreilles et se sauva… dans la mauvaise direction. Annie tenta de lui faire peur, mais sans succès.

Ce fut à Seth de jouer.

Il dépassa Barney et se positionna devant lui. Il se mit à quatre pattes, telle une bête, et grogna. Quoi de plus effrayant qu'une bête qui grogne pour attaquer ? Barney arrêta et se déboucha les oreilles. Seth sauta, les mains en avant, comme pour griffer le robot-humain. Aussitôt, Barney se dirigea dans la bonne direction. Là, il fut facile de faire courir Barney jusqu'au but adverse, où il entra aussi facilement qu'avec Seth.

Ils continuèrent ainsi, à tour de rôle. Quand ils eurent terminé, ils se rassemblèrent au centre du terrain, et Alan leur proposa une tactique.

— Seth, Dave, comme vous êtes les coureurs les plus rapides de l'équipe, vous irez de front. Jilian et moi, nous serons à mi-parcours pour protéger le gardien. Et le gardien, ou plutôt la gardienne, sera toi, Annie. Ça vous va ?

Tous acquiescèrent. Il était vrai qu'Annie avait été la meilleure dans les buts. Dave et Seth durent s'y prendre à cinq reprises pour faire entrer le robot-humain.

— Parfait! On se revoit vendredi prochain, à la même heure, continua Alan. Si jamais vous avez des suggestions pour un entraînement, n'hésitez pas à nous en faire part. Bonne fin de soirée.

Seth regarda sa montre : 20 h. Le soleil commençait à se coucher. Alan frappa trois autres fois dans ses mains, et Barney se mit à le suivre. Alors qu'il s'apprêtait à quitter le terrain avec Seth, Josh vint les rejoindre.

— Vous avez été merveilleux! Laissez-moi Barney, je vais m'en occuper. Seth, vous ne m'aviez pas dit que vous étiez aussi bon!

— C'est que… je n'avais jamais joué auparavant.

— Ça ne paraissait pas, je vous le jure. On se voit au cours lundi, les enfants.

Il s'en retourna, Barney le suivant à son rythme.

— Je dois avouer une chose, confessa Alan. J'ai adoré jouer, ce soir!

— Moi aussi!

— Surtout, ne le disons pas à Fay ; elle serait trop heureuse.

Les garçons retournèrent à l'auberge en riant, imaginant déjà une bonne douche pour se débarrasser de la saleté et de toute la sueur qui imprégnait leurs vêtements.

*

Les semaines passaient, et tout se déroulait normalement. Le rêve de Seth était maintenant chose du passé, et l'approche du premier match de Capture l'Humain, fixé pour le 1er octobre, était maintenant le sujet le plus évoqué dans les conversations : les Servators contre les Infensus !

Un jour, sur l'heure du dîner, Seth, Alan et Fay se retrouvèrent dans le bureau du secrétariat. Alicia terminait de remplir un questionnaire avec Pachyderme avant de s'occuper des nouveaux venus.

— Que puis-je faire pour vous ?

— Bonjour, madame, dit Seth, prenant le rôle de porte-parole du trio. Nous avons choisi de nous inscrire pour l'échange étudiant.

— Très bien.

Elle distribua à chacun un formulaire identique à celui que Pachyderme venait de remplir. Le titre indiquait :

TRANSFERT ÉTUDIANT

Seth remplit immédiatement les espaces faciles à compléter : nom, prénom, date de naissance, nom du Sanctuaire, etc. Bientôt vint la fameuse question :

Où désirez-vous passer votre année scolaire ?

Seth aurait bien aimé répondre « *chez moi* », mais il savait que c'était impossible. Quand tout le monde fut rendu à cette question, Alicia leur expliqua :

— Je vous conseille de choisir un Sanctuaire. Si jamais vous voulez aller dans une Réserve, nous ne vous l'interdisons pas. Cependant, vous devrez reprendre votre deuxième année ici. Si vous choisissez un Sanctuaire, vous n'aurez pas à reprendre votre deuxième année puisque l'éducation entre Sanctuaires est la même, à quelques différences près.

— Nous allons opter pour un Sanctuaire, dit Fay.

— Bien. Vous avez le choix entre ceux de France, d'Écosse, d'Angleterre, des États-Unis, d'Afrique ou de Chine. Lequel choisissez-vous ?

Ils n'eurent même pas besoin de se consulter qu'ils répondirent d'une même voix :

— France.

— Tout le monde choisit celui-là ! Même Pachyderme ! Pourtant, j'aurais cru qu'il aurait préféré celui d'Angleterre. En tout cas, moi, c'est celui que j'aurais favorisé.

— Je viens de là, dit Alan, et il n'y a rien de très spécial, pour être honnête. Je préfère Monstrum à Somnium.

— Somnium ?

— C'est le nom du Sanctuaire de Londres.

Alicia reprit leur formulaire, cocha quelques cases et les rangea.

— Vous aurez votre réponse au mois de juillet. Je sais que c'est long, mais c'est comme ça.

Devant la moue désespérée des jeunes, elle ajouta :

— Mais ne vous inquiétez pas ; Prodige, le Sanctuaire de France, accepte toujours tous ceux qui veulent y aller. Ils sont très accueillants, vous savez ?

Un peu rassurés, mais toujours déçus de devoir attendre si longtemps avant d'avoir une réponse, les trois amis retournèrent à leur cours.

Ce soir-là, Seth téléphona à ses parents pour leur apprendre ce qu'il venait de faire.

— Es-tu sûr que c'est un bon choix ? s'empressa de questionner sa mère.

— Bien sûr, maman ! L'Académie de France est aussi réputée que Magistrale. Cesse de t'inquiéter pour rien, s'il te plaît.

— Tu as sans doute raison. Attends, je te passe ton père.

Seth entendit le bruit d'une paume de main qui frotte le récepteur, puis quelqu'un parla au bout de la ligne. Le son de la voix grave mit du baume au cœur de Seth.

— Ça va, mon fils?

— Ouais, et toi?

Silence.

— Un peu malade, mais rien de très grave, je t'assure. Sauf que je ne peux pas travailler pour un moment.

Seth sourit. Pour son père, ne pas travailler était le pire des supplices! Comment ferait-il pour vivre avec des millions à la banque? Il devrait faire des heures supplémentaires lorsqu'il retournerait au travail.

— Pauvre toi, ironisa Seth. Des vacances, ce n'est pas drôle.

Étonnamment, il entendit son père rire à l'autre bout de la ligne.

— Tu me fais penser à ta mère, parfois. Toujours le mot pour rire. Elle aussi m'a conseillé de voir cela comme des vacances.

— Dans ce cas, tu devrais l'écouter plus souvent.

— Jamais! Si je fais cela, les murs de la cuisine deviendront roses et ceux de la salle de séjour couleur saumon.

Cette fois, ils rirent de bon cœur tous les deux. Il y avait si longtemps que Seth n'avait pas ri avec son père.

— Tu apprends beaucoup de choses, j'espère.

— Plus que tu ne peux l'imaginer.

— Comme quoi?

— Le latin.

Seth avait déjà préparé cette réponse d'avance. Et ce n'était pas un mensonge. Il s'était vite aperçu que, pour saisir le Monstrubilus, il devait maîtriser le latin.

— Le latin? À quoi cela va-t-il te servir plus tard?

— Je me pose la même question.

Il y eut un nouveau silence, et Seth se sentit mal à l'aise. Son père tentait d'avancer sur un chemin qui lui était interdit. Il ne pouvait rien savoir sur le monde des Monstres.

— Écoute, papa, je dois y aller. Ce soir, il y a une petite soirée entre amis, et je ne voudrais pas la manquer.

— Ne bois pas trop !

— Ne t'inquiète pas, il n'y a pas de boisson à Mons... Magistrale.

— D'accord.

— À bientôt, papa.

— Seth, je suis si fier de toi. Je voulais absolument que tu le saches.

Sans rien ajouter, Gabriel raccrocha. Seth resta un moment devant le téléphone, le regard embué de larmes. Ses parents lui manquaient tellement. Mais il devait être fort. Aussi fort qu'un vrai Monstre le serait !

*

Au matin du 1er octobre, Seth se leva avec une étrange impression. Au début, il ne comprit pas ce qui se passait, mais le match de Capture l'Humain lui revint en mémoire, et il voulut vomir. Ce soir, il allait vivre l'humiliation de sa vie à cause de Fay qui n'aimait pas Hayden ! Si seulement il existait un moyen pour accélérer le temps et sauter ce chapitre de l'histoire de Seth...

À l'école, tout le monde ne parlait que de ça. Le match de l'équipe d'Alan contre celle d'Hayden. Qui allait l'emporter ? Des élèves de quatrième et cinquième années organisèrent des paris. Seth aurait tout misé sur l'équipe d'Hayden, mais parier contre son équipe ne lui remonterait pas le moral.

Pour faire changement et, surtout, pour quitter l'atmosphère étouffante de l'école, Seth, Alan et Fay décidèrent d'aller manger dans un petit restaurant non loin de Magistra. Ils commandèrent leur repas — un bon hamburger typique des meilleures chaînes de restaurants — et trouvèrent une table devant une fenêtre qui offrait une belle vue sur la banque.

— Voilà, fit la serveuse quand elle leur servit le repas.

Elle devait avoir près de 50 ans, et son air humain laissait entendre qu'elle utilisait la magie d'un miroir.

— Bon appétit.

La serveuse voulut partir, mais elle en fut incapable.

— Je suis désolée, finit-elle par dire, mais c'est bien vous qui allez jouer ce soir, non ?

— Oui, répondit Alan. Je suis le capitaine des Servators.

Le visage de la serveuse s'illumina.

— Je suis une amatrice de Capture l'Humain, avoua-t-elle. Je n'ai jamais joué, par contre ! Est-ce difficile ?

— Ce sera notre première partie, confia Alan. Personne dans l'équipe n'a joué auparavant.

— Comptons donc sur la chance des débutants ! Je vous souhaite de gagner ! Je ne supporterais pas que ce prétentieux d'Hayden Heyman gagne.

Fay se raidit sur sa chaise et se pencha vers la dame.

— Moi non plus, je dois dire. C'est en partie ma faute s'ils jouent.

— En *partie* ? intervint Seth. Non, c'est *entièrement* ta faute !

— Tu joues toi aussi ? s'étonna la serveuse.

— Oui, il joue, coupa Fay. Mais dites-moi, pourquoi n'aimez-vous pas Hayden ?

D'un mouvement de tête, la serveuse fit onduler ses longs cheveux blonds.

— Il habite près de chez moi, et je ne suis plus capable de l'endurer !

La femme toussota et leur tendit la main.

— Je me nomme Lynn Gravel.

Quand les trois amis se furent présentés, Lynn s'assit à leur table et leur expliqua plus en profondeur la raison de sa haine envers Hayden.

— Ma mère est malade, vous savez? C'est un cyclope, et elle voit de moins en moins. Et ce minable d'Hayden en profite pour la voler! Naturellement, comme ma mère est malade, elle vit chez moi. Donc, en fait, c'est moi que cet imbécile d'Hayden vole! J'ai prévenu sa mère une bonne centaine de fois! La prochaine fois qu'il le fait, j'appelle la sécurité sans attendre!

— Il n'a pas honte? s'empressa de commenter Fay.

— Je ne crois pas. Il faut dire que ses parents ne lui offrent pas toute l'attention qu'il devrait avoir. Sa mère est une nymphe d'une incroyable beauté. Pendant qu'elle court dans les rues pour charmer les hommes de passage, le père d'Hayden est dans un bar et se saoule. Mais il paraît qu'il est sobre depuis deux semaines. J'ignore si c'est vrai. Je me demande si tous les satyres ont un penchant pour l'alcool.

— La plupart, malheureusement, dit Alan. C'était pareil à Londres, ne vous en faites pas. Je crois qu'au fil du temps, leur sang s'est habitué à l'alcool et qu'ils ne peuvent plus…

— Peu importe, l'interrompit Fay, il faut absolument donner une correction aux Infensus, ce soir. Les Servators doivent gagner pour se tailler une place une fois pour toutes!

— LYNN?! cria une voix dans la cuisine. Elle disparaît toujours, celle-là! LYNN GRAVEL?!

Comme si elle avait reçu une décharge électrique, Lynn se leva et courut dans la cuisine en offrant un faible au revoir au trio. Fay paraissait heureuse d'avoir rencontré une personne qui partageait la même opinion qu'elle sur Hayden.

— Vous voyez? dit-elle, le regard victorieux. Hayden cause du mal autour de lui.

— Ou c'est le mal qui a causé Hayden, se moqua Alan.

— Ne fais pas le malin, il n'a aucune excuse.

Tout en sirotant sa boisson, Alan murmura :

— L'un n'empêche pas l'autre.

Ils retournèrent à Magistra et, au grand désarroi des deux jeunes hommes, l'après-midi passa plus vite que prévu...

Le match devait débuter à 17 h, ce qui laissait une heure à l'équipe des Servators pour manger et se préparer. Seth sentait le stress monter en lui et il avait envie de vomir. Avant aujourd'hui, il n'avait jamais joué dans une quelconque équipe. Il avait toujours été un spectateur. Aujourd'hui, tout allait être différent. Au lieu de crier des commentaires aux joueurs, ce serait lui qui se ferait hurler dessus, et peut-être même huer.

— Tout va bien se passer, répéta pour la millième fois Annie Stanton quand tous les joueurs furent dans le vestiaire, n'arrivant tout de même pas à dissimuler l'inquiétude dans sa voix. Nous allons gagner, je le sens. Pas vrai, capitaine ?

— Quoi ? Oh ! Euh... oui, bien sûr ! L'équipe des Infensus n'est pas si bonne que cela.

Seth n'eut pas le courage de croiser le regard d'Alan. Tous deux devaient penser la même chose : leur victoire était impossible ; les Infensus étaient beaucoup trop forts.

— Ils ont peut-être des gars musclés, dit soudainement Jilian, mais aucun d'eux n'a de cerveau. En revanche, nous, nous avons une stratégie.

Tous approuvèrent sans ouvrir la bouche. Ils partageaient tous la même crainte : ils avaient peur de vomir s'ils ouvraient la bouche pour parler des Infensus. Cette équipe devait avoir des centaines de supporteurs. De plus, Seth avait appris durant l'après-midi que les Infensus avaient remporté, trois années d'affilée, le titre de la meilleure équipe de Capture l'Humain.

Ils n'avaient perdu aucun match. *Aucun*! Avec une sueur froide, Seth comprit que rien n'allait changer ce soir.

— Nous avons tout de même un bon avantage, fit Dave. Ils croient que nous sommes les pires joueurs au monde. Ils ne s'attendront pas à notre méthode de jeu. Ce simple détail peut nous valoir la victoire.

Dave touchait un point sensible : les Servators étaient l'équipe inconnue parmi toutes. Elle avait même failli ne pas être créée si Alan et Seth n'avaient pas voulu jouer — ou si Fay ne les avait pas forcés à s'inscrire.

Ils arrivèrent avec 30 minutes d'avance sur le terrain. Les Infensus étaient là également. Chaque équipe placée aux extrémités du terrain discutait de stratégie, et les coéquipiers se remontaient le moral mutuellement. Bientôt, tout serait fini; voilà le seul point positif que Seth trouvait à cette situation assez fâcheuse.

Il entendit un brouhaha derrière lui. Des gens montaient dans les estrades. Enfants, parents, amis prenaient place pour voir le match. Les mains moites, le cœur battant la chamade, Seth déglutit avec difficulté.

Quand tout le monde fut installé — il semblait que toute la population de Monstrum était présente —, Craig Wilson s'avança au milieu du terrain avec un porte-voix en métal à l'ancienne. Il leva une main pour imposer le silence.

— Bienvenue, tout le monde, dit-il, sa voix projetée par le porte-voix. Bienvenue pour cette nouvelle saison de Capture l'Humain. Aujourd'hui, les Infensus rencontrent les Servators.

» Cette année encore, nous aurons droit à des affrontements sans merci entre des équipes dont l'unique but est de remporter le championnat!

Il y eut un tonnerre d'applaudissements et de sifflements dans les estrades. Wilson attendit que le silence revienne avant de continuer.

— Depuis trois ans, nous avons la même équipe victorieuse : les Infensus. Ils n'ont perdu aucun match !

D'autres applaudissements se firent entendre, mais beaucoup moins nombreux. Seth étudia la foule et constata que moins de la moitié supportait les Infensus. La preuve que les gens voulaient voir une nouvelle équipe gagner, cette année.

— Quant aux Servators, continua Wilson une fois le calme revenu, il s'agit du tout premier match pour chacun de ses joueurs. Toutefois, ils seront peut-être les prochains champions de Capture l'Humain !

Une salve d'applaudissements suivit les propos de Wilson, et Seth se sentit encore plus mal à l'aise. Tant de gens les supportaient… Ils allaient tous les décevoir, malheureusement.

Craig s'éloigna du terrain et prit place dans les gradins. Le robot-humain s'avança au milieu du terrain, et les joueurs prirent leur position, comme prévu lors de la planification de leur stratégie. Seth croisa les doigts pour que tout se passe bien et se termine au plus vite.

— Que le match COMMENCE ! tonna Wilson dans son porte-voix.

Les Infensus sautèrent d'un coup vers le robot-humain pour lui faire peur. Même Seth eut la frousse et ne fut pas étonné de voir Barney courir vers leur but. Quand il fut assez prêt, Annie sauta du haut de la grotte et hurla à pleins poumons. Barney sursauta et fit volte-face.

Seth et Dave se remirent des cris des Infensus et prirent place au milieu du terrain. Alan et Jilian devaient leur envoyer Barney… C'était à eux de marquer !

Alan réussit à orienter Barney vers ses coéquipiers. Un joueur de l'équipe adverse vint s'interposer et, raclant le sol en hurlant comme un loup, fit détaler Barney dans la direction opposée. Il lança un regard vers Seth avant de courir vers le robot-humain.

Dave et Seth restèrent plantés là, comme deux imbéciles, pendant qu'Alan et Jilian couraient comme des poules pas de tête, cherchant désespérément à faire peur à Barney. Ne supportant plus de voir un tel spectacle, Dave ordonna à Seth de rester là pendant qu'il irait aider les autres.

L'aide de Dave fut une bénédiction. Après 10 bonnes minutes, Barney prit les devants du troupeau et se dirigea droit vers Seth qui le laissa passer avant de courir à sa suite. Barney, le regard fou, se dirigeait vers le but des Infensus sans rencontrer aucun obstacle. Jusqu'à ce que…

— Tu crois que je vais te laisser gagner ? lança une voix, à côté de Seth.

Hayden courait à la même hauteur que le jeune homme.

— Tu ne me laisseras pas gagner, fit Seth ; je vais gagner de façon loyale !

Hayden prit son élan et se positionna devant son but, prêt à arrêter Barney. Il afficha un air détendu pour faire croire à Seth qu'il avait la situation en main, mais…

Seth cria comme il n'avait jamais crié. Barney sauta pardessus Hayden et atterrit dans la grotte. La foule hurla de joie, et Hayden, le regard stupéfait, n'arriva pas à bouger pendant un moment, regardant sans réellement comprendre le corps de Barney allongé dans son but.

— HAYDEN ! railla un membre de l'équipe Infensus. Tu devais protéger le but !

Un à zéro en faveur des Servators. La première équipe qui marquait trois points gagnait. Seth croyait qu'une partie se jouait en 5 minutes, mais un regard vers sa montre lui apprit que cette manche-ci avait pris 15 minutes.

Barney retourna au milieu du terrain. Tout le monde se mit en position. Il y eut un coup de sifflet, et le match reprit. Étonnamment, les Infensus ne se dirigèrent pas vers Barney, mais vers les Servators. Hayden fonça tête baissée vers Seth. Au dernier moment, Seth posa ses mains sur les épaules d'Hayden, sauta par-dessus lui et courut vers Barney. Lâchant des aboiements comme un chien prêt à dévorer une proie, Seth fit déguerpir le robot-humain qui, une fois de plus, entra dans la grotte.

Cette manche-là ne dura pas plus de deux minutes. Seth, fier de lui, leva les poings au ciel sous les cris de joie de la foule. Hayden lui lança un regard noir, mais Seth s'en moquait. Le bonheur qui s'était installé en lui jaillissait comme une flamme impossible à éteindre. Elle brûlerait éternellement.

C'était maintenant deux à zéro. Il ne manquait plus qu'un point.

Comme Seth s'y attendait, la tactique des Infensus changea encore. Quand la troisième manche commença, Hayden se précipita vers ses buts, deux joueurs se chargèrent de faire peur à Barney tandis que les deux autres s'occupaient des joueurs des Servators.

L'Infensus s'approcha de Seth. Ce dernier voulut éviter les joueurs adverses, mais n'y parvint pas. Le poing qu'il reçut dans l'estomac lui coupa nettement le souffle. À genoux, Seth ne parvenait plus à bouger. Il entendit les cris rageurs de la foule, mêlés aux cris de joie des supporteurs des Infensus. Les larmes aux yeux, Seth entendit un coup de sifflet.

— Pas de violence ! hurla la voix de Wilson. On reprend la manche !

Barney fut de retour au milieu du terrain. Seth se leva péniblement. La tactique des Infensus avait porté ses fruits : Seth et Dave étaient hors d'état de jouer. Chacun d'eux avait reçu un énorme coup au ventre et n'arrivait plus à jouer. Toutefois, ils décidèrent de rester quand même pour ne pas abandonner leurs coéquipiers. Seth fit un geste rapide à Alan et Jilian qui acquiescèrent sans hésiter.

Quand le match reprit, Seth et Dave aidèrent Annie à garder le but tandis qu'Alan et Jilian foncèrent au front. Ce qui se passa par la suite était prévisible : les Infensus percèrent la défensive des Servators et, en moins de temps qu'il en faut pour le dire, ils marquèrent leur premier point.

Deux à un.

La quatrième manche fut identique. Toutefois, Alan réussit à faire dévier Barney dans la section forêt du terrain, mais Hayden l'en fit sortir assez vite et il marqua le deuxième but de son équipe.

Égalité.

Tout se jouerait dans la prochaine et dernière manche.

Les Infensus, tout comme les Servators, demandèrent un temps d'arrêt. Ils se réunirent en cercle, chaque équipe devant son but.

— Comment allez-vous ? s'empressa de demander Alan à Seth et Dave.

— J'ai encore extrêmement mal, avoua Dave, une main sur le ventre.

— La douleur passe, pour moi, dit Seth.

Il ne sentait presque plus rien et savait qu'il pouvait jouer à nouveau.

— D'accord. Peux-tu retourner au front ?

— Non, j'ai une meilleure idée. Alan, quand tu iras devant, assure-toi que le robot-humain entre dans la forêt.

— Quoi ?

— Assure-toi que…

— Non, j'avais compris. Mais pourquoi ?

— Tu verras.

Barney fut à nouveau replacé au milieu du terrain, les joueurs prirent position, et la dernière manche commença.

Seth se remit devant le but et, au moment où personne ne le regardait, en profita pour courir et aller se cacher dans la forêt. Il s'approcha d'Alan qui avait pris les devants. Tout se déroulait comme prévu.

Barney entra dans la forêt, et Seth passa aussitôt à l'action. Se rappelant la peur qu'il avait éprouvée la nuit où il avait rencontré les centaures, il opta pour la même tactique qu'eux : faire du bruit sans être repéré. Ainsi, l'imagination prenait le dessus, et tout devenait encore plus effrayant.

Seth racla le sol, gratta sur les arbres, rugit comme un lion, et Barney courait sans reprendre son souffle. Du coin de l'œil, Seth vit Hayden courir vers son but. Il avait compris la tactique du jeune garçon. Ou du moins, une partie…

Seth fut bientôt vis-à-vis du but, mais poursuivit un peu sa course. Il le dépassa et sortit de la forêt sans que personne ne le remarque. Lorsqu'il cria de toutes ses forces pour faire peur à Barney, alors qu'ils étaient derrière la grotte, tout le monde comprit ce qui allait se passer, mais il était trop tard pour intervenir.

Barney monta sur le but et sauta en avant. Hayden, ne voulant pas toucher le robot-humain puisque les règlements l'interdisaient, sauta sur le côté pour éviter que Barney tombe sur lui. Une fois par terre, le robot-humain alla se réfugier dans la grotte.

Trois à deux.

Les Servators venaient de gagner. Les Infensus goûtaient à leur première défaite en trois ans.

Les hurlements résonnèrent sur le terrain. Les clameurs des supporteurs des Servators écrasèrent les plaintes des admirateurs des Infensus. Craig Wilson s'avança vers le centre du terrain avec son porte-voix.

— LES SERVATORS GAGNENT !

Ce fut comme un rêve pour Seth. Tous quittèrent les gradins pour courir vers le terrain et féliciter les joueurs. Seth en eut mal aux oreilles lorsque tout le monde s'exclama :

— Servators ! Servators ! Servators !

Alan se faisait bousculer par tout le monde. Ils étaient une vraie légende ; ceux qui avaient enfin interrompu la série de victoires des Infensus.

Chaque joueur fut monté sur les épaules des admirateurs, et ils furent conduits au Terrain Pavé, là où une fête débuta en leur honneur. Étrangement, Seth vit tous ses professeurs, Alicia, Gary et Wilson prendre part à la fête, le visage rayonnant.

Le message

Seth aurait bien aimé aller se coucher, mais tout le monde voulait absolument voir et toucher celui qui avait compté les trois buts. Le joueur étoile des Servators.

— Je n'aurais rien pu faire sans mes coéquipiers, répéta pour la énième fois Seth. Ils comptent pour beaucoup.

Personne ne voulait entendre cette version des faits. Même les coéquipiers de Seth affirmaient que leur victoire avait été assurée grâce à lui.

Quand Seth regarda sa montre et qu'il vit qu'il était minuit, il s'inquiéta. Il y avait de l'école demain, et personne ne semblait sur le point de se mettre au lit. Même les professeurs fêtaient encore.

Alors que Seth décida de demander à Wilson s'il ne serait pas plus sage de mettre un terme à la fête, et surtout parce qu'il était fatigué d'être traité comme le héros du jour, une silhouette se dressa devant lui. Hayden, les bras croisés, toisait Seth durement.

— Félicitations, murmura Hayden.

Sa voix vibrait de sarcasme et de mépris.

— Merci, fit tout de même Seth, décidant de jouer l'imbécile. Félicitations à toi aussi.

— Pourquoi des félicitations ? Nous avons perdu.

— Vous avez bien joué…

Hayden agrippa l'épaule de Seth et le rapprocha de son visage.

— Écoute-moi bien, petit minable, menaça Hayden, les dents serrées. Tu t'aventures sur un terrain dangereux. Les Infensus n'ont jamais connu la défaite depuis leur création il y a trois ans ; ce n'est pas aujourd'hui que…

— Tiens, tiens, interrompit une voix derrière les garçons qui sursautèrent. Tout se passe bien ?

Wilson regardait Hayden, s'attendant à ce que le garçon avoue lui-même qu'il tentait d'intimider Seth, ce qu'il ne fit pas, évidemment.

— Oui, tout se passe bien. N'est-ce pas, Seth ?

— À merveille, ironisa Seth.

— Je voulais simplement féliciter Seth pour son beau travail. Faut dire que peu de gens auraient joué comme lui, ce soir.

— Il est vrai que tu as très bien joué, Seth.

— Merci, monsieur Wilson.

— Je dois tout de même préciser, continua le Gardien du Sanctuaire, que je ne tolérerai aucune forme d'intimidation sur ma propriété. Capture l'Humain est un simple jeu, et aucune vie n'en dépend. Peu importe le gagnant et le perdant, tout doit se faire dans la joie. Compris ? ajouta-t-il en fixant intensément Hayden.

— Oui, s'empressa de répondre le jeune homme. Tout à fait.

La peur se lisait sur le visage d'Hayden, et Seth comprit alors ce que Fay voulait dire lorsqu'elle affirmait qu'Hayden jouait un rôle. Elle n'avait peut-être pas tort, finalement. Devant Wilson, la plus grande figure d'autorité de tout Monstrum, il devenait un enfant docile et très calme.

Avant que le Gardien n'ait pu ouvrir la bouche, Hayden s'enfuit et alla rejoindre ses amis qui se tenaient à l'écart de la fête.

— Monsieur Wilson, dit Seth, il se fait tard, et il y a l'école demain. Je me demandais si…

— Il n'y a pas d'école demain, Seth. Le lendemain d'un match est un jour de congé, voyons. Sinon, cette fête ne serait pas organisée.

Seth hocha la tête, et la joie d'avoir un congé s'empara de lui.

— Mais pourquoi avoir organisé cette fête? demanda-t-il avec étonnement.

— N'as-tu pas entendu ce que j'ai dit à Hayden Heyman? Cette fête est censée rappeler à tout le monde que Capture l'Humain n'est qu'un simple jeu. Lorsqu'on se retrouve tous ici, c'est pour s'amuser et fêter la victoire de ses amis. Pas pour préparer un mauvais coup.

— D'accord, monsieur.

Wilson passa une main dans ses cheveux et posa son autre main sur l'épaule de Seth. Le garçon ne broncha pas, le regard rivé sur le Gardien.

— Seth, je dois absolument te parler de quelque chose.

D'un geste presque paternel, Wilson poussa Seth, et ils quittèrent le Terrain Pavé. Craig amena Seth dans une petite allée où ils furent seuls, loin des oreilles indiscrètes. Le son de la fête était désormais lointain.

— Seth, je dois absolument insister sur un point en particulier. Est-ce qu'il s'est passé quelque chose d'étrange durant tes vacances?

— Vous voulez dire à part entendre des animaux parler?

Wilson éclata de rire malgré lui.

— C'est ça. À part entendre des animaux parler.

— Non, monsieur. Il ne s'est rien passé de bizarre.

Contre toute attente, Wilson ajouta :

— Pas même lors de ton voyage à Cuba ?

Immédiatement, Seth repensa à Fabrice et à la soi-disant morsure. Voilà ce dont voulait parler Wilson, il en était sûr. Toutefois, Fabrice ne l'avait pas vraiment mordu, Seth le savait. Il y avait eu plus de peur que de mal. C'est pourquoi Seth déclara :

— Non, monsieur. J'ai été malade et j'ai dû demeurer à l'hôtel toute la semaine. Mis à part cela, tout s'est déroulé normalement.

L'air assuré qu'affichait Wilson disparut soudain pour faire place à de l'incompréhension. Il pressa l'arête de son nez avec son pouce et son index, et Seth vit l'ombre d'un singe se refléter sur son visage humain.

— Seth, reprit Wilson, des choses assez étranges sont en train de se produire.

— Vous parlez de cette femme à l'aéroport, c'est ça ? s'exclama Seth, se rappelant tout à coup cette histoire. Celle qui est morte sans que personne ne comprenne pourquoi.

— Oui, je parle de ça, avoua Wilson. Et de bien d'autres choses. Écoute, cette femme n'était que la première victime d'une série de meurtres, Seth. Trois autres personnes ont été tuées ! Et la dernière se trouvait près d'ici, tu comprends ? Selon moi, la cible principale de ce meurtrier est…

— Moi ?

Wilson ouvrit grand les yeux et regarda Seth, ahuri. Finalement, il se rattrapa.

— La cible principale de ce meurtrier est Monstrum.

— Pourquoi suis-je impliqué dans cette histoire, monsieur ?

— Je l'ignore, Seth.

Une voix, tout au fond de Seth, le suppliait d'avouer tout à Wilson. Une autre, beaucoup plus proche du cerveau, murmurait qu'il ne fallait rien dire ; si justement Fabrice ne l'avait pas mordu et qu'il avait tout imaginé, Wilson le prendrait peut-être pour un fou.

Fabrice !

Ce devait être lui le meurtrier ! Et, si la théorie de Seth se tenait, Fabrice voulait le tuer pour s'être rendu sur son territoire. Mais Ryan n'avait-il pas dit qu'il n'y avait plus de territoire, justement ? Non, Fabrice ne pouvait pas être le meurtrier, il était à Cuba…

Mais l'avion était parti de Cuba ! Il avait été intercepté à mi-chemin, et l'homme avait disparu…

Seth ouvrit la bouche pour tout avouer, lorsqu'un détail s'infiltra dans son esprit : Fabrice était un sans-abri ; il n'aurait jamais pu se payer un billet d'avion. Même si dans le journal il était clairement dit que l'homme n'avait pas de billet, Seth ne savait pas quoi en penser. Fabrice n'aurait pas pu faire tout le trajet sans que personne ne s'aperçoive qu'il n'aurait pas dû être là, non ? Que faisait la sécurité, alors ? En conséquence, pour que son affirmation paraisse naturelle, Seth dit :

— Je vous jure qu'il ne s'est rien passé d'étrange, monsieur Wilson.

En fait, Seth avait un plan : avant de paraître fou devant qui que ce soit, il avait décidé d'enquêter pour savoir comment Fabrice aurait pu entrer dans l'avion. Si jamais il apprenait qu'il avait réussi, il irait tout dire à Wilson ; il se le jura. Mais pas avant d'obtenir une preuve concrète.

Craig Wilson ne sembla pas croire au mensonge de Seth.

— C'est très important de…

— Monsieur Wilson, faites-moi confiance. Si jamais un détail me revient, je courrai vous mettre au courant. Pour l'instant, rien ne me vient.

Craig hocha la tête.

— D'accord. Merci pour ta compréhension, Seth.

Il tourna les talons et partit en lançant :

— Encore toutes mes félicitations pour ta victoire.

Seth retourna au Terrain Pavé. Il devait absolument voir Alan et Fay pour les mettre au courant. Il les trouva, assis sur un banc, regardant des fêtards danser.

— Venez, leur dit Seth.

— Pourquoi ? On s'amuse...

Mais Seth n'était pas d'humeur à entendre des protestations. Il prit Alan par le bras et le tira. Le garçon décida enfin de suivre son ami pendant que Fay se hâtait derrière eux.

Ils entrèrent dans l'auberge et gagnèrent rapidement la chambre de Seth. Ce dernier claqua la porte derrière lui.

— Je dois absolument vous raconter quelque chose...

Sans perdre un instant, Seth les mit au courant de toute l'histoire de la femme à l'aéroport, de ce que le meurtrier avait fait par la suite. Il n'oublia pas de mentionner que Wilson croyait qu'il avait un rôle à jouer dans tout cela.

— Pourquoi pense-t-il cela ? s'inquiéta Fay, le visage blafard.

— Je n'en sais rien, mentit Seth.

Seul Alan ne semblait pas étonné de toute cette affaire. Quand Fay lui fit remarquer, il répondit :

— Il fallait bien s'en douter. Seth est connu partout dans le monde ! Il est le Monstre qui n'est pas un Monstre. Il est une légende. Personne ne comprend pourquoi il a été désigné comme étant un des nôtres. Pas étonnant que certaines personnes, effrayées sans doute, tentent de l'assassiner. Ce doit être pour cela qu'ils te poursuivent, Seth.

Seth acquiesça. Oui, la théorie d'Alan se tenait beaucoup plus que la sienne. Effectivement, il était une légende urbaine; même Craig lui en avait parlé.

— Tout de même, fit Fay, l'air de plus en plus déprimé. Seth, tu devrais être prudent. Si un tueur tente de pénétrer Monstrum…

— Impossible, s'objecta Seth. Avec Gurt et les gargouilles. De plus, Wilson m'a dit personnellement qu'il y avait une grande clôture invisible tout autour du Sanctuaire. Il est impossible pour quiconque de sortir ou d'entrer, à moins de passer par l'arche. Et Gurt va sentir la personne à des lieues à la ronde, j'en suis sûr.

Mais Fay n'était pas convaincue.

— Seth, je ne veux pas mettre en doute ta théorie ou ce que Wilson t'a confié, mais écoute-moi…

— Fay, coupa Seth, sais-tu quelle est la définition de Sanctuaire? C'est un lieu *inviolable*. Si l'assassin m'en veut vraiment personnellement, il devra me faire sortir d'ici.

Fay poussa un petit cri d'horreur et se laissa tomber sur le lit.

— Qu'y a-t-il? s'empressa de demander Seth.

— Te faire sortir d'ici… Bien sûr! Le Transfert de l'an prochain! C'est certain qu'il s'attend à ce que tu…

— Ne saute pas trop vite aux conclusions, s'il te plaît, intervint Alan. Tu crois réellement qu'un assassin prendrait le temps de penser à sa vie parascolaire pour élaborer un plan?

— Justement, oui!

— Tu lis un peu trop, Fay. Calme-toi.

Cependant, Fay avait semé le doute en Seth. Et si elle avait raison? S'il y avait quelqu'un qui tirait les ficelles quelque part et qui avait organisé tout cela?

Non! Seth chassa très vite cette hypothèse saugrenue. Tous ceux qui se trouvaient à Monstrum étaient ses amis. Il ne pouvait pas imaginer une trahison.

— Tout d'abord, reprit Alan, qu'est-ce qui prouve que ce... meurtrier en veut à ta vie?

— Rien.

— Voilà! On s'inquiète sûrement pour rien. Et si le Conseil des Sanctuaires entre là-dedans, je peux vous assurer qu'ils arrêteront ce minable avant la fin de l'année scolaire.

Par ces simples paroles, Seth sentit une énorme pression s'envoler de ses épaules. Alan avait probablement raison. Wilson n'avait émis qu'une hypothèse lui aussi. Personne ne pouvait réellement savoir ce qui se passait, à moins d'être impliqué d'une quelconque façon...

Quand Alan et Fay quittèrent la chambre, Seth décida de se coucher. Il avait eu assez de sensations fortes aujourd'hui. Pour s'endormir, il se remémora le match et ses meilleurs moments. Cela lui prit du temps, mais il finit par trouver le sommeil.

Le lendemain, Seth se réveilla vers midi avec un énorme mal de tête. Fay et Alan lui proposèrent d'aller à la bibliothèque pour faire leurs devoirs, et Seth fut enchanté par l'idée. L'auberge n'était pas vraiment l'endroit le plus paisible pour travailler.

Dehors, Seth vit Hayden, appuyé à la façade d'un magasin. Réprimant une envie de rire, il raconta à ses amis ce qu'Hayden avait fait et comment Wilson l'avait surpris. Le visage de Fay rayonnait de joie quand Seth termina son récit.

— Ça lui apprendra! Lui qui aime tant intimider!

— Tu as sans doute raison, approuva Alan, mais il trouvera sûrement un mauvais coup à faire avant la Fête d'Halloween. Ou encore pendant les festivités.

— La Fête d'Halloween ? s'étonna Seth.

— Oui, la Fête d'Halloween. Tu n'as pas écouté ce que Daphné a dit en cours ? Le soir du 31 octobre, il y aura une grande fête pour souligner l'Halloween. Tous les Humains se déguiseront en Monstres sans savoir que de *vrais* Monstres fêtent.

— En se déguisant en Humains ?

— Pas du tout, voyons ! Tu crois qu'on a envie d'avoir l'air d'un vieil oncle qui boit et sent l'alcool à plein nez ?

Seth et Fay s'esclaffèrent. Ils durent se forcer pour arrêter de rire lorsqu'ils arrivèrent à la bibliothèque.

La salle était magnifique. Tous les murs étaient blancs, et des étagères s'élevaient jusqu'au plafond, qui se terminait par un grand dôme de verre. La bâtisse devait comporter au moins trois étages et comptait des centaines d'escaliers. Au rez-de-chaussée, une trentaine de tables attendaient d'être utilisées, tandis qu'une cinquantaine étaient déjà occupées.

Le trio s'installa confortablement à une table, et chacun commença à faire ses devoirs. Seth avait opté pour entamer celui de Monstrubilus. C'est-à-dire : lire un texte en latin et en faire un court résumé. Bien sûr, Triade ne s'attendait pas à ce que les élèves comprennent un traître mot de ce texte, mais elle voulait qu'ils essaient. Sa devise était devenue : « Essayer est la clé du succès. » Seth commençait à penser qu'elle n'avait pas tort.

Après avoir rédigé un résumé (il affirmait que le texte parlait d'une découverte scientifique qui avait changé l'histoire du monde entier, même s'il n'avait rien compris du tout), Seth passa à son devoir d'Histoire des Monstres. Josh Dehin leur avait distribué un questionnaire au dernier cours, et ils devaient le remplir du mieux qu'ils le pouvaient. Ce questionnaire avait pour but de les préparer à l'examen qui approchait à grands pas.

Seth répondit aux 30 premières questions sur 47. Toutes s'avérèrent faciles. Sauf qu'à partir de la 31ᵉ, le questionnaire se compliquait un peu…

31) En quelle année fut fondé le Conseil des Sanctuaires, par qui, et précisez la raison de la fondation ?

— Avez-vous répondu à la question 31 ?

— Non, répondirent en chœur les deux autres.

— Y êtes-vous rendus ?

— Oui.

— Je ne me rappelle pas qu'il en ait parlé.

Ils se turent, le temps que la bibliothécaire passe derrière eux, et reprirent leur discussion à voix basse.

— Moi non plus, avoua Fay. Regardez les autres questions… Elles correspondent toutes à des notions que nous n'avons pas encore vues. Devons-nous attendre ?

— Non, dit Alan. Je crois que le but de Dehin est de nous apprendre à faire de la déduction. Avec tout ce qu'il nous a appris, il est facile de déduire les réponses.

— Tu arrives à déduire une année, toi ? lança Seth.

— Bien sûr ! Josh nous a dit que Monstrum a été créé en 477 avant Jésus-Christ. Nous avons également appris que Monstrum a été le premier Sanctuaire à être créé. Nous savons donc que la création du Conseil remonte plus loin dans le temps.

» Si je me souviens bien, il a commencé à nous parler des Actes du Conseils en 466, toujours avant Jésus-Christ. Il a même dit que le Conseil avait pris trois ans avant d'agir. Ce qui veut dire…

— Ce qui veut dire ?

— Que le Conseil des Monstres fut créé en 469 avant Jésus-Christ.

Fay et Seth étaient bouche bée. Alan leur fit signe de noter.

— Et le fondateur? demanda Fay.

— Je ne crois pas qu'il y en ait eu juste un, pas vous? Pour faire une aussi grande association, il a fallu l'accord de tous les Sanctuaires et des Réserves. Vous souvenez-vous? Je dirais donc que le fondateur est... la communauté des Monstres!

Seth et Fay prirent la réponse en note pendant qu'Alan continua.

— Pour ce qui est de la raison de la fondation, c'est assez simple : beaucoup de Monstres vivaient difficilement. Ils ont donc créé le Conseil pour améliorer la vie des Monstres en général.

Pendant que les amis répondaient aux questions, la bibliothécaire rôdait de plus en plus derrière eux, et Seth la soupçonna de les avoir entendus parler.

Ils terminèrent leurs devoirs et retournèrent à l'auberge en riant. Maintenant qu'ils avaient pu retirer cette tâche de leur agenda, ils avaient le reste de la journée libre pour faire ce qu'ils voulaient. Seth et Alan décidèrent de rassembler leur équipe de Capture l'Humain et d'aller pratiquer. Décidément, les jeunes garçons adoraient ce sport.

*

Alan avait eu raison sur toute la ligne! Toutes ses suppositions pour répondre aux questions s'étaient avérées exactes. Seth n'en revenait pas. Il écoutait attentivement monsieur Dehin qui leur expliquait en détail ce qu'Alan avait résumé.

— As-tu lu quelque chose qui t'expliquait tout? demanda Seth à la fin du cours.

— Non, j'ai déduit. Tu as entendu ce que Dehin a dit? C'est ce qu'il fallait faire. Ne te plains surtout pas si tu as eu tout bon!

— Qu'importe, argumenta Fay, on dirait que tu en sais beaucoup sur l'Histoire.

Alan soupira.

— Effectivement, j'en sais beaucoup. Mes parents m'ont souvent raconté des histoires en y insérant des faits réels.

— Tes parents te racontaient des histoires avec des faits réels de Monstrum alors que vous viviez à Londres?

Alan hocha positivement la tête.

— Tu oublies que je suis natif d'ici, Fay. Mes parents ne voulaient surtout pas que je ne sache rien sur mon pays d'origine.

Ils marchèrent ainsi paisiblement dans le corridor, en route pour leur cours de Carrière, quand ils se firent bloquer le passage par trois brutes, dont Hayden.

— Vous croyiez pouvoir vous en tirer comme ça? ricana Hayden.

— Il semblerait que non, ironisa Fay. Mais il faut dire qu'il est facile de te battre. Surtout à Capture l'Humain.

Le visage d'Hayden se colora d'un rouge éclatant. Seth sentait sa pression monter et il était sûr qu'Hayden allait bientôt exploser.

— Vous n'auriez jamais dû nous battre!

— Que comptes-tu faire, Hayden? lança nonchalamment Fay, les poings sur les hanches. Il y a des professeurs qui peuvent t'entendre. Tu ne voudrais pas qu'ils sachent que *monsieur H* a été méchant avec les gagnants de Capture l'Humain.

— Tais-toi, chuchota Seth.

Hayden regarda derrière lui. Ce que Fay venait de lui dire avait eu l'effet escompté. Il avait trop peur de se faire prendre pour tenter quelque chose.

— Je vous aurai, la prochaine fois !

Puis, avec un mouvement pour ses acolytes, il déguerpit. Alan se moqua de la situation tandis que Seth n'en revenait toujours pas.

— Tu as un don, Fay, dit Alan, alors qu'ils entraient dans le cours de Carrière.

— On n'appelle pas ça un don, Alan. On dit simplement : la vérité. C'est ce que j'ai fait ; je lui ai exposé des faits, et il n'a pas aimé ça.

— Sauf que nous n'avons pas fini avec lui.

— Sans doute. Toutefois, tant que nous pensons plus vite que lui, nous sommes saufs…

Ils durent mettre fin à leur conversation, car le cours commençait.

*

La Fête d'Halloween. Tout le monde était surexcité. Pourtant, il restait une semaine à attendre. Par les rumeurs qui couraient dans toute l'école, Seth comprit que les précédentes fêtes avaient toutes marqué la mémoire des habitants du Sanctuaire. On racontait même qu'une année, un loup-garou en cage avait donné tout un spectacle. Il avait tenté de dévorer tous ceux qui s'étaient approchés un peu trop de sa cage. Par chance, cette année, l'Halloween ne coïncidait pas avec une journée de pleine lune.

Seth se demanda quel costume il allait choisir pour la fête. Alan se moqua de lui quand Seth lui demanda ce qu'il allait porter.

— Voyons, Seth, nous sommes des *Monstres*! Tu crois qu'on a besoin de déguisement?

Seth se sentit rougir. Évidemment, pour les Monstres, le déguisement n'était pas nécessaire, mais pour lui, le Monstre qui n'en est pas un, était-il mieux de porter un déguisement?

— Dis-toi que tu es déguisé en Humain, proposa Fay, plus compatissant qu'Alan.

— Ce n'est pas très original…

— Je t'échange ton apparence normale contre mes ailes quand tu veux, lança-t-elle froidement.

— Non…, je ne voulais pas…

— Laisse tomber. Tu ignores simplement la chance que tu as d'être normal.

— Tu as sans doute raison. Sauf que parfois j'aimerais être… comme tout le monde, voilà tout!

Cette phrase fut aussi étrange à dire qu'à entendre pour Seth. Fay et Alan le regardèrent, incrédules. Seth croisa les bras. C'était donc ça dire la vérité?

Avant, dans le monde des Humains, c'était l'inverse : tout le monde voulait être comme Seth. Venant d'une famille excessivement riche, Seth avait de quoi faire baver d'envie chaque camarade de classe. Arrivé dans ce monde de Monstres, Seth avait vite compris ce que les autres ressentaient : de l'envie. Lui qui se sentait comme un monstre avant parce qu'il était riche et que personne ne l'aimait pour ce qu'il était (à l'exception de sa famille, de Joanne et de Tommy), vivait le même sentiment, mais pour une raison totalement différente : il se sentait comme un monstre parce qu'il n'était pas un Monstre. Une chose que même le plus sensé des hommes ne pouvait pas comprendre.

— Je serai comme toi, finit par dire Alan, pour faire tomber la pression. Je suis juste un métamorphe qui ne contrôle pas ses pouvoirs, après tout. J'ai toujours mon apparence humaine.

Seth hocha négligemment la tête. Alan ne comprenait pas. Lui, au moins, était une personne comme les autres au Sanctuaire. Les gens le regardaient et savaient ce qu'il *était*. Quand les personnes regardaient Seth, elles voyaient qu'il n'était *rien*. Seth ne s'était jamais senti autant sali.

— Mais tu es l'un des nôtres, dit Fay. Tu es un Monstre. L'ennui, c'est que…

— … je n'ai pas de caractéristique, je sais, merci !

— Attendez-moi.

Fay quitta l'auberge, laissant les deux garçons seuls avec leurs pensées solitaires. Quelques minutes plus tard, Fay regagna la chambre de Seth.

— Alors ? Qu'étais-tu parti faire ?

— Rien de très important. Mais vous le saurez bien avant longtemps.

*

Le grand soir était arrivé. Tous les Monstres étaient rassemblés au Terrain Pavé pour fêter l'Halloween. Tous à l'exception de Seth, Alan et Fay, qui étaient encore à l'auberge. Seth ne savait plus s'il voulait y participer.

— Allez, Seth, supplia Fay. On va s'amuser, je te le garantis !

— Aurais-tu peur de voir Hayden ?

— Pas du tout, se défendit Seth. De toute manière, avec toutes les figures autoritaires qui seront là-bas, il ne tentera rien.

Seth y réfléchit encore un moment. Il finit par accepter de s'y rendre pour faire taire Fay, qui n'aurait sans doute pas quitté la chambre de Seth de la nuit pour lui faire regretter son erreur.

Le Terrain Pavé était méconnaissable. Des guirlandes noires et orange reliaient les magasins. Des citrouilles entouraient le Terrain. Il y avait des squelettes dansant dans un coin, et des musiciens interprétaient une musique atroce pour les oreilles sur un podium monté spécialement pour la fête. Une grande table offrait un choix varié de mets pour alimenter la soirée. Et tous utilisaient des mots des plus dégoûtants.

— Tu veux un bon verre de pus, Seth ? demanda Alan avec dédain. Ou alors de l'urine de chameau ?

— Non, je vais plutôt prendre du sang de criquet.

Comme il s'y attendait, le sang de criquet, d'une couleur mauve, était du jus de raisins. Toutefois, certains plats ne semblaient pas avoir un nom étrange pour rien.

Seth réussi à s'amuser un peu, mais le sentiment d'être à part s'empara de lui malgré tout. Il voyait tout le monde exhiber son anomalie devant tout le monde, l'air joyeux. Il aurait aimé cela, lui aussi, lever fièrement un troisième bras, ou faire cligner un troisième œil, ou étirer ses bras pour atteindre l'épaule d'une personne et la faire sursauter. Mais il n'avait pas cette chance.

Alan et Fay dansèrent ensemble devant les squelettes. Seth se surprit à penser qu'ils feraient un joli couple, et ses entrailles se nouèrent. Ensuite, une idée traversa son esprit. Si Fay et Alan étaient occupés à danser, ils ne le voyaient pas. Il pouvait donc partir...

Ce qu'il fit sans plus attendre ! En moins de 10 minutes, il fut de retour dans sa chambre, se mit en pyjama et sauta dans son lit. Et, s'ils venaient le réveiller, tant pis. Il dirait qu'il avait mangé quelque chose qui l'avait fait vomir. Avec tout ce qu'il y avait sur la table, son histoire serait cohérente.

Le bruit de la fête était si fort que Seth avait l'impression d'y être encore. Il ferma tout de même les yeux, espérant trouver le sommeil au plus vite pour faire passer cette fête idiote… Puis les sons disparurent un moment avant de revenir, plus estompés. Comme si Seth les entendait de loin, maintenant…

Il marchait dans la forêt, le cœur battant d'excitation. Il sentait que sa proie était tout près, désormais. Il était sûr qu'il lui restait moins d'un kilomètre à parcourir avant de pouvoir enfin enfoncer ses crocs dans le coup du petit scélérat.

Seth entendait de la musique. Une fête ? Sûrement. En cette nuit d'Halloween, les Monstres ne se reposaient pas.

Tant pis, il agirait devant tout le monde. Tout devait se faire ce soir. Sinon, il devrait attendre à la mi-avril. Et le temps de se réveiller complètement de son hibernation pourrait être plus long que prévu…

Avant d'aller plus loin, Seth sortit une bouteille, contenant un liquide verdâtre, du sac qu'il avait réussi à extraire de sa valise avant de quitter l'avion à toute vitesse. Il l'ouvrit et vida le contenu sur ses vêtements sales. Cette potion camouflerait son odeur au cas où…

Un craquement sinistre se fit entendre non loin de lui. Peut-être un écureuil. S'il en avait l'occasion, il pourrait le manger comme dessert après le garçon.

Suivant son instinct, il s'approcha en direction de la fête. Un tout petit point de lumière se dessina au travers des branches, très vite obstruées par la sombre silhouette d'un chien.

— Qui va là ? demanda le chien.

La voix aurait pu se confondre avec un grognement.

Seth décida de ne pas répondre et fit un pas en avant. Cette fois-ci, le chien grogna réellement, et des crocs blancs étincelants apparurent dans la noirceur de la nuit.

— Oh, s'exclama Seth, mais il sait jouer le chien-chien.

Gurt bondit sur Seth, qui esquiva son adversaire avec une habileté incroyable. Le chien, loin de renoncer, reprit son attaque, mais

Seth l'attrapa par le cou d'une main, et tint son museau fermement de l'autre, pour s'assurer que Gurt ne tente pas de le mordre.

— Ne te mêle pas de ça, sale chien ! Sinon, je serai obligé de te tuer également.

Gurt se débattit, et Seth n'eut pas d'autre choix. Il lâcha le museau du chien et, d'un coup de griffe, assaillit l'animal.

Seth se réveilla en sursaut à cause de la plainte de l'animal. Elle ne venait pas de sa tête, loin de là, mais de dehors. Gurt était vraiment en train de se faire attaquer ! Et c'était Seth qui était l'agresseur.

La musique cessa, et on entendit un autre cri abominable. Des bruits de pas tout près de l'auberge mirent Seth en alerte. Ils allaient sauver Gurt. Ils sauraient que Seth l'avait…

Non, c'était impossible ! Si Gurt avait été blessé une deuxième fois… Seth était dans sa chambre, pas dans la forêt entourant le Sanctuaire. Il devait encore être en train de rêver.

Seth s'assit sur son lit. Il était en sueur. Son bras lui démangeait légèrement. Quelques minutes plus tard, Seth entendit des personnes passer au pas de course à côté de l'auberge. Il n'osa pas regarder par la fenêtre pour voir de qui il s'agissait, ni pourquoi ils étaient pressés.

Seth se coucha à nouveau sur son lit. Ses mains tremblaient. Qu'avait-il fait ? Pourquoi avait-il vu tout cela ? Il était sûr que tout était réel. Tout comme son dernier rêve avec le sans-abri et l'inconnu… Le meurtrier…

Sauf que, cette fois, c'était Seth le meurtrier. Il en était sûr, il était l'homme qui lui avait paru familier. Mais pourquoi avait-il participé à la scène au lieu d'en être témoin comme la dernière fois ?

Quelqu'un marcha dans le corridor menant aux chambres. Seth se leva, le cœur battant. La porte de sa chambre s'ouvrit doucement, et Alicia entra. Elle regarda longuement Seth avant de lui dire.

— Viens avec moi.

Ça y était, ils savaient tout ! Seth suivit Alicia sans protester, la tête basse. Qu'allait-il lui arriver ? Allaient-ils l'expulser de Monstrum ? Non, c'était impossible ; il ne pouvait pas quitter le Sanctuaire avant d'avoir complété ses cinq ans d'étude. À moins qu'il n'existe des procédures, que Seth ignorait, pour les étudiants qui commettaient des atrocités comme il venait de le faire.

Les mains moites et le cœur battant la chamade, Seth prit en note qu'Alicia, silencieuse comme une feuille de papier, l'amenait à Magistra.

Il n'y avait aucun vent, les branches des arbres étaient immobiles. Tout, jusqu'à l'air, semblait retenir son souffle.

Ils passèrent les portes, et Seth ne put s'empêcher de penser que c'était la dernière fois qu'il en franchissait le seuil. Une fois sorti, il n'allait sûrement plus remettre les pieds entre ces murs.

Ils empruntèrent une dizaine d'escaliers, montant et descendant à chaque fois, pour finalement se retrouver devant une porte de bois que Seth n'avait jamais aperçue auparavant. Dessus, en lettres majuscules et noires, Seth lisait : «SALLE DES PROFESSEURS». Alicia ouvrit la porte et le laissa entrer.

Il y avait une grande table ronde en chêne. Sur le mur du fond, il devait y avoir une quinzaine de bibliothèques. Alicia en choisit une et tira sur un livre. Comme dans un film policier, la bibliothèque à la droite d'Alicia s'ouvrit vers l'intérieur, comme une porte, et donna accès à un escalier de pierre très étroit.

— Vas-y, dit Alicia. Ils t'attendent en bas.

— C'est...

— En bas ? Le bureau du directeur.

Seth n'osa pas croiser le regard d'Alicia lorsqu'il franchit le seuil du passage secret. Seth avait si peu d'espace pour placer ses pieds qu'il craignait de tomber à chaque fois qu'il en mettait un devant l'autre. Il descendit ainsi le long escalier, qui devait comporter au minimum une centaine de marches.

Tout en bas, il y avait une porte de métal. Seth cogna trois petits coups. La porte s'ouvrit d'elle-même, et Seth entra dans la pièce.

Il s'agissait d'une grande pièce circulaire avec beaucoup de meubles et modestement décorée. Au bout, il y avait un bureau. Assis derrière, un peu plus grand que d'habitude grâce à la magie des miroirs, Gary toisait Seth. À ses côtés, Seth vit Wilson et il sentit son sang se glacer. Il allait être expulsé, il en était convaincu.

— Assis-toi, ordonna Gary.

Seth alla s'asseoir sur le fauteuil qui faisait face au bureau. Malgré toute la peur qui l'envahissait, Seth nota que sa chaise était très confortable.

— Seth, commença Wilson, nous sommes désolés de t'avoir fait déplacer si tard ce soir...

— *Tu* es désolé, Craig ! Moi, je ne le suis pas !

Wilson lança un regard à Gary qui s'affaissa dans son propre siège, laissant Wilson exposer les faits à Seth.

— Nous sommes donc désolés de te déranger si tard le soir, mais la situation ne nous permet pas d'attendre à demain. Sinon, tout le monde sera au courant, d'une manière ou d'une autre...

— Ils le seront tout de même ! Des nouvelles comme celle-là se propagent à la vitesse d'un feu de poudre !

— GARY ! Cesse un peu tes idioties !

— Désolé, mais je m'inquiète de la sécurité...

— Nous nous inquiétons tous de la sécurité des habitants de Monstrum, tête de linotte! Mais dois-je te rappeler que c'est la tête de Seth qui est en danger?

Seth perdit ses dernières traces de couleurs. Premièrement, il n'avait jamais vu Wilson perdre son calme, et il n'aimait pas cela. Deuxièmement, il venait clairement d'apprendre que sa vie était en danger.

— Seth, reprit Wilson, alors qu'il se tournait vers Seth pour ne plus voir l'expression désobligeante de Gary, cette nuit, une chose atroce s'est produite...

Seth s'essuya les mains sur son pantalon.

— Notre chien de garde, Gurt, a été gravement blessé. Par chance, il s'en remettra. Il est présentement à l'hôpital où on le soigne.

L'hôpital, songea Seth; les animaux ne vont-ils pas chez le vétérinaire? Comprenant que, dans le monde des Monstres, les hôpitaux étaient l'équivalent des cliniques vétérinaires, il n'adressa pas sa question au Gardien.

— Je dois te poser la même question que la dernière fois, Seth : Est-ce qu'il s'est passé quelque chose d'étrange au cours de tes vacances?

— Je... Non, monsieur.

— En es-tu sûr?

Gary se pencha sur son bureau. Seth sentit le feu monter à ses oreilles.

Il s'apprêta enfin à tout révéler à Wilson et Gary quand le sentiment d'être à part des autres refit surface. S'il pouvait garder ce secret pour lui-même, il ne serait plus à part; il aurait sa petite particularité à lui!

— J'en suis sûr, monsieur. Comme je vous l'ai dit, si un détail me revient, je vous préviens aussitôt.

Wilson et Gary parurent déçus de sa réponse. Seth leur demanda alors :

— Pourquoi l'attaque de Gurt a-t-elle un lien avec moi, messieurs ?

Le directeur et le Gardien échangèrent un regard. Wilson hocha la tête, et Gary expliqua :

— Car l'assaillant a laissé un message. Maintenant, Seth, si tu ne vois pas d'inconvénient, nous te demandons de retourner au lit. Nous devons terminer quelques petits arrangements dans le but de rehausser la sécurité du Sanctuaire. Sans Gurt, c'est difficile…

Seth se leva et, sur le seuil de la porte, fit face aux deux hommes qui le regardaient toujours.

— Puis-je savoir ce que disait le message ?

Il y eut un silence. Enfin, Wilson parla.

— Sur un arbre, il était écrit : « Seth Langlois, tu seras le prochain à mourir. »

Seth dut paraître horrifié malgré sa volonté de ne montrer aucune émotion, car Wilson ajouta :

— N'aie pas peur, tu es en sécurité pour un bon moment.

Pachyderme

—**Q**uoi ?!

Alan et Fay avaient écouté attentivement le récit de Seth, qui leur avait rapporté dans les moindres détails ce qui s'était passé, à l'exception de son rêve qu'il préféra garder secret.

— Tu plaisantes, j'espère ? s'inquiéta Fay.

— Pas du tout. Le message disait bel et bien : « Seth Langlois, tu seras le prochain à mourir. » Tu crois que ça m'amuse ?

— Bien sûr que non ! Oh, Seth, tu devras redoubler de prudence. Si jamais ce tueur entre dans Monstrum…

— Redoubler de prudence ? M'as-tu déjà vu faire quelque chose d'irréfléchi, Fay ? Je te rappelle que c'est toi qui nous pousse, Alan et moi, à faire des choses comme s'inscrire à Capture l'Humain.

Fay ouvrit la bouche, mais aucun son n'en sortit. Elle était bouche bée. Ses yeux se remplirent de larmes, et les remords s'emparèrent de Seth.

— Non… je suis désolé ! Je ne voulais pas t'accuser, bien au contraire.

— Laisse tomber, fit Alan, passant sa main dans le dos de Fay.

— Je n'ai jamais voulu qu'il t'arrive quelque chose comme cela, Seth, se défendit Fay. Je t'assure que...

— Écoute, interrompit Seth, notre inscription à Capture l'Humain n'y est pour rien. Je vous répète que Wilson et Gary soupçonnent depuis un moment qu'un tueur est à mes trousses. Seulement maintenant, je crois qu'ils ont raison.

Le 1er novembre était pluvieux. C'était un samedi, donc pas d'école. Seth, Alan et Fay s'étaient réunis dans un restaurant pour discuter de ce qui s'était passé la veille.

— Et Gurt ? demanda enfin Alan.

— Ils m'ont dit qu'il allait s'en sortir.

— Vous croyez qu'on devrait aller le voir ?

— Ne fais pas l'idiote ! Tu crois qu'un chien de garde accepterait la visite de jeunes comme nous ?

— Alan a raison, Fay. Laissons-le tranquille.

Fay essuya les dernières traces de larmes sur son visage et prit son sac qu'elle avait apporté avec elle. Avec un bruit sourd, elle le laissa tomber sur la table et en sortit un gros livre ancien qu'elle s'empressa d'ouvrir.

— Changeons de sujet. Te souviens-tu, Seth, lorsque tu as dit vouloir être comme tout le monde ? Et qu'ensuite je suis partie sans vous expliquer mon idée ?

— Oui, je m'en souviens.

— Moi aussi !

— Eh bien, je suis allée à la bibliothèque et j'ai trouvé ce volume.

Elle désigna la couverture, et Seth lut le titre : *Les anomalies possibles chez les Monstres et comment être rassuré.*

— Tu as trouvé quelque chose à propos de mon cas ?

— Malheureusement, non. Tu es le premier Monstre à n'avoir aucune caractéristique. Je veux dire par là que le Monstre-ô-mètre n'arrive pas à détecter quel type de Monstre tu es. Cependant, il y a des centaines de cas similaires.

» Par exemple, il y a eu le jeune Timmy Turcotte. Le Monstre-ô-mètre l'avait détecté et classé comme étant un satyre. L'ennui était qu'il n'avait rien d'un satyre, et qu'un tel type de Monstre ne peut pas se développer d'un coup! Croyez-le ou non, il a passé cinq mois à Monstrum avec son allure d'humain avant que ses jambes deviennent extrêmement poilues. Ses pieds se sont transformés en sabots lentement et douloureusement. Ils appellent ces cas des Monstres-en-Retard. Il y en a même un devant toi, Seth : Alan. Il est considéré comme un Monstre-en-Retard, puisqu'il ne contrôle pas son pouvoir de métamorphe, et il a le physique d'un Humain.

— Je serais donc un Monstre-en-Retard moi aussi?

— Non, c'est plus complexe, j'en ai bien peur. Comme tu n'as aucune caractéristique, tu es un Monstre sans en être un; il n'y a pas de meilleure formulation. Comme je t'ai dit, on n'en parle pas dans mon livre puisque ce n'était jamais arrivé jusqu'à maintenant. Toutefois, tu peux te développer une anomalie un jour. Peut-être cette semaine, qui sait?

Seth fut touché de voir tout l'effort que Fay avait mis dans cette recherche. Elle voulait vraiment que Seth se sente comme tout le monde et qu'il trouve sa place à Monstrum.

— Tu n'as rien d'anormal, Seth. Tu es même le seul être normal à Monstrum.

— Sans vouloir tout détruire, intervint Alan, la norme établie à Monstrum est que tout le monde est un Monstre. En fait, Seth est l'anormalité du Sanctuaire.

— Voilà! se réjouit Fay. Tu es donc un Monstre qui ne suit pas la norme.

Seth éclata de rire. Il ne pouvait pas voir de meilleurs amis en ce monde que Fay et Alan. Ceux-là ne se chicanaient pas comme Joanne et Tommy le faisaient. Seth se demanda s'ils étaient encore amis depuis son départ.

Le simple fait que Fay ait mis tant de cœur dans ce travail remonta le moral de Seth à un point tel qu'il finit par réellement se sentir comme tout le monde. En fait, comme un Monstre. Même à l'école, ses amis virent un changement d'attitude par rapport aux cours, et il devenait toujours de mieux en mieux à Capture l'Humain.

Vers la mi-novembre, Seth eut enfin la chance de *regarder* un match de Capture l'Humain. Les Tiros, une équipe composée entièrement de recrues comme les Servators, contre les Meritorius, une équipe regroupant de très bons joueurs qui n'avaient jamais réussi à battre les Infensus. N'ayant aucun parti pris, Seth essaya d'imaginer l'issue du match, ce qui ne fut pas très difficile : les Meritorius remportèrent le match trois à un.

Mais la sensation d'être dans les estrades était pour Seth une sorte de délivrance et d'apprentissage; il n'avait pas à penser à quoi que ce soit d'autre, à part le match, et il analysait les équipes pour remarquer leurs points faibles.

Quand la partie fut terminée, Alan, Seth et Fay repartirent, heureux d'avoir eu une aussi belle soirée. Même si le match fut bref (environ une quarantaine de minutes), ils en avaient profité au maximum.

— Vous êtes les prochains à jouer? voulut s'avoir Fay.

— Non, dit Alan. Il reste deux autres équipes avant; les Cruentus et les Pacificus.

Fay hocha la tête. Seth savait qu'elle attendait avec impatience le moment où Hayden vivrait un autre échec, mais elle devait patienter. Les Infensus rencontreraient les Tiros après que les Servators auraient joué contre les Meritorius.

La fête qui s'ensuivit fut pareille à celle en l'honneur des Servators. Seth, sans l'effet euphorique de la victoire, remarqua que ce n'était pas une grande fête du tout. Il y avait de la musique et quelques mets à manger ainsi qu'une grande variété de boissons. Rien d'aussi extravagant que dans ses souvenirs, trafiqués par l'excès de joie qu'il vivait à ce moment-là.

Quand les cours reprirent, Seth dut faire face à une réalité : il était très doué en Fuite et en Histoire des Monstres. Il n'y avait aucun doute là-dessus. Depuis qu'Alan leur avait dit qu'il fallait déduire les réponses, Seth n'arrêtait pas de le faire. Résultat : il avait les meilleures notes et passait tous ses examens haut la main.

La fin de novembre arriva, apportant une vague d'air froid. Il était de plus en plus courant de voir des Monstres se promener avec une veste ou, tout simplement, avec leur allure de Monstre s'ils avaient de la fourrure.

Seth, Alan et Fay découvrirent un parc camouflé derrière quelques arbres, près de la bibliothèque. Ils y allèrent presque chaque soir après leurs devoirs, s'ils en avaient l'occasion.

— Est-ce que les Monstres fêtent Noël ? s'enquit Seth, un soir en se balançant.

— Oui, répondit Alan, mais c'est moins grandiose que l'Halloween. Les Monstres s'associent davantage à une fête d'horreur tandis que les Humains s'identifient à une fête de joie et d'harmonie.

— Ce ne sont pas *tous* les Humains qui aiment Noël, s'objecta Fay. Ma cousine Valérie, par exemple. Elle déteste Noël car, justement, elle trouve cela trop joyeux et même stéréotypé.

— Moi, j'adore Noël, avoua Seth. C'est ma fête préférée.

— Pareil pour moi.

— Moi aussi! Je ne pourrais pas vivre sans Noël! Vous savez, le Père Noël est comme un frère pour moi.

Seth et Fay rirent de bon cœur, et ils décidèrent de rentrer car il faisait de plus en plus frais.

Malgré le froid, l'approche de Noël, quoiqu'encore lointain, réchauffa le cœur des Monstres. Certes, il n'y aurait pas de fête comme celle de l'Halloween, mais Seth entendit dire qu'il y aurait une petite soirée conviviale dans le spacieux hall d'entrée de Magistra.

Mais le mois de novembre n'apporta pas que le bonheur de Noël; il apporta aussi le troisième match de Capture l'Humain, opposant les Cruentus et les Pacificus. Cette fois-ci, Seth avait un parti pris. Il votait pour les Pacificus. Les Cruentus paraissaient prêts à tout pour gagner tandis que les Pacificus étaient là pour s'amuser. Seth ne fut pas déçu de l'issue du combat : les Pacificus remportèrent le match, mais de justesse.

À Magistra, les professeurs donnaient de plus en plus de devoirs, tellement qu'Alan, Seth et Fay décidèrent d'abandonner leur soirée dans le parc. L'approche des examens d'avant Noël préoccupait la plupart des étudiants, mais surtout ceux de première année. Des dizaines de rumeurs, comme quoi ces examens étaient atroces, se répandirent dans toute l'école. Seth, ayant appris à en prendre et à en laisser, décida de n'en croire aucune. Seul son jugement personnel compterait à la fin. Néanmoins, certains élèves de première année se retrouvèrent à l'hôpital à cause du stress provoqué par les rumeurs.

Chaque fois que Seth croisait Gary ou Wilson, ils lui lançaient un regard complice, s'attendant peut-être à voir Seth s'exclamer :

— Ah oui! Je me souviens, maintenant!

Sauf que cette situation n'arriva pas. Seth était déterminé plus que jamais à garder son secret pour lui seul. Après tout, il était un *Monstre*; ne devait-il pas agir de la sorte?

Au fond de lui, il savait que c'était égoïste. Peut-être que son récit pourrait lui sauver la vie, mais Wilson lui avait dit qu'il était en sécurité pour *un bon moment*. Combien de temps ce serait? Seth n'en avait pas la moindre idée. Mais il savait pertinemment qu'il pouvait se fier sur Wilson. Et s'il disait qu'il n'y avait pas de danger imminent, pourquoi se créer des peurs inutiles?

Fay et Alan ne parlaient plus de la soirée d'Halloween en face de Seth, mais ce dernier savait très bien que le sujet était toujours au bout de leurs lèvres. Même si lui aussi aimerait en parler, il gardait le silence. Peut-être était-ce devenu un sujet tabou?

Pour ce qui était de la sécurité de l'école, vers la mi-novembre, deux gargouilles ailées supplémentaires firent leur arrivée à Monstrum. Jours et nuits, elles parcouraient de long en large les limites du Sanctuaire et servaient de gardiennes.

— C'est quand même rassurant, non? se réjouit Alan en regardant les gargouilles reprendre leur poste.

— Un peu, fit Fay. Malheureusement, ce n'est pas la protection que nous avions auparavant. Un chien comme Gurt est un meilleur gardien, car il est partout en même temps. Ces gargouilles-là doivent voler ou marcher pour se rendre quelque part. Et seulement deux pour un aussi vaste territoire…

Ce sujet n'inquiéta pas seulement le trio. Beaucoup de Monstres en parlaient ouvertement, laissant très bien comprendre qu'ils voulaient voir Gurt revenir au plus vite. Seulement, Gurt n'était pas en mesure de garder le terrain avant longtemps.

L'état du chien de garde s'était détérioré. Les médecins avaient découvert un liquide toxique dans les griffes de la bête qui l'avait attaqué. Wilson s'était emparé d'un échantillon du liquide pour l'analyser et pour savoir de quel type de créature il s'agissait. Il devrait attendre longtemps avant d'avoir une réponse certaine. La bonne nouvelle était que la vie de Gurt n'était pas menacée. Si tout allait bien, il pourrait retourner à son travail en juin ou juillet prochain ; le temps d'une réhabilitation complète et d'un nouvel entraînement.

Le soir, Seth éprouvait de la difficulté à s'endormir. Il avait toujours peur de retourner dans le corps de l'inconnu, ou de voir la scène de l'extérieur comme la première fois, et d'attaquer quelqu'un d'autre. S'il devait s'en prendre à un de ses amis…

La peur rongeait de plus en plus Seth, et l'envie de tout dévoiler à Wilson devenait de plus en plus grande. Par contre, le simple fait d'être différent des autres et le sentiment de leur ressembler en gardant le secret forçaient son silence.

Les premiers flocons de neige arrivèrent au début du mois de décembre. L'auberge avait même été décorée pour Noël, et Seth avait participé à la décoration. Dans sa propre chambre, Seth avait installé un sapin de Noël ; pour lui, un Noël sans sapin n'en était pas un.

Le 7 décembre, Seth termina l'achat de ses cadeaux de Noël et s'empressa de les emballer pour aller les déposer sous son sapin. Alan et Fay furent à la fois gênés et heureux de constater que Seth leur avait offert un cadeau.

— En as-tu fait pour tes parents ? demanda Fay, les joues toutes rouges.

— Je n'ai pas pu, avoua Seth, avec une pointe de regret. Les choses que l'on achète ici ne sont pas exactement comme celles du monde des Humains. Et mes parents ne sont au courant de rien. Pour eux, je suis un humain normal qui étudie dans une Académie. Je ne voudrais pas qu'ils se mettent à avoir des soupçons.

Fay hocha la tête et lui assura qu'elle comprenait. Mais elle, elle pouvait envoyer un cadeau à sa mère puisqu'elle était au courant : Wilson lui avait dit la vérité et, de toute manière, elle avait vu les ailes de Fay.

Le soir même, Seth téléphona à ses parents, qui furent heureux d'entendre sa voix. Le cœur lourd, Seth leur raconta qu'il ne pouvait pas leur acheter de cadeau parce qu'il ne pouvait pas sortir de l'Académie.

— Tu n'as pas besoin de nous acheter de cadeau, mon cœur, dit Kim. Nous, nous voulions t'en acheter un, mais nous ne savons pas où l'expédier.

Seth leur assura aussitôt qu'il n'avait besoin d'aucun cadeau lui non plus. La discussion s'orienta vers des sujets divers avant que Seth ne raccroche.

La véritable raison qui faisait en sorte que Seth ne voulait pas de cadeau de ses parents était simple : les connaissant, Seth savait qu'ils lui enverraient quelque chose qui aurait coûté excessivement cher et il ne voulait pas revivre l'enfer qu'il avait vécu précédemment, c'est-à-dire être aimé pour son argent. Il préférait que le monde le voie comme le Monstre qui n'en est pas un.

À cause de la neige, il était désormais difficile de jouer à Capture l'Humain et de pratiquer. C'est pourquoi Alan dut réserver le gymnase de l'école pour continuer ses entraînements qui avaient toujours lieu le vendredi soir.

Fay passait de plus en plus de temps à la bibliothèque. Maintenant qu'elle avait trouvé des informations sur les différentes catégories de Monstres, elle en cherchait sur son propre type. Ce fut le 11 décembre qu'elle trouva le bon livre.

— J'ai trouvé! s'exclama-t-elle, alors qu'Alan et Seth se livraient une partie d'échecs à l'auberge.

Fay s'installa confortablement dans sa chaise et se mit à lire :

— « Certains Monstres ont comme caractéristique d'avoir de petites ailes transparentes dans le dos. Nous les appelons les Fées. Depuis que le monde est monde, les Fées servent le côté de la Lumière et sont de nature très généreuse, excepté Ouaganda qui, malheureusement, préféra le côté des Ténèbres.

» Les Fées adorent vivre entourées d'amis et, dès qu'elles trouvent l'âme sœur, elles le savent immédiatement. Le seul ennui avec ce type de Monstre est leur caractère un peu désagréable. Si, par malheur, vous mettez en colère une Fée, elle pourrait s'acharner sur vous jusqu'à ce qu'elle-même décide d'arrêter, ce qui peut être long.

» Les ailes des Fées se développent vers l'âge de 16 ans. Cependant, elles ne peuvent être utilisées avant un bout de temps qui ne peut être déterminé puisqu'il varie selon la personne. »

» Et ça continue sur une dizaine de pages !

Le regard rayonnant, Fay retourna à sa lecture en silence. Seth ne comprenait pas pourquoi elle ne voulait pas directement en parler avec Alicia puisque la secrétaire de Magistra était elle aussi une Fée.

*

La soirée de Noël était prévue, comme tout le monde s'en doutait, pour le 25 décembre. Seth, Alan et Fay décidèrent de se faire eux-mêmes une fête le 24 au soir pour célébrer la veille de Noël. C'était là qu'ils se donneraient leurs cadeaux, car à la soirée officielle, il y aurait trop de monde.

Ainsi, le 24 décembre au soir, tous se réunirent dans la chambre de Seth. Le jeune garçon avait préparé la pièce pour l'événement. Il s'était déniché quelques guirlandes pour accrocher au plafond, un train électrique faisait le tour de la pièce en passant sous le lit et la commode, et le sapin éclairait de mille feux.

— C'est joli, complimenta Fay en faisant le tour de la chambre avant d'arriver devant une petite table.

Sur celle-ci, il y avait des tartelettes, du jus, des chocolats, du café, des croustilles, des petits bonbons et une bûche de Noël. Bien entendu, il y avait aussi des verres et des assiettes en plastique.

Dans un autre coin, sur une table de chevet, une radio laissait entendre des chansons de Noël qui resteraient dans la tête de Seth pour encore une semaine.

— Je croyais qu'il n'y avait pas de technologie de la sorte à Monstrum, fit savoir Fay. Les ondes du Monstre-ô-mètre ne la brouillent pas?

— Non puisqu'elle n'émet pas de zone à proprement parler. En plus, elle fonctionne avec des piles.

Seth se souvenait exactement de la journée où il était allé voir Wilson pour lui demander s'il y avait des radios à Monstrum. Ce dernier devait s'attendre à ce que le jeune homme lui dise qu'il se souvenait de quelque chose, car son visage s'était affaissé lorsque Seth lui avait posé sa question. Tout de même, il avait prêté des disques de Noël à Seth.

Il n'était pas dans la chambre depuis deux minutes qu'Alan se dirigea déjà vers le buffet improvisé.

— Où as-tu déniché tout ça ? demanda-t-il.

— C'est facile ! Il suffit de demander à la bonne personne.

— C'est-à-dire ?

— Yvon, voyons ! C'est lui qui m'a fourni tout cela gratuitement. Il est peut-être vieux, mais il est très généreux.

— Insinues-tu que les vieilles personnes ne sont pas généreuses ?

— Non ! s'empressa de répondre Seth. Pas du tout ! C'est juste que...

— Attention !

Fay poussa doucement Seth qui avait un pied sur le petit rail alors que le train s'approchait. Seth l'évita de justesse et il esquiva également la question embarrassante d'Alan.

— Comment avez-vous trouvé les examens ?

Visiblement, Fay s'était retenue longtemps avant de poser cette question.

— Moi, je les ai trouvés faciles, ajouta-t-elle. Quoique celui de Science de la Magie m'ait causé problème. À la question du fonctionnement du Monstre-ô-mètre, vous avez répondu quoi ? Moi, j'ai dit que le Monstre-ô-mètre détectait les Monstres et...

— Ils étaient faciles, coupa Alan. Arrête d'en parler, s'il te plaît. Nous sommes en vacances !

— Et c'est l'heure des cadeaux ! dit Seth en se laissant tomber devant son sapin.

Il prit un cadeau et lut l'étiquette :

— « À Alan, de Seth ». J'espère que tu vas l'aimer.

Alan se dépêcha d'ouvrir son paquet et en sortit tout un équipement de jambières, genouillères et coudières.

— C'est pour Capture l'Humain, expliqua Seth. Je me suis dit que tu en aurais besoin.

Alan fixait le cadeau, émerveillé.

— Merci, Seth, murmura-t-il, enfin.

Seth prit un deuxième paquet et le tendit à Fay en disant simplement :

— De moi.

Plus délicatement qu'Alan, Fay déballa le cadeau et sortit une belle chaîne en argent.

— Oh, Seth ! Merci !

Sans ménagement, elle sauta au cou de Seth et le remercia des centaines de fois.

Seth reçut de nouvelles chaussures de la part d'Alan — pour qu'il puisse courir encore plus vite au cours de Fuite —, et Fay lui donna un livre complet sur l'Histoire des Monstres.

— J'ai cru que tu aimerais ça, marmonna Fay.

Seth lui sauta au cou de la même manière qu'elle l'avait fait pour lui, et Alan se roula par terre tellement il riait.

— Merci, Fay ! J'adore l'Histoire des Monstres !

C'était un fait. Cette matière était vite devenue la préférée de Seth, et il adorait aller aux cours de Josh Dehin. Ce livre lui permettrait d'en savoir plus avant les autres.

Ils continuèrent à rire et à s'amuser une bonne partie de la soirée, et Fay leva un verre de jus et déclara fièrement :

— Un toast aux Servators qui vont très vite donner une bonne leçon à Hayden Heyman !

— Aux Servators, répétèrent les garçons en chœur.

Seth engloutit son verre de jus et se leva pour en prendre un deuxième. La lumière que projetait sa fenêtre sur l'extérieur lui permit de voir une personne dehors, seule, sur un banc en face de l'auberge. Quand la personne tourna la tête pour regarder il-ne-savait-quoi, Seth ne pouvait pas se tromper sur son identité.

— Attendez-moi ici, ordonna-t-il à ses deux amis.

— Où veut-il qu'on aille ? rétorqua Alan pendant que Seth quittait la chambre.

Au pas de course, Seth descendit les escaliers, sortit de l'auberge et aperçut assez vite la silhouette sur le banc. Quand le garçon vit Seth, il se leva et s'apprêta à partir.

— Attends, Pachyderme !

Le garçon à la trompe d'éléphant ne bougea plus. Il toisait Seth, sans trop savoir quoi faire. Dans son regard, il était facile de lire qu'il était déchiré entre deux actions : fuir ou écouter Seth. Heureusement, il opta pour la deuxième.

— Oui, Seth ?

Une fois à côté de lui, Seth s'assit sur le banc et fit signe à Pachyderme de s'y rasseoir. Ce dernier obéit sans poser de question.

— Je voulais te souhaiter une joyeuse veille de Noël, si cela est possible.

Pachyderme fut ému un moment.

— Ça va ?

— Oui, dit l'homme-éléphant. C'est juste que...

— Que quoi ?

— On ne m'avait jamais souhaité « joyeuse quelque chose » auparavant.

Seth sentit sa gorge se serrer. Dès qu'il avait vu Pachyderme, il avait deviné qu'il n'avait pas d'amis.

— Joyeuse veille de Noël à toi aussi.

— Pachyderme, je voulais savoir... tu sais, l'autre fois à la cafétéria, le premier jour de classe...

Pachyderme l'interrompit.

— Tu veux savoir pourquoi je ne t'ai pas laissé mettre Hayden dans l'embarras ? L'empêcher d'affronter ses actes ? Je croyais que c'était simple, pourtant. Je ne voulais pas que tu sois dans une situation délicate, Seth. Si jamais Hayden avait été dans la purée, à cause de toi, il ne te l'aurait jamais pardonné. Crois-moi, tu n'aimerais pas cela.

Seth fut étonné de la réponse. Il s'attendait à tout sauf à cela.

— Tu as donc été puni pour moi ?

— Puni ? Qui te dit que j'ai été puni ? Non, Seth, Craig Wilson a passé l'éponge. Il me connaît bien et connaissait ma mère.

Devant le regard intrigué de Seth, qui avait remarqué l'usage du passé, Pachyderme continua :

— Ma mère est morte lorsque j'avais sept ans. Je vis maintenant seul dans la maison, car mon père était un Humain, et je ne l'ai jamais rencontré. Une chance que Wilson a un grand cœur : je n'ai pas de loyer à payer. Bah, comme toi avec ta chambre d'auberge. Magistra me donne de l'argent pour subvenir à mes besoins. Et, entre nous, ils nous donnent plus d'argent qu'il n'en faut, non ?

Seth sourit. En effet, Magistra donnait beaucoup d'argent aux nouveaux. Avaient-ils peur qu'ils en manquent ? Peut-être. Mais Seth en doutait. Il avait encore beaucoup de Mons inutilisés.

Pachyderme se leva et se frotta les mains sur les cuisses. Seth l'imita et resserra son chandail autour de lui. L'air froid d'hiver devenait de moins en moins soutenable.

— Je vais y aller. Je dois…

— Veux-tu venir à ma petite soirée pour fêter la veille de Noël ?

La question avait franchi les lèvres de Seth avant même qu'il n'y ait pensé.

— Quoi ?

— Veux-tu venir à ma petite soirée pour fêter la veille de Noël, Pachyderme ?

Seth jura voir une larme couler sur la joue frigorifiée et rouge de l'homme-éléphant.

— Oui, je veux bien. Merci !

— Il n'y a pas de quoi.

— J'aurais juste une petite demande. Appelle-moi simplement Pachy, tu veux bien ? Pachyderme, je trouve ça trop long.

— D'accord, *Pachy.*

Ensemble, ils rentrèrent à l'auberge, et Pachyderme prit part à la petite soirée. Au début, Seth eut peur qu'Alan et Fay passent leurs petits commentaires. Au contraire, ils furent heureux de voir Pachyderme prendre part aux festivités et ils l'invitèrent même à venir avec eux à la soirée du lendemain. Pachyderme accepta avec joie.

Le lendemain, un sentiment de joie planait sur Monstrum. Tous se promenaient dans les rues en souhaitant joyeux Noël à tout le monde, ami ou inconnu.

Seth, Alan et Fay passèrent toute la matinée à l'auberge, s'imaginant la soirée qui les attendait. Après un moment, la porte de l'auberge s'ouvrit très doucement, et Pachy entra. Il alla rejoindre ses nouveaux amis.

— Est-ce que ça vous dérange si…

— Ne fais pas l'idiot, ricana Fay, tout en désignant la chaise à sa droite.

Pachy s'assit et s'intégra à la conversation. Malgré sa trompe d'éléphant, il était tout ce qu'il y avait de plus normal. Au fur et à mesure que l'échange avançait, Seth comprit que Pachy était un garçon très intelligent et qu'un bel avenir s'offrait à lui s'il continuait sur sa voie ; il lui suffisait juste de saisir sa chance.

Après le dîner, les quatre amis quittèrent l'auberge et allèrent faire une bataille de boules de neige à l'extérieur. Seth n'avait jamais vu Pachy aussi heureux. Même les passants le pointaient du doigt en lui souhaitant un joyeux Noël.

Le soir arriva plus vite que prévu, et ils se préparèrent en vitesse. Seth s'habilla avec style, tout comme les autres garçons. Fay, de son côté, opta pour une robe rouge et verte avec une ligne blanche au centre.

— Alicia te l'a prêtée? fit Alan.

— Non. En fait, je l'ai faite moi-même.

Seth en fut bouche bée.

— Tu as… Quand?

— Oh… ça m'a pris deux semaines. Et avec l'école, j'avais encore moins le temps de… Bref, on va chercher Pachy?

Ils n'eurent pas à aller le chercher chez lui, car lorsqu'ils ouvrirent la porte de l'auberge, ils l'aperçurent, se dirigeant vers l'établissement.

Le hall de Magistra avait été décoré. Une centaine de tables rondes étaient éparpillées un peu partout tandis qu'il y en avait une tout au fond, qui offrait un magnifique buffet.

— Viens, Pachy, dit Alan, tirant l'homme-éléphant vers le buffet.

— Il ne pense qu'avec son ventre, commenta Fay, sur les talons des deux garçons.

Seth aurait bien aimé la suivre, mais une main se referma sur son épaule et le força à se retourner. Au début, Seth croyait qu'il s'agissait de Wilson, mais il avait tort.

— J'aimerais te dire un mot, murmura Alicia, entraînant Seth dans un coin du hall.

La Fée portait une longue robe rouge et des boucles d'oreilles vertes. Elle invita Seth à s'asseoir à une table, ce qu'il fit sans rouspéter.

Alicia alla chercher quelque chose à boire pour elle et pour Seth. Ce dernier, qui avait soif, ne refusa pas le verre de whisky qu'elle lui présenta.

— Comme tu as 17 ans, je crois que tu as le droit.

Seth prit une gorgée. Le goût était très prononcé, mais cela le réchauffa.

— Mon père me permet de boire de l'alcool, assura-t-il.

Alicia hocha la tête et pianota sur son verre avant de se lancer.

— Tu es un garçon extraordinaire, Seth.

— Pardon ?

Alicia prit une profonde inspiration.

— Tu as aidé Fay à sortir de son cocon et à s'intégrer dans Monstrum. Elle a vite pris goût à ce monde et elle en fait partie. Aujourd'hui, je t'ai vu t'amuser avec Pachyderme, et je t'ai même entendu l'appeler *Pachy*...

— C'est lui qui voulait...

— Peu importe. Tu ne saisis peut-être pas tout le bien que tu fais autour de toi, Seth, mais je te jure qu'il est grandement apprécié. Et pas seulement par moi.

» Pachyderme était un Monstre à l'écart des autres parce qu'il a une trompe d'éléphant à la place d'un nez. Il n'avait aucun ami. *Aucun*. Nous croyions tous qu'il en serait ainsi jusqu'à la fin de ses études, mais nous avions tous tort. Tu es entré dans la vie de Pachyderme et tu es devenu son ami. Du moins, j'espère que tu es son ami.

» Seth, Pachyderme n'a pas eu une enfance facile. Son père est un Humain, et il n'a jamais accepté de voir son fils avec une trompe d'éléphant à la place du nez. Il s'est donc suicidé alors que Pachyderme n'avait pas encore un an. Quant à sa mère...

— Elle est morte lorsqu'il avait sept ans, et il a hérité de sa maison, oui. Il me l'a dit.

Alicia regarda Seth un moment.

— Tu es exceptionnel. Tu es le *Monstre qui n'en est pas un*. Et, pourtant, tu acceptes mieux l'anormalité des autres que les Monstres de pures souches. J'en viens à me demander... comment est-ce possible ?

Seth étudia la question. Il ne voulait pas donner une réponse qui n'ait pas de sens. En quelques secondes, il eut l'impression de revoir son adolescence — les gens qui l'aimaient pour son argent —, et une réponse lui vint.

— Alicia, je n'en ai jamais parlé, mais je viens d'une famille qui, disons-le, n'a pas de problèmes financiers. J'ai vu des centaines de belles personnes venir me voir pour m'offrir leur amitié, je dis bien *m'offrir* leur amitié, tout simplement parce que j'avais de l'argent. Je crois que cette réalité m'a permis de m'ouvrir les yeux et de voir au-delà des apparences physiques. Pachyderme est un garçon extrêmement intelligent et gentil. Je le compte parmi mes amis.

Alicia eut les larmes aux yeux et elle rayonna de joie. Elle se leva, prit son verre et, juste avant de partir rejoindre d'autres professeurs, lança à Seth :

— Joyeux Noël, Seth Langlois. Et une heureuse année !

Seth n'eut pas le temps de répondre qu'elle était déjà partie.

*

Le mois de janvier arriva, entraînant avec lui le retour à l'école. Seth fut heureux d'apprendre qu'il avait réussi tous ses examens d'avant Noël. Sa plus haute note, évidemment, était en Histoire des Monstres. Il avait obtenu 98 %. Soit la plus haute note de toutes les classes de première année.

Pachyderme s'intégra très bien au trio. Bientôt, toute l'école avait accepté le fait que Pachyderme ait des amis. Et Pachy était heureux d'avoir enfin trouvé des personnes qui l'acceptaient comme il était.

L'annonce du prochain match de Capture l'Humain fut faite en janvier. Il aurait lieu au mois d'avril. Les Servators contre les Meritorius. Une demi-finale.

Janvier quitta Monstrum pour laisser place à février et sa fameuse fête de la Saint-Valentin. Seth fut heureux d'apprendre que les Monstres ne fêtaient pas la Saint-Valentin ; ils disaient que cette fête était une perte de temps et que, si tu aimais réellement ta compagne, tu n'avais pas besoin de lui acheter des cadeaux pour le lui faire savoir. Cette fête était, selon eux, une méthode pour les Humains de cacher leurs méfaits et leur infidélité envers la personne.

Le 2 février, Seth revenait de Magistra avec Alan, Pachy et Fay lorsqu'il entendit un son strident, qui faisait vibrer ses tympans. Machinalement, il boucha ses oreilles et il vit ses amis en faire autant. Il n'était donc pas le seul à l'entendre.

Au pas de course, ils se dirigèrent vers le Terrain Pavé où les Monstres s'étaient rassemblés. Seth vit que certains enlevaient leurs mains de sur leurs oreilles et il les imita. Le son avait cessé. Il fit comprendre à ses amis qu'il n'y avait plus de danger.

— Qu'était-ce ? se plaignit Fay.

— Le Monstre-ô-mètre, expliqua Pachy. C'est la troisième fois cette année ! Les deux autres fois, c'était pour Seth et toi.

— Un nouveau Monstre s'en vient ? s'enquit Alan.

— On dirait, répondit Pachy. Tout comme lors des occasions précédentes, les Monstres se réunissent ici en attendant les ordres.

Devant la mine stupéfaite de ses nouveaux amis, Pachyderme expliqua :

— Au cas où Wilson et Gary auraient besoin d'aide pour amener le Monstre, ou quelque chose comme ça. Et ici, nous saurons bien vite de quel Monstre il s'agit.

— Ah oui? Comment?

— Le miroir, Seth. Alicia est sûrement actuellement dans la maison de Wilson, celle en briques brunes, pour lui parler. Elle va bientôt sortir et nous le dire…

Comme Pachyderme l'avait prédit, Alicia sortit quelques minutes plus tard, mais pas pour dire de quel type de Monstre il s'agissait. Elle s'adressa à la foule tout entière.

— Il n'y a plus de chambre libre à l'auberge, dit-elle. Il faut une place pour la nouvelle venue.

La *nouvelle*. C'était donc une fille.

— Qui voudrait bien…?

Seth leva sa main.

— Je pourrais lui laisser ma chambre.

Alicia le regarda, le regard plein d'admiration.

— Où dormiras-tu, toi?

— Il dormira dans ma chambre, dit Alan. S'il est possible d'avoir un autre lit, ce serait parfait. Sinon, il y a le plancher…

— D'accord. Merci.

Alicia se mêla à la foule, prit Seth par le bras ainsi que Pachyderme. Fay et Alan s'apprêtèrent à les suivre, mais Alicia le leur interdit.

Une fois dans l'auberge, Alicia demanda à Seth de lui montrer sa chambre. Seth obéit et il la fit entrer dans la chambre numéro sept.

— Merci, Seth. Tu devras prendre quelques-uns de tes trucs et les apporter dans la chambre d'Alan…

— Que se passe-t-il? coupa Pachy. Pourquoi m'avoir emmené?

— Nous aurons besoin de ta trompe, Pachyderme, expliqua Alicia. Le Monstre qui s'en vient saigne beaucoup, et il faudra que tu coupes la circulation sanguine avec ta trompe, puisqu'elle exerce une bonne pression.

— De quel type de Monstre... ?

Seth ne termina pas sa question. Alicia le regarda, perplexe. Enfin, elle décida de le lui dire.

— C'est une jeune fille prénommée Emma. Elle... enfin... c'est un loup-garou. Elle vient tout juste de se faire mordre.

Alicia regarda dans le vide un moment.

— Je dois retourner parler à Wilson. Ils vont utiliser le chemin des miroirs pour venir.

Sans rien ajouter, elle quitta la chambre, laissant Pachy et Seth seuls. Quelques minutes plus tard, Wilson entra en trombe dans la chambre, une masse sombre dans les bras. Gary et Alicia le suivaient de près. Wilson déposa Emma sur le lit. C'était une belle jeune fille d'environ sept ans.

— Pachyderme..., commença Wilson, mais l'homme-éléphant avait déjà passé à l'action.

La trompe entoura le bras ensanglanté de la jeune fille et exerça une pression pour le faire arrêter de saigner. Quand ce fut fait, Gary ouvrit une trousse de premiers soins et sortit des instruments étranges que Seth n'arrivait pas à identifier. Wilson et Gary se mirent à nettoyer la plaie de la jeune fille. En dernier, Craig prit une seringue et la piqua. Emma tressaillit un peu, mais sans plus. Elle n'avait connaissance de rien.

— Alicia, ordonna Wilson, rentre en contact avec madame Ewilan et dis-lui que nous avons besoin d'un collier avant la prochaine pleine lune, soit dans trois jours. Dis-lui également que j'irai le chercher le plus tôt possible en utilisant un miroir.

— Très bien.

Alicia quitta la chambre.

— Pachyderme, continua le Gardien, tu peux relâcher la pression. Merci beaucoup.

— Il n'y a pas de quoi, monsieur Wilson.

Ce dernier lança un regard à Seth, qui comprit ce que cela signifiait. Wilson attendait que Seth lui dise qu'il se souvenait de quelque chose. Mais Seth opta pour une approche différente.

— Monsieur, est-ce que l'attaque d'Emma a un lien avec celle de la femme à l'aéroport?

— Heureusement, non.

Seth eut un soupir de soulagement, mais Wilson ajouta :

— L'agression d'Emma n'était qu'une simple attaque. Celle de la femme était… *planifiée.*

Terreur lors du jeu

Le lendemain, tout le Sanctuaire savait pour Emma. Le fait qu'elle soit un loup-garou inquiétait un peu les Monstres, mais ils s'habituèrent très vite à l'idée ; Wilson allait se procurer un collier, et tout se réglerait.

— Qu'est-ce que ce collier ? demanda Seth.

Ses amis relevèrent la tête et observèrent Seth un moment, la lueur du foyer se reflétant dans leurs yeux.

— C'est un collier qui bloque les… facultés de Monstre, expliqua Alan. Nous ignorons réellement comment il fonctionne, mais il agit. Certaines personnes réputées croient que les colliers fonctionnent de pair avec les Monstre-ô-mètres.

— Ce serait logique, ajouta Pachy.

Toutes les têtes se tournèrent vers lui, à la recherche de plus amples informations.

— Je veux dire par là que le Monstre-ô-mètre désigne une personne. Selon moi, un lien se crée entre la machine et le Monstre. Mais ce n'est que mon hypothèse. Donc, si le collier est également lié au Monstre-ô-mètre, il peut certainement camoufler la partie Monstre chez l'individu, non ?

Seth, Alan et Fay étaient bouche bée. Pachy avait réponse à tout. Et toutes ses réponses étaient pertinentes !

— Tu m'épateras toujours, Pachy, souffla Seth.

La Saint-Valentin passa, et personne n'avait encore vu Emma. Séquestrée dans la chambre numéro sept, elle refusait catégoriquement de sortir.

Personne n'avait vu Wilson aller chercher le collier, mais comme la pleine lune était passée et qu'Emma ne s'était pas transformée en loup-garou, Seth savait que tout s'était passé sous silence. Wilson ne voulait manifestement pas attirer l'attention sur Emma.

Les cours reprirent, et Seth eut l'espoir de voir le jeune loup-garou franchir le seuil des portes de Magistra. Se rappelant qu'il fallait au minimum avoir 15 ans pour aller à Magistra, Seth oublia vite cette idée superflue. Emma n'avait que sept ans. Et elle ne voudrait certainement pas aller à Magistra.

Le cours de Monstrubilus se révéla plus difficile que jamais en ce mois de février. Daphné Triade avait eu l'idée d'élever le niveau de difficulté d'un cran. Elle écrivit une phrase au tableau et, comme examen, les étudiants devaient la traduire. Seth lut la phrase une bonne vingtaine de fois sans vraiment la comprendre :

The finalis otus Captere Humanus basset spectulum.

Le crayon d'Alan allait de gauche à droite sur sa feuille, et il finit sa traduction en moins de deux minutes. Pachy comprit également et termina sa traduction le deuxième. Seth lança un regard à Fay, qui n'y comprenait rien non plus.

— Allez, pressa Alan. Ne me dis pas que « *Captere Humanus* » ne te dit rien ?

— C'est « Capture l'Humain » ? murmura Seth.

— Voilà !

Une fois ces deux mots traduits, le reste fut un peu plus facile. *The* voulait manifestement dire *La*. Le deuxième mot était *finale*…

Bref, Seth traduisit tout sauf un seul mot.

Basset.

Daphné ramassa les copies et les empila sur son bureau. Ensuite, elle se tourna vers la classe.

— La phrase, dit-elle, était : «*La finale de Capture l'Humain sera spectaculaire.*» Un seul mot pouvait vous poser problème. Lequel?

Pachy leva sa main.

— *Basset*, madame.

— Oui. Pourquoi?

Le garçon-éléphant répondit à nouveau.

— Parce qu'il n'y avait pas de mot correspondant dans nos dictionnaires. Le «t» à la fin du mot signifiait simplement que le verbe était au futur. *Basse* veut dire «être»; donc *basset* veut dire «sera».

— Exactement. Comme devoir, vous devrez lire le chapitre 1 du livre *Conjugaison des verbes en Monstrubilus*.

Les devoirs affluaient. Tous les professeurs, à part monsieur Fast, leur assignaient des travaux depuis quelques jours. Seth, Alan, Fay et Pachy prirent l'habitude de passer une bonne heure à la bibliothèque chaque soir. Parfois, Seth faisait les devoirs d'Histoire des Monstres d'Alan et, en échange, Alan faisait les devoirs de Monstrubilus de Seth. Fay et Pachy désapprouvaient totalement leur façon de faire.

— Si jamais vous vous faites prendre un jour, menaça Fay, un doigt menaçant pointé sur la poitrine d'Alan, vous allez être dans de sales draps! Et ne comptez ni sur Pachy ni sur moi pour vous sortir de ce pétrin!

Sauf que Seth et Alan ne furent pas du tout dans le pétrin. Ils avaient inventé une stratégie pour ne pas se faire prendre : faire des fautes intentionnellement. Leur stratégie était si idiote qu'elle marcha à la perfection : Seth et Alan n'avaient jamais les mêmes notes dans leurs devoirs.

Un soir, Seth passa devant la porte de la chambre numéro sept qui était… ouverte. Curieux, il jeta un coup d'œil. Emma était debout, devant la fenêtre, le regard perdu dans ses pensés. Seth s'apprêta à partir lorsqu'une voix dit :

— Ça fait longtemps que tu es ici ?

Seth figea. Il revint à nouveau dans la chambre, et Emma le regarda, attendant une réponse.

— Euh…

— À Monstrum, je veux dire.

— Oh… Je suis arrivé cet été.

Emma hocha la tête et s'assit sur son lit. Un rayon de lune fit briller un collier argenté sur la nuque de la pauvre fille.

— Je me sens souillée, avoua-t-elle.

— J'ai eu la même réaction. Tu crois être…

— Différente. Mais à la fois, je me sens plus normale… c'est la plus étrange des sensations.

Seth hocha la tête. De son côté, il n'avait pas vécu exactement ce sentiment. Il avait plutôt ressenti un sentiment de… Un quelque chose d'impossible à décrire.

— Tu vas vite t'habituer, dit Seth.

— Je l'espère. Je ne veux pas passer ma vie dans ce Sanctuaire. Mais comme je suis un… un…

Elle lança un regard à Seth. Elle n'eut pas besoin de finir sa phrase pour que Seth la comprenne.

— Après tes cinq années d'études à Monstrum, tu es libre de vivre où tu veux.

— Quand puis-je entrer à Magistra ?

— Lorsque tu auras 15 ans.

— Ce qui veut dire que je vais pouvoir partir à l'âge de 20 ans...

Seth aurait voulu étreindre Emma, la consoler, lui enlever le lourd fardeau qu'elle portait sur ses épaules frêles. Mais il en fut incapable. Il leva un bras, puis l'abaissa. Il fit un pas en avant, mais Emma dit :

— Ma mère croit que je suis morte, à l'heure actuelle.

Seth tourna brusquement la tête.

— Quoi ?

— Ma mère croit que je suis morte. Craig Wilson a dit que c'était le seul moyen pour qu'elle soit en sécurité et qu'elle ait l'esprit en paix. Lorsqu'elle aura fait son deuil, m'a-t-il dit, j'aurai compris ce qu'il voulait dire.

Seth entra dans la chambre et s'assit également sur son lit. Le regard d'Emma rencontra le sien. Pendant un moment, ils s'observèrent sans rien dire.

— Tu vas vite t'habituer, répéta Seth.

— Mais je ne veux pas m'habituer. Je veux tout simplement retourner chez moi, auprès de mes parents.

Elle leva une main tremblante et montra son collier à Seth.

— Je garderai cette chose nuit et jour s'il le faut ! Je ne veux pas vivre comme... Je ne veux *pas* être un Monstre !

— Tu dois sans doute penser que ce qui t'arrive est une tragédie, non ? Laisse-toi du temps. Un jour, je suis persuadé que tu verras cela comme un cadeau.

— Comme à plusieurs occasions, il arrive d'ouvrir un cadeau et d'être déçu.

Emma tira un peu sur son collier.

— Cette chose me rend normale ! Je pourrais...

— Elle ne te rend pas normale, Emma.

— Mais le collier m'empêche de me transformer !

— Justement, il t'*empêche*, il n'*annule pas* ton...

— Ma malédiction. Voilà ce que tout est : une malédiction. Qui sait ! Peut-être que rien de tout cela n'est réel. Je suis encore endormie. Je vais bientôt me réveiller, je l'espère. Me réveiller et crier de joie en sautant au cou de ma mère...

Lentement, elle lâcha son collier, et une larme coula sur sa joue. Seth s'approcha, mit un bras sur ses épaules et tira Emma contre lui. Elle se blottit et laissa libre cours à son chagrin.

Seth lui flatta les cheveux en chantonnant une petite berceuse que sa mère lui chantait alors qu'il était jeune. Machinalement, ils se bercèrent comme s'ils avaient été sur une chaise berçante. Après un moment, Emma s'endormit.

Seth se leva et coucha Emma dans son lit. Quand elle fut au chaud dans ses couvertures, et qu'il eut résisté à l'envie de l'embrasser sur le front, il quitta la chambre, le cœur lourd.

*

Personne ne savait que Seth Langlois avait parlé avec Emma. Même Alan, Fay et Pachy l'ignoraient, et Seth ne voulait pas qu'ils le sachent. Il avait peur de trahir Emma en leur révélant. Et de la manière dont elle lui avait parlé ouvertement... il ne voulait pas qu'elle souffre à nouveau.

Depuis ce jour, Seth ne vit plus la porte de la chambre d'Emma ouverte. Il souhaitait toujours la croiser quelque part, mais au fond il savait que c'était impossible. Tant qu'Emma ne s'accepterait pas en tant que Monstre, elle refuserait de quitter sa chambre. Personne ne savait combien de temps cela pouvait prendre, mais tout le monde attendait.

À l'école, plusieurs rumeurs commencèrent à circuler à propos d'Emma. Certains disaient qu'elle s'était transformée en loup-garou lors de la pleine lune et que son collier ne fonctionnait pas. Quand Seth surprit quelqu'un en train de raconter cela dans le corridor, il sentit de la colère monter en lui, et il ne put s'empêcher de faire face aux deux garçons.

— Vous croyez réellement que Craig Wilson la laisserait ici et nous mettrait en danger si son collier ne fonctionnait pas ? Ne soyez pas stupides !

— Nous ne sommes pas stupides du tout ! répliqua l'un des deux garçons. Si tu n'étais pas au courant, le chien de garde, Gurt, a été attaqué. Ensuite, un loup-garou vient ici... Suis-je le seul à penser que cette année à Monstrum n'est pas la plus sécuritaire ?

— Je pense comme toi, approuva son ami. Qui sait ! Les deux événements sont peut-être liés.

Le premier claqua des doigts en signe de triomphe.

— Bien sûr ! La bête qui a attaqué Gurt était un loup-garou. Comme il n'a pas réussi à pénétrer dans le Sanctuaire, il a mordu une jeune fille pour la faire entrer afin qu'elle puisse nous tuer... de l'intérieur !

Fay perdit patience. Elle n'avait jamais rencontré Emma, mais elle ne laisserait personne l'insulter. Fay savait qu'Emma vivait des moments pénibles et que les rumeurs qui circulaient ne l'aideraient sûrement pas à s'intégrer plus rapidement.

— Désolée d'être rationnelle, mais l'attaque de Gurt ne s'est pas produite lors d'une pleine lune. Et pourquoi un loup-garou voudrait-il tuer les gens de Monstrum ? C'est insensé !

— Étudie mieux ton Histoire des Monstres, jeune fille, et tu comprendras, rétorqua le garçon.

Avec un mouvement de la main, il ordonna à son ami de le suivre. Ils continuèrent à parler tout bas, totalement persuadés de leur théorie.

— Que voulait-il dire ? s'enquit Fay, en regardant Seth.

Ce dernier ferma les yeux. Il avait commencé à lire son livre, mais ne l'avait pas terminé. Néanmoins, il savait de quoi parlait le garçon.

— Il y a eu des... moments noirs dans l'Histoire des Monstres. Disons qu'il y a eu des guerres pour... en fait, pour rien. Il faut croire qu'il est dans la nature des Monstres de se battre et s'entretuer. C'est entre autres pour cela que le jeu de Capture l'Humain fut créé ; pour calmer le tempérament des Monstres en se défoulant sur un robot.

Fay hocha tristement la tête avant d'aborder une nouvelle idée.

— En parlant de Capture l'Humain, votre prochain match a lieu quand ?

— Le 18 avril, répondit Alan.

— C'est encore loin !

— Tant mieux ! On n'a pas beaucoup pratiqué pendant l'hiver. Disons que j'ai donné un... congé à l'équipe.

Fay roula les yeux. Elle voulait tellement s'assurer que les Infensus ne gagneraient pas le championnat de Capture l'Humain cette année qu'elle avait proposé à Alan de leur préparer un horaire spécial pour l'hiver. Alan avait refusé catégoriquement : c'était lui le capitaine, et il n'accepterait pas que Fay s'occupe de leurs entraînements.

Finalement, les pratiques d'équipe reprirent. Trois fois par semaine. C'était beaucoup. Heureusement, Alan avait l'amabilité d'organiser leurs exercices selon l'horaire de chacun. Ainsi, toute l'équipe avait l'esprit tranquille et était capable de composer avec l'école et Capture l'Humain.

Pachy vint à plusieurs séances et joua même quelques fois pour équilibrer les équipes. Il se révéla un très bon joueur. Il ne voulait toutefois pas intégrer l'équipe en tant que remplaçant. Il craignait que les autres rient de lui.

— Ils ne riront pas, assura Seth. Excepté les Infensus et leurs supporteurs...

— C'est déjà trop !

— Mais tu es très bon ! s'exclama Alan. Tu pourrais être une arme redoutable à ce jeu ! Imagine, ils croient que tu es un bon à rien, incapable de jouer, puis... BAM ! Tu leur montres ce que tu es capable de faire, et plus jamais, au grand jamais, ils ne se moquent de toi.

Pendant un moment, le visage de Pachyderme s'illumina. Puis, cette petite lueur d'espoir, une lueur d'acceptation non seulement des autres envers Pachy, mais de Pachy envers lui-même, s'éteignit aussi vite qu'elle était apparue. L'homme-éléphant secoua la tête, résigné. Le métamorphe haussa les épaules et continua l'entraînement avec Seth, qui ne pouvait pas s'enlever l'image de Pachy, le regard brillant.

Un soir, à la bibliothèque, Seth demanda à Fay de le conduire à la rangée des livres traitant de la Science de la Magie.

— Tu y es déjà allé ! chuchota Fay.

— Je ne me rappelle plus où c'est !

Fay fit la moue et se leva. Ensemble, ils s'aventurèrent dans les allées. Alan et Pachy restèrent à la table à continuer leurs devoirs.

— Nous y sommes.

Fay voulut repartir, mais Seth lui obstrua le chemin. Avant qu'elle ne le pousse, il lui raconta ce qu'il avait vu lors de son entraînement : le regard de Pachy, la lueur d'espoir. Et, surtout, il précisa son refus catégorique.

— Pourquoi me racontes-tu cela ?

Un peu honteux, Seth avoua :

— Tu as forcé Alan et moi à nous inscrire ; donc...

— Tu veux que je force Pachy à rejoindre votre équipe de Capture l'Humain ?

Lentement, Seth approuva de la tête.

— *Tu es malade ou quoi ?*

— Chut !

Seth s'assura que la bibliothécaire n'était pas dans les parages avant de reprendre la parole.

— Tout ce qu'il faut pour faire sortir Pachy de sa coquille est...

— Écoute-moi bien, Seth Langlois ! Pachy n'est pas une personne comme les autres. Je ne le forcerai jamais comme je vous ai forcés Alan et toi ! Pachy est une personne timide, et nous devons l'accepter tel qu'il est !

— Alan et moi, nous sommes quoi, alors ?

— Deux garçons qui n'ont pas peur de se faire ridiculiser devant tout le Sanctuaire s'il le faut !

Seth ouvrit la bouche pour répliquer, mais Fay le poussa et retourna à la table. Le garçon s'empara d'un livre ; s'il revenait à la table bredouille, Alan comprendrait immédiatement qu'il voulait parler avec Fay en privé. Et les questions qu'Alan poserait pourraient le rendre mal à l'aise.

— J'ai cru t'entendre parler, murmura une voix, juste derrière Seth.

Le garçon sursauta et échappa son livre. Il s'empressa de le ramasser avant de faire volte-face. Une jeune fille se tenait devant lui. C'était la dernière personne qu'il pouvait imaginer en ces lieux. Il échappa son livre une deuxième fois.

— Emma ?

La jeune fille se pencha et s'empara de l'ouvrage. Seth s'aperçut qu'elle en tenait déjà un autre. Emma lui tendit son volume, et Seth le prit.

— C'est bien moi.

— Que fais-tu ici ?

Emma fronça les sourcils.

— Je viens chercher un livre. Il n'y a pas des millions de choses à faire dans une bibliothèque.

Le loup-garou montra son volume à Seth qui lut le titre : *Être un loup-garou : les dangers et impacts sur la société et sur soi-même*. L'image du livre donnait la chair de poule. La couverture montrait la forme d'un homme, couché par terre, et d'un loup-garou qui lui mordait la gorge. Le dessin était si bien fait que Seth se demanda s'il ne s'agissait pas d'une photo.

— Comment vas-tu ?

— Bien, et toi ?

— Bien, merci. Et l'école ?

— Tout se passe bien.

Seth avait l'impression d'être devant sa mère. La veille, encore, lorsqu'il l'avait appelée, elle lui avait posé la même question :

— Et l'école ?

— Tout va comme sur des roulettes, avait répondu Seth. J'ai de très bonnes notes et j'ai espoir de passer mon année haut la main.

L'expression d'Emma était étrange. Elle regardait partout, à l'affût d'un quelconque danger.

— Tu es enfin sortie de ta cachette.

— Ouais. J'ai su que c'était ton ancienne chambre. Tu pourras très vite la reprendre.

— Pourquoi ?

— Parce que je vais aller vivre chez Alicia. Je crois que Wilson souhaite me voir sous surveillance en permanence. Sauf que je n'aurai pas Alicia sur les talons le jour puisqu'elle travaille à Magistra…

— En fait, exposa Seth, je crois plutôt que Wilson veut te voir chez Alicia pour qu'Alicia puisse s'occuper de toi et s'assurer que tu n'oublies pas de porter ton collier lors des pleines lunes.

Emma leva une petite main délicate et toucha son collier.

— Je ne l'enlève jamais, tu sais. J'ai peur de ce qui pourrait se passer.

Seth ne savait pas quoi lui dire. La rassurer, peut-être ? Lui dire que le collier était une précaution pour les Monstres puisqu'un loup-garou, lors de la pleine lune, ne fait pas la différence entre ami et ennemi ?

— Je me sens comme une chienne avec ça autour du cou, cracha Emma. Il ne me manque que la laisse, et je serais le parfait chien-chien de Craig Wilson !

Les yeux d'Emma se couvrirent d'un voile de rage. Machinalement, Seth s'approcha d'elle, la prit par les épaules et la regarda droit dans les yeux. Quand leurs regards se croisèrent, Seth eut des frissons. Il voyait le loup en Emma. Un loup féroce. Le jeune homme réprima son envie de prendre ses jambes à son cou.

— Craig Wilson ne te veut aucun mal, Emma. Au contraire, il veut que tu te sentes chez toi, ici, à Monstrum. Il s'inquiète pour toi.

— Pour lui, tu veux dire ! Il n'aimerait pas que les autres Sanctuaires apprennent qu'il y a eu des meurtres causés par un loup-garou dans son Sanctuaire !

— Et toi ? Aimerais-tu apprendre que tu as assassiné des gens même si tu ne les connaissais pas ?

Le regard d'Emma s'apaisa un peu. Elle hocha négativement la tête.

— Je suis désolée. Tu as tout à fait raison. J'ai été stupide de penser que…

— Tu n'as pas été stupide du tout ! Dans un état de rage, il est normal de s'inventer des histoires.

— Tu crois ?

— J'en suis certain ! Je le fais, moi aussi. Et lorsque je redeviens calme, je…

— *Silence* ! souffla une voix dans leur dos.

Seth se retourna. C'était Laurie, la bibliothécaire.

— Si vous voulez discuter, faites-le ailleurs ! Vous n'avez pas l'autorisation de le faire ici ! Allez, ouste !

Emma et Seth se dépêchèrent de quitter l'allée, et Emma chuchota :

— Il y a des endroits où l'on a la permission de parler ?

Seth réprima un fou rire et, sans dire au revoir, Emma prit une autre rangée et disparut. Seth la chercha un moment, mais ne la trouva pas. Elle s'était volatilisée.

*

Avril pointa le bout de son nez et, plus vite que Seth ne l'aurait cru, la neige fondit. Maintenant, les entraînements de Capture l'Humain se tenaient sur le terrain et non dans le gymnase.

Chaque joueur s'était amélioré. Le match contre les Meritorius arrivait à grands pas, et les Servators ne s'étaient jamais sentis aussi prêts. Ils pratiquaient maintenant quatre fois par semaine. Il fallait avouer qu'ils commençaient à avoir du retard dans leurs devoirs.

Josh Dehin vint assister à l'une de leurs pratiques un soir. Toujours avec son calepin, il prenait des notes. Pachy était assis à côté de lui et, subtilement, lisait ce que le professeur gribouillait sur ses feuilles.

À la fin de l'entraînement, Dehin reprit le robot-humain et quitta le terrain. Tous les joueurs se tournèrent vers Pachy.

— Que note-t-il ? demanda Dave.

— Au début, je croyais qu'il notait vos tactiques pour les dévoiler à une équipe, mais j'avais tort, expliqua Pachy. En fait, il note tout simplement votre performance et signe la feuille.

Tous avaient un regard perplexe. Pachy dodelina de la tête, avouant que ce n'était pas clair, et il ajouta :

— Il donne cette feuille à Light Fast. Il doit vous accorder quelques points supplémentaires.

— C'est injuste pour les autres, s'exclama Jilian.

— Pas vraiment, répondit Pachy. N'importe qui peut s'inscrire à Capture l'Humain au début de l'année. Il n'y a pas un nombre prédéfini d'équipes. Il pourrait y en avoir 100, ça ne changerait rien. Sauf qu'il y aurait des matches aux trois jours…

Les joueurs retournèrent au vestiaire, prirent leur douche et quittèrent. Pachy attendait patiemment ses deux amis, assis devant l'immeuble.

— Tu es sûr que c'est pour des points supplémentaires ? demanda Seth, insistant.

En fait, Seth se doutait de ce que faisait Josh Dehin. Aujourd'hui, il ne s'était pas caché et s'était directement assis dans les estrades. Par contre, les autres soirs, Seth l'avait repéré caché dans les buissons, espionnant le jeu. Il avait alors entretenu les pires craintes.

— Non, j'ai menti. Il n'y a aucun point d'accordé pour cela. C'est autre chose.

— Quoi ? pressa Alan.

Avant même que Pachy n'ouvre la bouche, Seth connaissait la réponse.

— Il barbouille n'importe quoi, tout simplement.

— Il *barbouille* ? s'exclama Alan, incrédule.

— Exactement. Il fait semblant de prendre des notes dans son calepin quand, en fait, il surveille.

— Il nous surveille? fit Alan. A-t-il peur qu'on brise le robot-humain?

— Non, continua Pachy. Il ne vous surveille pas. Il surveille seulement Seth. Je l'ai vu dans son regard.

Alan fronça les sourcils. Il se tourna vers Seth qui expliqua :

— Wilson doit toujours croire que j'ai un indice ou quelque chose comme cela à lui donner. Mais je n'ai rien pour lui. Qu'il se fasse à cette réalité et qu'il me laisse tranquille, bon sang! Ce n'est pas en me harcelant...

Seth ne termina pas sa phrase. Les remords montaient en lui. Devait-il tout avouer à Wilson? S'il envoyait Josh l'espionner pour s'assurer que tout allait bien avec lui, il devait s'inquiéter réellement.

— Un instant, coupa Alan. Gurt n'avait pas été attaqué lors de notre premier match de Capture l'Humain! Pourtant, durant nos pratiques précédant le match, Josh était là.

— Wilson avait déjà des doutes sur moi, confessa Seth. Comment vais-je me sortir de cette galère?

La réponse était simple : tout avouer. Mais il ne pouvait pas. Ou, plutôt, il ne *voulait* pas. En ce monde de cruauté, le vouloir l'emportait toujours sur le pouvoir.

— Tu pourrais leur inventer quelque chose, suggéra Alan.

— Mentir à Wilson, tu dis? s'indigna Seth. Jamais de la vie. Je ne veux pas qu'il me voie comme un menteur.

Pour être honnête, l'idée de mentir à Wilson déplaisait à Seth pour une tout autre raison : si jamais ses informations étaient cruciales, et qu'il envoyait Wilson sur une fausse piste, les conséquences pourraient être désastreuses.

*

Peut-être était-ce un coup de chance, mais plus rien d'étrange n'était arrivé depuis l'incident de l'Halloween. La phrase de Gary — qui affirmait que Seth était en sécurité pour un moment — résonnait toujours dans la tête du jeune garçon. En outre, il commençait à se demander si Gary n'en savait pas plus qu'il ne voulait l'admettre. Peut-être que...

Non, il chassa très vite cette idée. Gary ne ferait rien pour mettre en danger la sécurité des élèves en laissant Gurt se faire attaquer. Pourtant, la théorie s'avérait plausible...

Connaissant Gary, Gurt n'aurait jamais pensé l'attaquer. Il aurait cru que le directeur de Magistra voulait simplement lui rendre visite, lui donner un ordre en particulier (comme, peut-être, celui d'espionner Seth), ou tout simplement lui demander s'il n'avait rien vu d'étrange.

Le rêve que Seth avait fait lui revint en mémoire et chassa cette hypothèse. Gurt *avait voulu* attaquer son agresseur. Cependant, ce dernier était plus puissant que le molosse. Pourtant, c'était impossible. Quelle créature pouvait être plus forte qu'un chien de garde tel que Gurt ?

Seth chercha à la bibliothèque un bestiaire ou quelque chose du genre. Il voulait absolument en savoir plus, savoir ce qui le pourchassait, savoir quel danger il courait réellement. Comme il ne trouvait pas de bestiaire dans les rangées, il alla demander à la bibliothécaire où chercher. Cette dernière le toisa un moment de ses grands yeux bleus, ses cheveux blonds sales cascadant sur ses épaules.

— Ils ont tous été retirés des étagères, dit la bibliothécaire.

— Pourquoi ?

— Ordre de Craig Wilson. Il a dit en avoir besoin. Mais j'y pense, ça ne vous regarde pas ! Si vous veniez simplement pour cela, je vous conseille de partir immédiatement !

Seth rejoignit ses trois amis au parc et se dépêcha de leur raconter ce qu'il venait d'apprendre.

— C'est bête de sa part, approuva Pachy.

— Idiot, tu veux dire, corrigea Alan. Enlever les bestiaires… mais pourquoi ?

— Il ne voulait peut-être pas que les jeunes…, commença Fay. Vous savez… Argh ! Je ne sais pas, sérieusement. Il doit bien avoir ses raisons.

Pachyderme se frotta le menton sous sa trompe, pensivement. Enfin, il pointa Seth d'un doigt accusateur.

— En fait, je crois que la bonne question à poser s'adresse à Seth. Pourquoi voulais-tu avoir un bestiaire ?

Seth sentit sa bouche s'assécher. Il voulait savoir quels types de Monstres vivaient à Cuba. Il voulait enfin en avoir le cœur net avec toute cette affaire, être disculpé de toutes accusations personnelles.

— Je voulais voir s'il existait une créature plus méchante qu'un chien de garde comme Gurt, dit finalement Seth, ce qui n'était pas un mensonge.

Pachy gloussa.

— Il y en a une multitude, oui, dit-il. Gurt est un bon gardien, car il fait peur. Il repousse les Humains en les effrayant.

Seth hocha la tête, peu satisfait de la réponse de Pachy. Ce qu'il voulait, c'était le nom de ces créatures ! Peut-être qu'un simple nom évoquerait quelque chose en lui.

Alan s'étira et se leva de la balançoire.

— C'est bien beau tout cela, mais nous devons nous préparer pour le match de ce soir, nous.

Seth approuva et suivit Alan hors du parc. Au moins, cette fois-ci, ils avaient tout l'après-midi pour se détendre en vue du match de Capture l'Humain puisqu'ils étaient un samedi. Le côté négatif était que la journée ne passait pas vite parce que le stress rongeait les joueurs de l'intérieur.

Les joueurs de l'équipe des Servators soupèrent ensemble. Pas question de s'éparpiller dans le Sanctuaire et de se chercher par la suite. Ils se rendirent tous au fameux restaurant La Hache Sanglante et discutèrent de stratégie et de défensive.

Une fois l'estomac rempli (c'est-à-dire quelques bouchées seulement car le stress menaçait de tout faire ressortir s'ils mangeaient davantage), les Servators se dirigèrent vers le terrain et entrèrent dans la loge qui leur était allouée. Ils parlèrent encore de stratégie un moment.

Des bruits de pas et un brouhaha lointain annoncèrent que les spectateurs approchaient du terrain et prenaient place dans les estrades.

— N'oubliez pas, répéta Alan pour la millième fois, les Meritorius ont un point faible qu'il faut absolument exploiter à notre avantage : ils n'ont pas de défensive. Chaque joueur, sauf leur gardien de but, attaque. Il suffit de…

— … percer leur attaque…, continua Dave.

— … les surprendre au but…, reprit Jilian.

— … marquer en hurlant si fort que le gardien ait peur…, fit Annie.

— … et nous gagnerons en 30 minutes, conclut Seth. On connaît le plan, Alan. Calme-toi. Fais-nous confiance.

Alan faisait les cent pas. Tous le suivaient de la tête. N'importe qui aurait éclaté de rire en voyant ce spectacle.

— Allons-y, finit par dire Alan, lorsque les bruits de pas se furent estompés et que le brouhaha fut plus puissant que jamais.

Les Meritorius étaient déjà sur le terrain, en position. Les Servators prirent place eux aussi. Le robot-humain se tenait bien droit, au milieu du terrain. Wilson se positionna aux côtés de Barney, porte-voix à la main.

— Chers amis, dit-il lorsque le silence tomba, nous sommes réunis ici pour un match entre les Servators et les Meritorius. J'espère que vous apprécierez cette rencontre.

Une salve d'applaudissements s'éleva des gradins.

— Que la partie… DÉBUTE !

Wilson se dirigea en vitesse vers les gradins tandis que les deux équipes se toisaient du regard, personne ne bougeant, sauf les deux gardiens qui allèrent prendre place devant la grotte.

Lassé de ne rien faire, un joueur des Meritorius s'élança en direction de Barney. Ses coéquipiers le suivirent de près. Seth, Alan, Jilian et Dave formaient un mur, attendant l'impact avec Barney.

Les Meritorius essayèrent de les contourner, mais les Servators se distancèrent peu à peu pour couvrir le plus de terrain possible. D'un même mouvement, ils bondirent devant Barney en hurlant.

Le pauvre robot-humain, ne sachant pas quoi faire, décida de tourner à droite et de déguerpir en ligne droite, se dirigeant aveuglément vers les gradins, les mains sur les oreilles.

Jilian et Alan allèrent aussitôt à leur poste alors que Dave et Seth pourchassaient Barney.

— Seth, dit Dave, reste derrière, je te l'envoie !

Seth ralentit alors le pas, faisant semblant d'être essoufflé. Il fut content de voir un des Meritorius sourire en le voyant ; il croyait que Seth était épuisé, mais il faisait fausse route.

Une fois de plus, Dave fit peur à Barney en même temps que les autres joueurs. Le robot-humain, pris au dépourvu, changea radicalement de direction, se déplaçant vers Seth. Dave tomba. Mais Seth savait très bien qu'il jouait la comédie.

Tout cela était prévu. Et Barney se dirigeait vers Seth alors que les Meritorius ralentissaient le pas, voulant conserver leur énergie, croyant Seth épuisé.

Quand le robot-humain fut devant lui, Seth frappa dans ses mains et prit facilement le contrôle de Barney. À toute vitesse, il se dirigea vers le but ennemi. Le gardien était prêt à l'arrêter. Mais Seth savait exactement quoi faire.

Il envoya Barney dans le coin droit du but. Le gardien, trouvant cela facile, bloqua le passage au robot en griffant la paroi rocheuse. Barney, coincés entre le gardien et Seth, fit volte-face et partit.

Sans que personne ne s'y attende, sauf les Servators, Dave sembla sortir de nulle part et poussa un rugissement qui fit décoller une dizaine d'oiseaux dans un arbre tout près. Plusieurs spectateurs sursautèrent. Ses cheveux se dressèrent sur sa tête, et Seth crut voir un lion en face de lui. Barney n'avait jamais couru aussi vite. Personne ne le vit clairement entrer dans la grotte.

Un à zéro en faveur des Servators.

La partie commençait bien.

Commençait bien.

Hurlant, les bras dans les airs, Dave tourna sur lui-même, heureux d'avoir compté son premier but.

Les Meritorius semblaient avoir compris la stratégie principale des Servators, car la deuxième manche se passa plus dans la zone défensive des Servators. Alan et Jilian firent de leur mieux pour empêcher les Meritorius de percer leur ligne défensive, mais n'y parvinrent pas. Annie, malheureusement, fut déconcentrée par un joueur ennemi. Et les deux attaquants n'arrivèrent pas à temps...

Un à un.

La troisième manche fut coriace. Ils restèrent un bon moment au centre du terrain. Dave et Seth avaient pour unique but de percer leur ligne offensive pour marquer, mais les Meritorius ne voulaient pas leur donner cette joie.

C'est alors que Seth l'entendit… Un cri aigu… Un bruit de griffes qui heurtent de la pierre…

Quand le jeune garçon vit que tout le monde sauf un joueur opposant ne bougeait plus, il fut un peu rassuré de savoir qu'il n'avait pas imaginé ce son.

— Deux à un! cria le joueur, après avoir marqué dans un but qu'Annie ne gardait plus. Deux à… quoi?

Le cri se fit entendre une deuxième fois. Il y eut alors un bruit de roche qui éclate. Puis, un sifflement. Une forme dans le ciel se dessina. Seth crut d'abord qu'il s'agissait d'un oiseau, mais il comprit vite qu'il avait tort.

L'objet tombait de plus en plus vite en direction du terrain de jeu. Tout le monde hurla et tenta de se protéger au mieux. Les joueurs s'écartèrent et se regroupèrent tous devant le but d'Annie, sauf l'autre gardienne qui se réfugia dans son propre but.

Un bruit sourd et une deuxième explosion de caillou se firent entendre au même moment. Tout le monde se détendit un peu et regarda ce qui venait de tomber sur le sol. Seth s'en approcha et y toucha même. C'était un morceau de pierre grise. Il y avait des dessins dessus… des plumes. C'était… une *aile*.

Il y eut de nouveaux cris, et tout le monde se leva d'un bond.

— Allez vous mettre en sécurité, les enfants! s'exclama Wilson. Les adultes qui veulent bien me suivre, nous allons voir ce qui se passe…

BANG!

À l'unisson, chaque villageois sursauta. La deuxième gargouille de protection venait d'exploser quelque part plus loin.

— COUREZ! ordonna Wilson.

Tous quittèrent les gradins en courant en tous sens. Seth, quant à lui, resta planté là, cherchant Fay et Pachy du regard. Alan l'attrapa par le bras.

— On n'a pas une minute à perdre, vite!

Trop tard.

Une silhouette sortit des ténèbres de la forêt et fondit sur Seth qui tomba sous l'impact. Alan, qui tenait toujours le bras de Seth, le suivit dans sa chute. Même au sol, Alan ne le lâcha pas. Il croyait peut-être que la créature allait bondir sur quelqu'un d'autre, qu'elle allait lâcher Seth. Mais non. La créature restait là et reniflait le jeune homme.

— Ça t'apprendra à venir sur mon territoire, murmura une voix dans l'oreille de Seth.

À cet instant précis, Seth leva la tête et vit une longue corde couleur beige s'étirer et s'enlacer autour de la créature. Avec un son étrange, la corde se rétracta, et la bête s'envola. Alan se leva et aida son ami à en faire autant.

— Ça va? s'inquiéta Alan.

— Ouais.

Seth vit alors Josh Dehin courir vers lui, et il comprit que la corde était en fait ses bras.

— Seth! hurla Dehin. Va-t'en!

Mais Seth n'avait aucune envie de partir. Il devait savoir. Il chercha l'intrus du regard, mais ne le trouva pas. Il entendit alors une voix au-dessus de lui et leva les yeux vers le ciel.

Alicia volait en agitant ses grandes ailes transparentes et tenait l'inconnu par les bras. Visiblement, elle gagnait du temps à Seth pour qu'il se sauve. La créature tenta de mordre la Fée, et celle-ci eut peur. Elle lâcha prise, et sa proie tomba sur le sol…

C'était bien lui. Le cœur de Seth se serra.

Fabrice.

L'homme-chien dévisagea Seth et s'apprêta à sauter de nouveau sur lui lorsqu'il décida de regarder tout autour du jeune garçon. Les professeurs de Magistra, Yvon, Alicia et bien d'autres adultes arrivaient au pas de course. Fabrice tourna les talons et s'enfuit vers la forêt.

— Kendall, Cybale, suivez-le ! ordonna Wilson.

Deux personnes, un homme et une femme, se détachèrent du groupe et suivirent Fabrice qui courait plus vite qu'eux.

— Chapados, reprit Wilson, allez vérifier quelles gargouilles ont explosé.

— Très bien, répondit un professeur que Seth avait déjà croisé à Magistra.

— Dehin, continua Wilson, annulez tout éventuel match de Capture l'Humain. Pas question d'exposer les élèves à de possibles dangers à cause de cette… créature !

— Oui, monsieur.

Josh Dehin se détacha lui aussi du groupe.

— Alicia, Gary et Seth, venez avec moi. Quant aux autres, allez vérifier si tous les enfants vont bien.

Quand tout le monde fut parti en courant, Wilson fit signe aux autres de le suivre. Ils marchèrent en silence. Seth gardait la tête baissée. Alan le suivait, le tenant toujours par le bras.

Ils arrivèrent à une maison que Seth reconnut comme étant celle de Craig Wilson.

— Désolé, Alan, dit Craig, tu ne peux pas entrer.

Alan, déçu, écouta tout de même le Gardien. Il lâcha Seth, lui fit un signe encourageant de la main et s'élança en direction de l'auberge. Quand il arracha son regard de son ami, il vit que Gary et Alicia étaient déjà entrés. Wilson tenait la porte ouverte. Son regard dur n'annonçait rien de bon. Il fit signe au jeune homme de les suivre.

Seth savait que l'heure de vérité avait sonné.

Le Bestiaire

Seth eut à peine le temps d'examiner le hall d'entrée que Wilson le prit par le bras et le tira avec lui dans un corridor latéral. Ce long couloir, avec ses huit fenêtres qui laissaient entrer les rayons du soleil couchant, rappela le Couloir de la Mort chez Seth. Dans sa *vraie* demeure. Avec les Humains.

Identique à celui dans la maison de Seth, le couloir déboucha sur une salle de séjour. Il y avait des fauteuils qui paraissaient confortables mais froids, ainsi que des bibliothèques. Sur un mur nu étaient accrochés une dizaine de miroirs. Wilson, Alicia et Gary s'assirent dans des fauteuils. Il en restait un dernier pour Seth, mais ce dernier n'osa pas s'asseoir.

— Monsieur…, commença Seth, rassemblant son courage pour tout avouer, tout dévoiler.

La punition lui importait peu. Il venait de comprendre sa bêtise. Si seulement il avait averti Wilson un peu plus tôt, peut-être qu'il aurait pu empêcher tout cela. Peut-être que Gurt n'aurait pas été blessé. Peut-être que…

Wilson leva une main pour l'interrompre, coupant également le fil de ses pensées. Les trois adultes fixaient durement le mur avec les miroirs. Seth suivit leurs regards et ne bougea plus, les remords montant en lui, menaçant de lui déchirer les entrailles.

Sur plusieurs miroirs, il se voyait, les larmes aux yeux. Fabrice avait pénétré dans Monstrum. Un *Sanctuaire*. Un endroit *inviolable*.

Un miroir se mit à luire d'un bleu éclatant, et le visage de Josh Dehin apparut.

— Toutes les parties de Capture l'Humain sont désormais annulées, monsieur Wilson, dit le reflet de Dehin.

— Merci, Josh. Assurez-vous également qu'aucun élève ne tente de s'aventurer sur le terrain. Au cas où la créature veuille revenir.

— D'accord. Voulez-vous que j'en interdise l'accès ?

— Comment allez-vous vous y prendre ?

— Je... enfin...

— C'est ce que je croyais.

Un deuxième miroir se mit à scintiller, et le reflet de Kendall se dessina.

— Dehin, ordonna Wilson, faites ce que je vous ai demandé. Je m'occuperai d'interdire l'accès au terrain.

— Parfait.

L'image du professeur disparut, et toute l'attention se tourna vers Kendall.

— Monsieur le Gardien, annonça Kendall, d'une voix rauque, nous n'avons pas pu trouver la créature. Ni suivre ses traces, d'ailleurs. Elle s'est tout simplement volatilisée.

Wilson se gratta pensivement le menton.

— Pour être honnête, avoua-t-il, je ne m'attendais pas à ce que vous y parveniez, mais j'avais tout de même une petite lueur d'espoir.

— Sur notre chemin, nous avons croisé des centaures. Ils semblent furieux.

— Je n'en doute pas. Je devrai aller leur parler plus tard. Et, j'ai peur de le dire, je devrai même leur demander un petit service.

Gary toussota. Wilson le dévisagea, et Gary lui expliqua :

— Je doute fort que les centaures nous aident. Nous pourrions demander aux salamandres de...

— Je ne ferai pas entrer les salamandres dans le village ! Elles ne voudront plus partir !

Wilson se leva et se mit à faire les cent pas.

— Kendall, n'avez-vous pas une idée de l'endroit où la chose a pu se rendre ?

— Aucune, monsieur. C'est cela qui m'inquiète. Elle est un maître dans le déguisement, c'est sûr. On a dû lui passer devant sans s'en rendre compte...

Wilson écoutait en hochant la tête. Ses yeux laissaient voir qu'il était tout à fait concentré, assemblant toutes ces informations dans le casse-tête. Et Seth, la bouche sèche, le regardait. Il avait des informations à lui transmettre.

— Merci, Kendall. Vous et Cybale feriez mieux de retourner au village. Si vous recroisez un centaure, dites-lui que le Gardien du Sanctuaire ira voir Centaurus avant la fin de la nuit.

— Très bien, monsieur.

Le reflet de Kendall disparut. Wilson s'approcha d'un miroir et s'admira un moment. Puis, il s'éclaircit la gorge.

— Miroir, miroir, mets-moi en communication avec madame Ewilan.

Une lumière dorée éclaira toute la glace. Après un moment, elle se dissipa, et Seth vit alors le visage d'une belle femme aux cheveux foncés qui portait des lunettes rectangulaires.

— Wilson ! s'exclama Ewilan.

Par son accent, Seth sut qu'elle venait de la France.

— Pourquoi m'appeler à cette heure si tardive?

— Je voulais prendre de l'avance, Gillian. Monstrum a été infiltré par une créature, et deux gargouilles ont été détruites. J'ignore encore lesquelles, mais je voulais vous mettre au courant.

Le visage de Gillian Ewilan devint blême. Elle porta ses mains à son visage et elle trembla.

— Monstrum a été... infiltré? murmura-t-elle. Mais comment est-ce que...?

— C'est l'une des questions que nous nous posons en ce moment, coupa Wilson. Et, surtout, qui a fait ça?

Un silence s'installa. Même Ewilan patienta. Enfin, un miroir juste à côté de cette dernière se mit à scintiller, et le reflet du professeur que Seth avait croisé quelques fois dans Magistra apparut.

— Flint et Flant sont intacts, monsieur, dit-il.

Wilson porta immédiatement son regard vers Ewilan.

— Les deux gargouilles que vous nous avez envoyées sont détruites.

— D'accord. Vous en voulez d'autres?

— Non. On a déjà une dette de deux gargouilles envers vous; je ne voudrais pas vous en devoir plus.

Ewilan soupira.

— Vous n'avez aucune dette envers la France, Wilson! Auriez-vous oublié ce qu'est l'entraide? Franchement, je n'ai pas hâte d'avoir votre âge!

Wilson réprima un sourire.

— Dans ce cas, merci, Ewilan. Et désolé de vous avoir embêté...

— Ne soyez pas désolé, voyons! Si Monstrum a été attaqué, Prodige est peut-être aussi à risque. Je ferais mieux d'élever le niveau de sécurité. Allez, on s'en reparle plus tard, Wilson.

Ewilan disparut. Wilson se tourna vers le professeur.

— Chapados, savez-vous comment la créature a pu entrer dans Monstrum?

— Oui. Ça a été très simple, il faut l'avouer. La bête est allée devant Flint et Flant et leur a demandé d'entrer. Évidemment, nos gargouilles ont refusé. C'est alors que la bête s'est mise à les insulter à tour de rôle. Vous connaissez Flint et Flant, Wilson. Ils ont aussitôt voulu attaquer la bête qui avait déjà quitté. C'était bien sûr une partie de son plan. Ensuite, les gargouilles ont cherché la bête, oubliant totalement leur poste.

» La bête aurait trouvé cela trop facile d'entrer tout simplement. Une des deux autres gargouilles l'a vue et l'a défiée. Très vite, son frère est arrivé. Flint m'a dit avoir espionné cette bataille. Quand la deuxième gargouille a explosé, la créature l'a frappée sur son talon d'Achille, ce qui les détruit immédiatement; elle a voulu passer à l'action, mais la bête entrait déjà dans l'enceinte du Sanctuaire. Flint ne pouvait plus rien faire puisqu'il lui est interdit d'entrer dans Monstrum.

Wilson se mordait la lèvre inférieure, Alicia avait les mains sur la bouche et Gary paraissait furieux.

— Imbécile de Flint! railla le petit homme. Pourquoi n'a-t-il pas agi plus tôt?

— Il était sûr que la deuxième gargouille allait en venir à bout, répondit calmement Chapados.

— Ce n'est pas une raison pour ne pas intervenir, intervint Alicia. C'était son devoir de…

— Et Flant? demanda Seth, s'exprimant pour la première fois. Que faisait Flant pendant ce temps-là?

— Excellente question, approuva Wilson, sans regarder Seth.

Chapados haussa les épaules.

— Flant devait chercher la bête, je présume.

Silence.

— Puis-je faire autre chose pour vous, monsieur ?

— Non, Chapados. Merci beaucoup.

— Il n'y a pas de quoi.

Chapados disparut du miroir. Alicia se frotta le front. Gary, nerveux, se faisait craquer les doigts tandis que Wilson faisait toujours les cent pas.

Seth sentait la chaleur monter en lui. Très vite, ce serait à son tour de passer à l'interrogatoire. Et il dirait tout. *Tout.* Il avait assez causé d'ennui en gardant le silence ; il pouvait se considérer comme étant un *Monstre*.

Seth ouvrit la bouche pour parler mais Wilson lui fit signe de se taire. Il n'avait pas fini d'assembler tous les morceaux de son casse-tête. Tout ce que Seth pouvait faire, c'était de le suivre des yeux, attendant le signal pour tout raconter.

Le soleil se couchait et, bien vite, Alicia se leva pour aller chercher des chandelles qu'elle s'empressa d'allumer. Seth regarda sa montre. Il était 21 h.

Wilson arrêta de marcher et tourna son regard vers Seth qui sentit son sang bouillir en lui. Il n'avait jamais vu Wilson arborer un tel visage. On aurait dit un chien qui chassait un chat, mais qui n'arrivait pas à l'attraper. Ou un singe qui n'avait plus de banane.

— Seth, marmonna-t-il enfin, je suis désolé de me répéter, mais y a-t-il quelque chose que tu ne nous as pas dit ? Quelque chose qui pourrait expliquer tout ce qui vient de se passer.

Seth sentit la sueur couler dans son dos. Il essuya ses mains moites sur son pantalon. La pièce tanguait sous ses yeux. Il voulait vomir, quitter cette pièce. Quitter Monstrum à tout jamais. Nier ce qu'il était vraiment. Vivre comme si rien de cela ne s'était passé. Retourner vivre avec ses parents et ses amis. Subir à nouveau les méfaits de l'argent…

Alicia se leva, prit Seth par les épaules et le força à s'asseoir. Seth croisa son regard et vit qu'elle était au bord des larmes.

— Seth, murmura-t-elle, s'il te plaît. Si tu sais quelque chose, dis-le.

Seth raconta tout. Il relata son voyage à Cuba, son combat avec Fabrice, et il parla même de Ryan, le satyre qui l'avait sauvé. Quand il mentionna la blessure qu'il avait imaginée, il fut surpris de voir son auditoire s'alarmer.

— Tout s'explique! s'exclama Gary. Oui, *tout s'explique*.

— Qu'est-ce qui s'explique? s'affola Seth.

Wilson recommença à faire les cent pas, et Alicia retourna s'asseoir.

— Seth, expliqua Wilson, la morsure que tu as cru imaginer était réelle. C'est ainsi que Fabrice t'a retrouvé. Sa morsure te connecte à lui.

— Comment est-ce...?

— Tu n'as pas à tout savoir, Seth, coupa Wilson. C'est ta punition pour avoir mis tant de temps à nous dévoiler ce qui s'était vraiment passé. Tu devras nous faire confiance pour ta protection.

— Ce n'est que ça sa punition? s'indigna Gary. Ce devrait être davantage.

— Qui est le Gardien?

— Il a conduit une créature telle que Fabrice jusqu'ici!

— Gary!

— IL AURAIT PU TUER DES PERSONNES PAR LE BIAIS DE FABRICE!

— GARY!

La poitrine du directeur se soulevait et s'abaissait rapidement. Seth tremblait de peur. Qu'avait-il fait à la fin?

— Gary, reprit Craig, plus calmement, va-t'en, s'il te plaît. Va m'attendre dans la cuisine.

— Très bien !

Gary sortit, heureux de ne plus voir Seth. Alicia, qui tremblait autant que Seth, se tourna vers Wilson. Comme s'il ne s'était rien passé, Alicia se leva, posa une main sur l'épaule du Gardien et demanda :

— Comment allons-nous faire pour tuer cette chose ?

— Premièrement, nous allons la trouver. Ce qui ne sera pas facile. Deuxièmement, nous allons devoir protéger Seth. Jamais personne ne s'est retrouvé aussi vulnérable à Monstrum. Troisièmement, les parties de Capture l'Humain et toutes les sorties te sont interdites, Seth, compris ?

Seth hocha la tête.

— Alicia, je te demanderais d'escorter Seth jusqu'au téléphone. Il doit appeler ses parents pour leur dire qu'il ne pourra pas les appeler pendant un temps indéterminé. Seth, dis à tes parents que la ligne sera coupée à cause de réparations urgentes. Ou invente n'importe quel mensonge.

— Mais qu'est-ce que… ?

— Le temps des questions est terminé, Seth, coupa à nouveau Wilson. Il est maintenant temps de passer à l'action.

Alicia attrapa Seth par le bras et le fit sortir de la salle de séjour.

*

— Tu ne peux plus jouer à Capture l'Humain ? s'écria Alan, lorsque Seth lui eut tout raconté au matin.

— Calme-toi, Alan ! Je te signale qu'ils ont annulé toutes les parties du reste de l'année. Plus personne ne pourra jouer.

— Ouais… Bon, tu viens avec Fay, Pachy et moi ? Nous allons au parc…

— Non. Je vais rester ici pour faire mes devoirs.

— Comme tu veux.

Alan quitta sans rajouter un mot. La véritable raison pour laquelle Seth ne voulait pas quitter l'auberge était simple : Wilson le lui avait interdit. Et Seth n'avait pas été capable de tout révéler à ses amis. S'ils le jugeaient, que deviendrait Seth dans ce monde sans ami ?

Puisque Seth n'avait rien d'autre à faire, il sortit ses cartables et commença à faire ses devoirs dans la chambre d'Alan. Il avait hâte qu'Emma emménage chez Alicia afin de pouvoir réintégrer ses appartements.

Après un moment, la gorge sèche, Seth décida d'aller se chercher quelque chose à boire. Il sortit de la pièce, et son cœur bondit de joie. La porte de la chambre numéro sept était ouverte. Est-ce qu'Emma déménageait déjà ?

Seth se précipita vers la salle, mais ses espoirs sombrèrent aussitôt. Emma, assise sur son lit, gardait le regard rivé sur la fenêtre.

— Bonjour, Seth Langlois, lança-t-elle.

Seth entra dans la chambre.

— Ça va ?

— Oui, merci, répondit-elle, sans se tourner vers Seth. Toi ?

— Ouais.

Emma soupira.

— Tu n'es pas un bon menteur, tu sais. Tout le monde sait que Wilson voulait te parler. Des rumeurs circulent.

À son sujet aussi, des rumeurs circulaient, mais Seth ne le lui mentionna pas.

— Les gens croient que tu sais quelque chose sur ce qui s'est passé. Est-ce vrai ?

— Qu'est-ce que cela changerait ?

— Eh bien, cela ferait la différence entre mon départ de l'auberge ou non.

Seth se pétrifia.

— Que veux-tu dire ?

— Alicia est venue me voir, ce matin. Elle m'a dit que je devais rester ici tant que la bête était toujours en vie.

— Pourquoi ?

Une pierre tombait dans le ventre de Seth, emportant les dernières partielles de joie qui restaient en lui. Emma ne le regardait toujours pas, et Seth aurait voulu lui crier de se retourner.

— C'est évident, non ? Wilson préfère savoir que tu partages ta chambre avec quelqu'un. Tu as ainsi un certain niveau de sécurité.

— Dans ce cas, pourquoi ne m'oblige-t-il simplement pas à rester dans la chambre d'Alan ? Tu pourrais quand même aller vivre chez Alicia.

— Tu respecterais cette règle ? Je ne crois pas. Si je reste ici, cela t'empêchera de briser la loi.

La colère bouillonnait en Seth. Son irritation venait en grande partie de lui-même : il s'en voulait d'avoir gardé ses secrets pour lui. Si seulement il avait tout dit à Wilson plus tôt, rien de tout cela ne serait arrivé ! L'autre partie de sa colère venait de ses punitions et de l'air heureux qu'affichaient ses amis. Se moquaient-ils de ce qui arrivait à Seth ? Une bête voulait peut-être le tuer !

— Si tu as besoin d'aide, continua Emma, je suis là.

— Merci, marmonna Seth, peu convaincant.

Il tourna les talons. La gorge toujours sèche, il reprit son chemin pour aller se chercher quelque chose à boire. Il descendit l'escalier et, à son grand étonnement, constata que l'auberge était vide. Il s'apprêta à entrer dans la pièce quand la porte s'ouvrit et, voyant Wilson et Gary entrer, Seth se fondit dans le mur pour espionner le directeur de Magistra et le Gardien du Sanctuaire.

Les deux hommes se dirigèrent vers le barman en balayant la salle du regard.

— C'est vide, aujourd'hui, commenta Gary.

— Les événements d'hier ont terrorisé tout le monde, expliqua Yvon. Je suppose que les gens reviendront quand la peur sera disparue. Vous prenez la même chose que d'habitude ?

Wilson et Gary acquiescèrent, et Yvon les servit sans délai. Après avoir prit une gorgée, Wilson demanda :

— Est-ce que Seth est sorti de l'auberge ?

— Je ne sais pas, dit Yvon. Je m'occupais de mes affaires et, quand je me suis retourné, j'ai vu quelqu'un fermer la porte. Je crois que c'était Alan.

— Si Alan est parti, Seth l'est aussi, souffla Gary.

Seth mourait d'envie de sortir de sa cachette, de faire savoir à Gary qu'il n'était pas sorti, qu'il savait respecter les règles… Mais Wilson intervint avant que Seth ait pu faire un pas.

— Je t'en prie, Gary ! Tu ne peux pas empêcher Seth de sortir ! De toute façon, une dizaine de personnes protégeront Seth au moment où celui-ci mettra le nez dehors.

Yvon se pencha vers Wilson.

— Alors ? fit-il. Savez-vous de quoi il s'agit ? Est-ce que Seth s'est confessé ?

— Finalement, il a avoué, reconnut Wilson. Son récit m'a sidéré. Il a tu tant de choses depuis son arrivée ici…

— Et nous aurions pu empêcher tout cela si nous avions su plus tôt, railla Gary.

Wilson donna une tape sur l'épaule de son collègue.

— Ne dis pas de bêtise, Gary ! Tu sais très bien que personne n'aurait pu empêcher ce qui est arrivé hier !

Égoïstement, Seth ressentit la joie monter en lui. Wilson l'avait dit : rien n'aurait pu être évité. Il n'avait plus aucune raison de se culpabiliser.

— Mais... qu'est-ce que c'est ? s'enquit Yvon.

Wilson soupira et prit une gorgée de son breuvage.

— L'hypothèse la plus probable est qu'il s'agisse d'un Traqueur, comme nous te l'avons déjà dit.

Les entrailles de Seth se contractèrent. Bien sûr, il avait écouté cette autre conversation entre les trois hommes. Il s'était caché exactement au même endroit et il avait entendu exactement le même nom : Traqueur. Il s'était juré de faire des recherches, mais n'en avait pas fait.

— L'avez-vous dit à Seth ?

— Pourquoi l'embêter avec ça ? Il ne doit même pas savoir ce qu'est un Traqueur. Et tant qu'il est dans l'ignorance, il sera beaucoup plus facile de le protéger puisqu'il devra obéir au doigt et à l'œil.

Wilson donna une autre tape à Gary.

— Arrête un peu ! Seth n'est pas un jouet. C'est sérieux tout ça. Comme le Traqueur est désormais dans le Sanctuaire, la vie de plusieurs personnes est en jeu !

Il y eut un silence lourd. Le cœur de Seth battait tellement fort qu'il se demandait si les trois hommes ne l'entendaient pas.

— Je suis sûr que vous avez augmenté la protection, monsieur, reprit finalement Yvon, à voix basse.

— Évidemment que je l'ai fait ! Je suis allé voir les centaures ! Malheureusement, ils ont catégoriquement refusé de nous aider.

— Qui protège le Sanctuaire dans ce cas ? Les salamandres ? Ce n'est pas que je n'approuve pas...

— Non, ce ne sont pas les salamandres, coupa Wilson. J'ai sollicité l'aide des phénix.

Yvon regarda le Gardien, sidéré. Wilson vida son verre, et Gary l'imita.

— Les... *phénix*, bredouilla le barman. Et ils ont accepté?

— Bien sûr! L'idée qu'un Traqueur se promène dans le Sanctuaire les effraie autant que nous! N'oubliez pas que les Traqueurs mangent du phénix comme dessert.

— Où sont-ils dans ce cas?

— Ils se cachent dans l'enceinte du Sanctuaire. Avec l'état de Gurt qui s'améliore lentement, la clôture commence à vouloir réapparaître.

— En parlant de Gurt, comment va-t-il?

— Il récupère, dit Gary, avant que Wilson n'ouvre la bouche. Il est toujours dans un piteux état, mais d'ici la fin de juin il sera sur pied.

— Il est toujours à l'hôpital?

— Non. Il en est sorti il y a un bon moment. Il est en sécurité chez les centaures. Ces derniers l'entraînent.

Silence. Yvon s'empara des verres vides et les remplit de nouveau.

— Avez-vous entendu la rumeur à propos de madame Trudeau?

— Non.

La discussion s'orienta sur un autre sujet. Seth, la gorge plus sèche que jamais, décida de retourner en haut. Le cœur lourd, il fut heureux de voir la porte de la chambre d'Emma grande ouverte. Il se dépêcha d'entrer dans la chambre. Cette fois, Emma le fixait.

— Qu'y a-t-il, Seth?

— J'ai besoin de ton aide.

— En quoi puis-je t'être utile?

Le visage d'Emma était illuminé. Elle était en *vie*. Le fait de pouvoir aider quelqu'un, de se rendre utile dans un monde inconnu pour elle, la rendait si heureuse que Seth en fut troublé un moment. Surtout en raison de ce qu'il avait à lui demander. Quand il lui eut exposé son plan, Emma hocha la tête avec vigueur.

— J'accepte !

*

Le lendemain, le cœur battant, Seth se prépara pour aller à l'école. Il prit son sac à dos, attendit Alan et Fay et, quand ils furent tous prêts, ils quittèrent en route pour Magistra.

Comme d'habitude, sur leur chemin, ils croisèrent Pachy. Aujourd'hui, Pachy commençait avec un cours de Science de la Magie tandis que le trio avait un cours de Fuite. Seth jeta un regard par-dessus son épaule et vit Emma, assise sur un banc, attendant le signal de Seth.

Une fois changé, Seth entra dans le gymnase et attendit patiemment, et nerveusement, le cri qui indiquait le début des cours. Quand le cours commença, tous s'apprêtaient à sortir pour aller courir, mais le professeur Fast les arrêta.

— Nous ne courons plus pour l'année, annonça-t-il. Aujourd'hui, et pour le reste des cours, je vais vous emmener à la rivière qui passe tout près du Sanctuaire. Nous allons devoir quitter Monstrum ; alors soyez prudents. Mais n'essayez pas de fuir, sinon vous serez ramenés ici de force, et de graves conséquences s'ensuivront.

— Mais monsieur, s'objecta un élève. Nous ne sommes qu'à la mi-avril ! L'eau n'est-elle pas froide ?

— Et alors ? Vous allez très vite vous habituer !

Tout le monde se regardait, l'air hagard. Tandis qu'un brouhaha s'élevait, Fast se dirigea vers Seth et murmura :

— Toi, tu ne peux pas venir, désolé.

— Comment ça ?

— Ordre de Wilson. Tu ne dois en aucun cas sortir de l'enceinte de Monstrum.

Seth eut la mine abattue. Il aurait aimé sortir du Sanctuaire avec ses amis.

— Où vais-je aller, dans ce cas ?

Light donna un rouleau de papier à Seth. Ce dernier le déroula et lut :

Exemption de cours de Fuite jusqu'à une date indéfinie. Prière d'accepter cet élève à la bibliothèque de Magistra à chacun des cours.

Merci,

Craig Wilson
Gardien du Sanctuaire Monstrum

Seth relut le papier trois fois avant de lever le visage vers Light.

Sans rien dire, Seth quitta le gymnase, alla se changer dans le vestiaire et trouva facilement la bibliothèque de son école. Il regarda par la fenêtre et, avec un pincement au cœur, vit Emma, assise sur un banc, attendant le signal de Seth, le regard rempli de fierté et de joie.

*

Quand la cloche sonna pour annoncer la fin des cours, Seth se dépêcha de sortir de sa classe de Monstrubilus. Il n'attendit même pas ses amis. Il n'avait qu'une idée en tête.

Il entra en courant dans l'auberge et grimpa l'escalier à la hâte. La porte de la chambre d'Emma était ouverte. Seth entra et vit la jeune fille debout, les bras croisés, le fixant d'un air menaçant.

— Tu voulais rire de moi ? Attends mon signal, tu avais dit ! Lors de mon premier cours, tout se fera, tu avais dit !

— Emma, écoute…

Mais Emma n'était pas d'humeur à écouter la justification de Seth. Elle pointa un doigt accusateur sur la poitrine du garçon.

— J'ai attendu là pendant des heures ! Quand j'ai vu que tu ne venais pas, j'ai finalement compris ton petit jeu ! Tu as vraiment réussi ; les gens qui passaient me regardaient comme si j'étais un… un… un *monstre*.

— Emma…

— JE TE FAISAIS CONFIANCE !

Seth sursauta et s'empressa de fermer la porte.

— JE CROYAIS ENFIN AVOIR TROUVÉ QUELQU'UN QUI ME COMPREND, QUI SAIT CE QUE JE VIS ! JE CROYAIS QUE TU ÉTAIS MON AMI !

— Mais je suis ton ami…

— NON ! UN AMI NE FERAIT JAMAIS UN COUP COMME CELUI-LÀ !

Emma s'élança et s'apprêta à gifler Seth. Au dernier moment, ce dernier réussit à éviter la claque. Il sentit un courant d'air lorsque la main lui frôla la joue.

— Je t'en prie, Emma, écoute…

— TU N'ES PAS MIEUX QUE LES AUTRES, SETH LANGLOIS, TU…

— ÉCOUTE-MOI !

La main d'Emma s'abaissa d'un mouvement sec. Ses yeux s'ouvrirent très grand, et elle recula de quelques pas. Seth se retourna, s'attendant à voir quelqu'un sur le seuil de la porte. Personne. C'était donc lui qui faisait peur à Emma.

— Je suis désolé, s'excusa Seth, mais tu dois m'écouter !

Emma s'assit sur son lit.

— J'ai voulu t'envoyer le signal, je te le jure! Mais il y a eu un contretemps : on ne court plus au cours de Fuite, on fait de la natation. Et il m'était interdit de quitter l'école à cause de la bête!

Emma se mordit les lèvres. Elle passa une main dans ses cheveux et dit :

— C'est à moi de m'excuser. Je n'aurais pas dû m'emporter comme je l'ai fait. Tu es le seul en qui je peux avoir confiance, ici. Je ne dois pas briser notre amitié.

Elle porta ses mains à son visage et éclata en sanglots. Seth s'approcha et lui flatta le dos.

— Ce n'est rien, dit-il. Je t'assure. Ce n'est pas ta faute si tu éclates ainsi; tu n'es simplement plus capable d'en supporter davantage. Il faudrait que tu sortes de ta chambre et que tu découvres le monde des Monstres. Ce n'est pas si effrayant.

Emma cessa de pleurer. Elle leva la tête. Visiblement, elle n'avait pas écouté un mot de ce que Seth venait de lui dire, car elle demanda :

— Quand veux-tu qu'on le fasse?

— Eh bien, je crois qu'on pourrait le faire maintenant. Alicia et Gary sont à Magistra; Wilson est seul chez lui. Il faut se dépêcher.

Tout en se levant, Emma essuya ses larmes.

— Dans ce cas, allons-y!

Emma fouilla dans sa garde-robe et sortit une longue cape.

— Mets-la, ordonna-t-elle à Seth. Je me la suis achetée avant de revenir ici, ce matin.

Seth se cacha sous la cape brune qui le dissimulait au regard de tous. Avec le vent toujours un peu froid, personne ne trouverait ça louche qu'un homme s'habille de la tête aux pieds.

— N'oublie pas, répéta Emma, tu dois attendre que Wilson soit hors de vue!

Ils quittèrent l'auberge sans que personne ne les remarque. Seth regardait partout, à l'affût des gardes. Il n'en trouva pas, mais son costume passa l'épreuve tout de même : sur leur chemin, Emma et Seth croisèrent Alan, Fay et Pachy qui ne remarquèrent pas Seth.

— Tu devrais aller là-bas puis revenir en courant, murmura Seth à l'oreille d'Emma. De cette manière, ce serait plus convainquant.

Emma acquiesça et tourna les talons. Seth continua son chemin et alla s'asseoir sur un banc à côté de la maison de Wilson. Et il patienta.

Le doute montait en lui. S'il se faisait repérer? Si Wilson n'était pas là? Et si Alicia et Gary venaient rendre visite au Gardien pendant qu'Emma l'occupait ailleurs. Il se rongea les sangs ainsi pendant une petite éternité.

Finalement, Emma arriva en courant. Les gens lui laissaient le chemin libre et, jouant à fond le jeu, elle hurlait qu'elle était désolée, mais que c'était une urgence. Sans même lancer un regard à Seth, elle se planta devant la porte de Wilson et frappa avec force.

La porte s'ouvrit, et Wilson apparut dans le champ de vision de Seth.

— Bon sang! s'exclama le Gardien, ahuri. Emma? Que fais-tu ici?

— Monsieur... j'ai... je... je marchais quand je l'ai vue dans la forêt... Vite!

— Tu l'as vue?

— Oui! La bête!

Comme dans le plan de Seth, Wilson sortit immédiatement de sa demeure à la vitesse de l'éclair. Il donna un élan à la porte pour qu'elle se referme, mais Seth la bloqua avec son pied. Le Gardien, n'ayant rien remarqué, continua son chemin, Emma sur les talons. Quand il disparut à l'angle d'une bâtisse, Seth se dépêcha d'entrer dans la maison.

Aussitôt, il emprunta le Couloir de la Mort, identique à celui chez ses parents. Il marchait le dos courbé, pour s'assurer que personne ne le repère depuis les fenêtres. Une fois dans la salle de séjour, il ferma les rideaux des quelques fenêtres. Quand ce fut fait, Seth s'attarda aux nombreuses bibliothèques.

Certains livres étaient vieux, d'autres neufs. Certains petits, d'autres grands. Il y en avait de toutes sortes de couleurs et portant des noms des plus étranges. Il y en avait même qui étaient rédigés en Monstrubilus — Seth reconnut la langue.

Seth lisait les titres sur les reliures. *La vie en communauté, Les Monstres Indésirables : comment s'en protéger, Le passé sombre des Monstres, La Secte des Cauchemars : une réalité ou un mythe ?* Des centaines de livres défilaient devant les yeux de Seth. Alors qu'il croyait ne pas pouvoir trouver celui qu'il cherchait, ses yeux tombèrent sur un livre dont le titre ne pouvait pas mentir : *Le petit bestiaire pratico-pratique*. Seth s'empara du livre et le feuilleta.

Trouver l'article aurait pu prendre beaucoup de temps. Et le temps, justement, lui manquait. Si jamais Wilson décidait de revenir ici pour...

Seth fit volte-face et regarda les miroirs. Et si quelqu'un l'épiait ? Non, il ne pouvait pas courir ce risque. Il prit le livre et retourna dans le Couloir de la Mort. Une fois couché par terre, il trouva la table des matières et son article...

Les Traqueurs.

Les mains tremblantes, Seth tourna les pages jusqu'à ce qu'il arrive à la page 107. Là, il commença sa lecture.

Les Traqueurs sont reconnus pour leur méchanceté et leur goût prononcé du sang. Originaires d'Afrique du Sud, les Traqueurs firent leur apparition dans les Amériques en 1550. Une fois établis là, ils s'éloignèrent des nouveaux habitants pour vivre comme des sauvages dans la forêt.

Les Traqueurs voulaient maintenant avoir leur propre territoire, et ils commencèrent à s'entretuer. Bien vite, ils découpèrent le Nouveau Monde en « territoires ». Si un Traqueur osait s'aventurer sur un territoire qui n'était pas le sien, il risquait sa vie.

Les années passèrent, et les Traqueurs établis en Amériques devinrent de plus en plus rares. Leur cannibalisme entraîna peu à peu leur perte. Mais ce n'était pas le seul facteur.

Le climat avait aussi un impact sur leur reproduction. La femelle, ayant besoin de chaleur extrême pour mettre au monde son bébé, ne pouvait plus avoir d'enfant. Certaines, vivant en Amérique du Sud, y parvenaient. Bientôt, presque tous les Traqueurs voulurent s'installer en Amérique du Sud, ce qui entraîna encore plus de cannibalisme.

Même si les Traqueurs peuvent vivre des années, voire des siècles, sans manger, le désir de consommer de la chair humaine est plus fort qu'eux. Pendant un certain temps, ils s'amusèrent à créer des embêtements aux Humains et déclenchèrent quelques guerres. Mais un jour important arriva.

Vers l'an 1560, les Traqueurs découvrirent un autre type de viande : celle des Monstres. Elle goûtait beaucoup plus comme la leur, et cela leur procurait un plaisir supplémentaire. De génération en génération, cette envie se développa et, aujourd'hui, les Traqueurs ne mangent presque plus de chair humaine, mais se contentent plutôt de la chair des Monstres.

Encore aujourd'hui, certains Traqueurs vivent avec la notion de « territoires », mais nous savons tous que ce temps est révolu. Les satyres ont pris le contrôle de l'Amérique du Sud et, avec leur *tempérament un peu festif, ont réussi à démolir la hiérarchie des Traqueurs sans vraiment s'y efforcer.*

Les Traqueurs sont facilement repérables par les Monstres : il s'agit d'un humain qui possède certaines caractéristiques du chien. L'odorat développé du Traqueur lui permet de sentir un Monstre à des lieues à la ronde. Il peut en profiter pour se cacher, ou pour fuir le danger... ou il peut utiliser ce don afin de traquer une proie insouciante.

L'odorat du Traqueur n'est pas son arme la plus féroce, non. Ses dents, longues et tranchantes, non plus. En fait, ce qu'il faut absolument redouter chez les Traqueurs est leur bave. En une seule morsure, ils peuvent vous...

Le cœur de Seth cessa de battre un moment. Il manquait une page au livre !

— Ils peuvent vous... quoi ? s'exclama Seth.

Furieux, il referma le livre et retourna le ranger dans la bibliothèque. Il lança un dernier regard aux miroirs. Il espérait de tout cœur que personne ne l'ait espionné le temps qu'il s'empare du bestiaire.

D'un pas vif, il quitta la demeure en faisant bien attention à ce que personne ne le voie. Une fois dehors, la cape le cachant toujours des regards indiscrets, il retourna à l'auberge.

Sans aucune gêne, Seth entra dans la chambre d'Emma. Il se défit de la cape et la rangea dans la garde-robe de la jeune fille. Puis, il se laissa tomber sur le lit et attendit.

Emma revint une dizaine de minutes plus tard. Elle prit soin de bien refermer la porte derrière elle avant de demander :

— Alors ? Tu sais de quelle bête il s'agit ?

— Je crois que oui, mais je n'en suis pas sûr.

— Pourquoi ?

La rage montait de plus en plus en Seth lorsqu'il lâcha :

— Il manquait une page au livre !

Emma, compatissante, prit place à côté de Seth et lui passa un bras autour des épaules. Seth n'avait jamais vu une fillette de sept ans agir de la sorte.

— Tu n'as pas regardé s'il y avait un autre bestiaire ?

— J'avais trop peur de manquer de temps et de me faire prendre.

Emma hocha tristement la tête.

— Je comprends. On peut le refaire, si tu veux.

— Non, merci. Je crois que Wilson a raison : je dois rester dans l'ignorance. Ce n'est peut-être pas un hasard si la page était manquante.

Emma étudia attentivement cette hypothèse.

— Tu dis que Wilson aurait délibérément arraché la page au cas où tu essaierais de… Mais c'est absurde, Seth.

— Pas tant que ça. Il a dû se douter que j'aie pu surprendre leur conversation.

Emma fronça les sourcils, et Seth lui raconta toute la conversation qu'il avait entendue, caché dans l'ombre, entre Wilson, Gary et Yvon. Il raconta même son voyage à Cuba. Quand il eut terminé, Emma avait les yeux plissés tellement elle se concentrait pour comprendre.

— Ce serait donc un… Traqueur, c'est bien cela ?

— C'est ça, oui.

— Juste le nom me fait frissonner.

— À qui le dis-tu ?

Seth se frotta les yeux en se levant. Emma le suivit du regard quand il marcha pour gagner la porte.

— Je dois y aller, dit Seth. Fay, Alan et Pachy doivent me chercher partout.

— Tu as sans doute raison.

— Merci, Emma. Ce que tu as fait pour moi a beaucoup de valeur à mes yeux.

— Non, rectifia Emma, c'est ce que tu as fait pour moi qui a de la valeur, Seth.

Sur cette note mystérieuse, Seth quitta la chambre et retrouva Fay, Alan et Pachy dans la sienne.

— Où étais-tu passé ? s'inquiéta Fay, les larmes aux yeux.

— Je...

Seth se pétrifia. Non, il ne pouvait pas leur dire. Il se résigna au dernier moment.

— Je suis allé aux toilettes et j'ai décidé de manger un petit quelque chose en bas.

— Mais tu es allé voir aux toilettes, Alan, non ? fit Pachy.

Alan approuva de la tête. Sous le regard suppliant de Seth, il ajouta :

— Mais je peux avoir vu Seth sans le voir.

Fay et Pachy froncèrent les sourcils. Quand ils proposèrent à Seth d'aller manger avec eux, ce dernier déclina l'offre en leur rappelant qu'il venait de manger et qu'il n'avait plus faim.

Et, même s'il n'avait pas réellement mangé, il était vrai que Seth avait perdu l'appétit.

Cauchemar

Le moi d'avril se termina, et le Traqueur ne s'était pas montré le bout du nez. Peut-être avait-il eu peur ? Chose certaine, Seth n'allait pas retrouver sa liberté si facilement...

Chaque fois que le jeune garçon sortait, une personne le suivait, de loin ou de proche. Il lui était désormais impossible de passer du bon temps avec ses amis. Les sorties au parc étaient bannies ainsi que celles au restaurant. Il ne pouvait même plus aller à la bibliothèque de Monstrum ! Il devait se contenter de celle de Magistra, qui renfermait beaucoup moins de livres.

Comme il se l'était promis, Seth ne dit rien à ses trois meilleurs amis au sujet du Traqueur. En fait, il n'était même pas tout à fait certain qu'il s'agissait de cette créature. Sauf que tout semblait vouloir concorder avec cette hypothèse. Mais, en même temps, Seth manquait d'information pour se décider à y croire.

Le terrain de jeu fut réellement interdit à tout le monde. Des oiseaux au plumage rouge et or voletaient au-dessus pour s'assurer que personne n'y entre. Les phénix étaient beaux en apparence, mais, si Wilson les avait recrutés, c'était parce qu'ils étaient coriaces et dangereux.

Le mois de mai arriva avec son bagage de stress et le distribua à chaque élève de Magistra. L'heure des examens de fin d'année approchait. Les plus nerveux étaient les élèves de cinquième année qui jouaient leur avenir. Seth n'aurait pas voulu être à leur place. À cause du Traqueur, la sécurité à Magistra avait été renforcée, et il n'était pas rare de voir un étudiant se faire arrêter par un homme habillé en complet-cravate et se faire fouiller. Ces colosses avaient, sur leur veston, les lettres CDS brodées.

— Conseil des Sanctuaires, expliqua un jour Pachy, alors qu'il regardait un élève de troisième année aux prises avec un garde. Ils sont les policiers des Monstres, en quelque sorte.

— Que comptent-ils trouver? fit Seth. Ils croient que la bête se cache dans les poches d'un élève? Ou qu'un élève est la bête? Franchement, c'est ridicule.

— Pas si ridicule que ça, coupa Alan. Regarde-moi, je suis un *métamorphe*. Si la bête en est un aussi, elle peut très bien avoir pris l'apparence d'un élève pour se faufiler dans l'école.

« Et me tuer », songea Seth. Une autre chose était sûre : la créature voulait tuer Seth coûte que coûte. Sinon, pourquoi Wilson lui aurait-il interdit toutes ces activités? Pourquoi aurait-il demandé à des gardes de le surveiller en permanence?

Le mois de mai avançait lentement. Les soirs étaient toujours comblés par les études, et Seth trouva de moins en moins de temps pour rendre visite à Emma. Toutefois, un soir, à l'insu d'Alan, il quitta la chambre et alla rejoindre le loup-garou.

— Seth! s'exclama Emma. Je croyais que tu avais oublié dans quelle chambre je restais.

Emma était assise devant une table et écrivait.

— Non, c'est juste que mon horaire est un peu chargé.

— D'accord…

Emma lui lança un regard complice que Seth ne lui connaissait pas. Depuis quelque temps, il sentait qu'Emma lui faisait confiance et il adorait cela. Emma se révélait une jeune fille débordant d'énergie, tout le contraire de la façade qu'elle avait montrée à Seth lors de leurs premiers entretiens.

Seth comprit enfin ce que cachait son regard et se laissa tomber sur le lit.

— Tu as fait des recherches sur les Traqueurs ?

— Oui et non. J'ai fait des recherches sur *un* Traqueur. Celui dont tu m'as parlé : Fabrice ! Il en est vraiment un !

— Comment le sais-tu ?

Emma se pencha vers Seth et lui expliqua sur le ton de la confidence :

— Je ne veux pas me vanter, mais je suis tout de même bonne actrice. J'ai fait semblant de jouer les chiens battus, et un garde du Conseil des Sanctuaires est venu me demander ce qui n'allait pas.

— Tu es au courant pour les gardes du Conseil ?

— Évidemment ! C'est facile de les reconnaître ! D'après toi, qu'est-ce que je fais, enfermée ici toute la journée ? Je me renseigne sur le monde des Monstres, voyons !

Seth hocha la tête et incita Emma à continuer d'un mouvement de la main.

— Figure-toi que le garde m'a dit que, s'il pouvait faire quelque chose pour moi, il le ferait. Je lui ai dit qu'il y avait une seule chose qu'il pouvait faire. Il m'a demandé ce que c'était, et je me suis mise à lui inventer une histoire comme quoi ma mère m'avait raconté que mon père était un Traqueur et qu'il avait été tué. J'ai précisé que je ne croyais pas ma mère. Et tu sais ce qu'il m'a répondu ?

— Non, quoi ?

— Il m'a dit qu'il y avait un moyen de savoir si mon père était un Traqueur ou non. Car chaque Traqueur, autrefois, avait marqué son territoire et avait noté chaque membre de sa lignée. Aujourd'hui encore, les Traqueurs ne cessent de prendre en note le nom des nouveaux-nés, qui sont rares. Il y a environ 100 ans, le Conseil des Sanctuaires est tombé sur ces papiers et les a conservés, cachés je-ne-sais-où.

— Viens-en au fait !

— J'y viens, j'y viens. Le garde m'a donc proposé de vérifier si mon père était un Traqueur. Il m'a simplement demandé le nom de mon père. Je lui ai dit qu'il s'appelait Fabrice.

— Un instant, coupa Seth. Comment le garde peut-il avoir cru que ton père était un Traqueur ? Je veux dire… tu en serais un, non ?

— Léger détail, ajouta Emma. Quand j'ai commencé mon récit, je savais qu'il était rempli d'erreurs, sauf que j'ai voulu essayer. Le garde a vu mon collier et il a sûrement cru qu'il m'empêchait de me transformer en une bête assoiffée de sang.

» Donc, j'ai dit au garde que mon père se nommait Fabrice. Deux jours plus tard, le garde est revenu me voir et m'a dit qu'il y avait bel et bien un Traqueur nommé Fabrice, mais que rien ne prouvait qu'il s'agissait de mon père puisque la lignée s'arrêtait à lui.

— Tu es…

— Je sais. Maintenant, nous avons la certitude que ce qui se trouve à Monstrum est bel et bien le Traqueur que tu as vu à Cuba. Il faut juste trouver le moyen de l'attraper et de le mettre hors d'état de nuire.

— Bref, résuma Seth, il faut le *traquer*.

— Je n'aurais pas pu mieux dire.

*

Le 12 mai, Seth, Alan, Fay et Pachy se rendirent à Magistra comme chaque matin. La journée, plutôt pluvieuse, aurait pu être aussi banale que toutes les autres.

Ils suivirent leurs cours du matin. Les professeurs leur transmettaient beaucoup de notions de dernières minutes pour s'assurer qu'ils seraient prêts pour l'examen. Seth prenait tout en note, sans rien omettre. La seule matière dans laquelle il ne prenait pas autant de notes était l'Histoire des Monstres. Avec le livre que Fay lui avait donné, Seth connaissait la matière sur le bout de ses doigts. Séquestré dans l'auberge à cause de Fabrice, Seth ne faisait que lire. Il avait relu son manuel et avait pris beaucoup de notes. Il s'amusait même à aider Alan pour sa révision.

Sur l'heure du lunch, après avoir mangé dans la cafétéria, les quatre amis marchaient dans les corridors de Magistra. Maintenant qu'ils connaissaient l'école comme le fond de leur poche, ils n'avaient plus peur de se perdre. Ils déambulaient dans le hall d'entrée quand *il* arriva.

Là, suivi de sa petite bande, Hayden Heyman s'avançait vers le quatuor. Machinalement, Seth vérifia le bureau du secrétariat et vit qu'Alicia n'était pas là ; elle était partie dîner.

Deux amis d'Hayden prirent place aux extrémités opposées du corridor pour empêcher quiconque de venir dans le hall. Un troisième alla vers le secrétariat et ferma les rideaux. Il ne sortit pas du bureau, de telle sorte qu'il pourrait avertir Hayden si Alicia décidait de revenir.

— Salut, monsieur H, dit Pachy.

— Toi, trompe d'éléphant, tais-toi ! Je viens voir Seth. J'ai un petit compte à régler avec lui.

— Si tu veux parler de ta défaite à Capture l'Humain, dit Fay, tu aurais pu te venger plus tôt !

— J'avais prévu me venger lors de la finale, oui, car les Infensus s'y seraient rendus, mais ton ami s'est arrangé pour faire annuler tous les matchs de Capture l'Humain jusqu'à une date indéterminée !

Hayden s'avança. Il était à une dizaine de centimètres du visage de Seth. Ce dernier ne broncha pas. Que pouvait-il faire ? Hayden avait deux bras de plus que lui !

— Il y a d'autres méthodes pour se venger, continua Fay. Par exemple, tu aurais pu lancer une rumeur à propos de Seth. Ah, j'oubliais, tu n'as pas l'intelligence pour penser à des trucs comme ça.

Hayden tourna brusquement la tête. Fay, les bras croisés, le jaugeait du regard.

— Tu vas la fermer, oui ?

— Non, dit Fay, sur un ton de défi. Pas tant que tu ne te seras pas excusé à Seth.

— M'excuser pour quoi ?

— Pour le temps que tu lui fais perdre en ce moment.

Hayden éclata de rire.

— Le temps que *je* lui fais perdre ? Comme si Seth avait une vie.

Monsieur H claqua des doigts, et ses amis s'approchèrent de Seth, menaçants, tandis qu'Hayden reculait.

— Messieurs, il est temps de montrer à Seth ce qui arrive quand on se frotte aux plus forts…

Trois brutes se dirigeaient sur Seth. Ce dernier commençait réellement à voir peur. Il n'était pas de taille contre eux. Devait-il appeler à l'aide ? Pour qu'Hayden se moque de lui le reste de sa vie ? Jamais ! Avant que Seth ait pu penser à une solution… Une longue corde grise s'accrocha au cou d'une brute et la propulsa dans les airs. Le colosse s'écrasa contre une poutre et ne bougea plus. Il était inconscient.

Pachy brandit à nouveau sa trompe, menaçant. Les deux autres brutes reculèrent.

— N'ayez pas peur de la Trompe ! railla Hayden.

Mais ses deux amis étaient effrayés. Hayden décida alors de prendre les choses en main.

— Poussez-vous ! Allez vous assurer que personne n'arrive ! Je m'occupe de la Trompe et de ses amis.

— Oh non, dit Pachy, s'approchant d'Hayden, tu ne t'occuperas de personne !

Tel un lasso, Pachy fit tourner sa trompe au-dessus de sa tête. L'homme aux quatre bras réussit à saisir le nez de Pachy à deux mains et tira de toutes ses forces. Pachy se retrouva étendu sur le sol.

— Tu fais moins le malin, la Trompe !

Hayden serra la trompe de plus en plus fort et il arracha un cri à Pachyderme.

— Arrête ! Imbécile !

Fay sauta sur Hayden. D'une de ses mains libres, il envoya la Fée valser dans les airs. Seth et Alan l'attrapèrent avant qu'elle ne touche le sol.

— Lâche Pachyderme, ordonna Seth. C'est à moi que tu en veux.

Hayden obéit et se tourna vers Seth.

— Très bien. Dans ce cas, ce sera entre toi et moi, Seth Langlois.

Avant même que Seth ait pu comprendre ce qui arrivait, Hayden le frappa au visage. La douleur fut si intense que des larmes montèrent aussitôt aux yeux de Seth. Couché sur le dos, il vit un Hayden embrouillé sauter sur lui. Monsieur H leva à nouveau son poing et...

Les portes métalliques s'ouvrirent à la volée. Wilson entra et se dirigea droit sur Hayden. Trois hommes en noir suivaient le Gardien.

— Hayden, vous êtes en retenue pour le reste de l'année. Vos amis également!

— Ou… oui, monsieur Wilson, balbutia Hayden en se relevant.

Il partit en courant dans un corridor, suivi par ses colosses, sauf celui qui était assommé.

— Comment avez-vous… ? commença Fay.

— Seth est sous haute surveillance, répondit Wilson. Je vous conseille d'aller vous préparer pour votre prochain cours. Je m'occupe de Pachyderme.

Ils ne se le firent pas répéter deux fois. Le trio quitta le hall et, une fois assez loin des oreilles de Wilson, il éclata de rire.

— La face qu'Hayden faisait! C'était trop drôle!

— La honte, tu veux dire!

L'histoire à l'effet que Seth, Alan, Fay et Pachyderme avaient eu le dessus lors d'une bataille contre Hayden et ses amis se répandit dans toute l'école. Hayden tenta en vain de l'arrêter, mais il n'y arriva pas. Comme résultat, en l'espace d'une heure, toute l'école croyait qu'Hayden était un petit minable incapable de se faire justice par lui-même.

— On a réussi, murmura Seth à l'endroit de Fay.

Cette dernière ne cacha pas sa joie.

*

L'horaire des examens fut distribué aux élèves en fin mai. Seth, avec un pincement au cœur, réalisa que le sept juin arrivait à grands pas. Cette date était très importante pour lui car c'était son anniversaire. Il aurait 18 ans.

Sans aucune raison pour le justifier, Seth ne l'annonça à aucun de ses amis. Il ne voulait pas fêter son anniversaire avec eux. Au fond de lui, il aurait aimé téléphoner à ses parents… entendre leurs voix… leurs vœux d'anniversaire…

Depuis quelque temps, Seth passait ses temps libres, qui se faisaient déjà rares, avec Emma. La jeune fille restait toujours dans sa chambre. À plusieurs reprises, Seth la trouva devant sa table, en train d'écrire.

— Peux-tu me dire à qui tu écris ? finit-il par lui demander.

— Oh… euh… à personne, voyons. À qui veux-tu que j'écrive ?

Seth lui lança un regard suspicieux. Emma finit par faire la moue.

— Si je te le dis, me jures-tu de rester mon ami ?

— Je te le promets !

Emma alla chercher une feuille sous son matelas et la tendit à Seth. En grosses lettres, tout en haut de la feuille, Seth lut :

Mon seul ami

— Qu'est-ce que… ?

— J'écris un livre, coupa Emma, évitant le regard de Seth. J'écris mon histoire. Enfin, ce n'est qu'une ébauche. J'adore écrire et je n'ai que ça à faire. Ça me détend.

— *Mon seul ami…*

— C'est toi.

Seth fut extrêmement touché par cette révélation.

— Puis-je lire le début ?

— Non !

— Pourquoi ?

— Parce que… parce que ce livre est une partie de moi ! J'ai trouvé un terrain où personne ne peut entrer. Laisse-moi y être seule, s'il te plaît !

Seth n'insista pas davantage. Emma reprit sa feuille.

— Seth, c'est quand ton anniversaire ?

Le jeune garçon fut désarçonné par cette question.

— Pourquoi veux-tu savoir ça ? demanda-t-il avec rudesse.

Emma le dévisagea.

— Ne le prends pas mal. Je voulais simplement connaître la date de ton anniversaire de naissance.

— Le 7 juin. Toi ?

— Le 10 mai. Donc ton anniversaire est bientôt. Tu auras… ?

— Dix-huit ans.

— Oh ! tu es vieux ! Moi qui te croyais encore si jeune.

Ils éclatèrent de rire. Quand le moment d'hilarité se dissipa, un silence s'installa dans la chambre. Seth avait une question sur le bout des lèvres, mais ne savait pas comment la poser. Il décida tout de même de se lancer.

— As-tu commencé à sortir de ta chambre pour explorer Monstrum ?

Emma secoua la tête.

— Ça m'arrive. Ce n'est pas courant, mais je le fais. J'ai rencontré une fille de mon âge ; elle est encore si bébé !

Il était vrai qu'Emma avait beaucoup de maturité pour son âge. Être séparée de ses parents devait avoir engendré cette conséquence. La jeune fille avait appris à se débrouiller par elle-même.

— Que veux-tu, ricana Seth, c'est ça les Monstres.

Emma porta sa main à son collier.

— Ça fait mal, dit-elle.

Son visage s'assombrit, et elle devint sérieuse. Seth en eut la chair de poule. L'air dans la pièce refroidit.

— Qu'est-ce qui fait mal ?

— La pleine lune… Quand je la vois, je souffre énormément. Je reste dans ma chambre, assise sur mon lit, et je sanglote. Je retiens mes cris, de peur de réveiller quelqu'un. Si c'est ça la vie d'un Monstre…

Seth déglutit. Il voulait à tout prix réconforter Emma, mais il ne savait pas quoi dire.

— Quand la lune apparaît, continua le loup-garou, je sens ma peau me brûler. Ça ne dure pas longtemps ; le collier apaise cette douleur. Par contre, un mal de tête intense s'attaque à moi. Je ne peux pas le contrôler. Ni le collier, d'ailleurs.

» Ce soir, c'est la pleine lune. Je vais à nouveau souffrir. Je veux que tout s'arrête, Seth. Je voudrais mourir, parfois !

Emma lâcha son collier et tomba à genoux. Elle se mit à sangloter.

— La douleur n'arrête pas, Seth !

— Quoi ? Qu'est-ce que…

Seth vit alors le collier. Il était brisé en deux, mais quelqu'un avait habilement caché la fissure en attachant les moitiés avec une corde.

— Emma ! Ton collier… Reste ici, je vais chercher de l'aide.

— Fais vite !

Impuissant, Seth sortit de la chambre à reculons. Il ferma la porte et, au pas de course, se dirigea vers son dernier espoir.

Dehors, quand ils le virent courir, des gardes lui bloquèrent le chemin.

— Où vas-tu comme ça ?

— Je dois voir monsieur Wilson !

— Impossible. Il est très occupé, présentement.

— Si je ne le vois pas, tout le monde mourra !

Les gardes échangèrent des regards interloqués. Seth leva les yeux au ciel. Le soleil se couchait déjà.

— Écoutez-moi, je vous en prie! Une fille va sortir de l'auberge, vous devez l'arrêter! Je dois absolument voir Wilson! C'est urgent!

— Dis-nous ce qu'il y a; nous irons lui livrer ton message.

— Non! Vous devez surveiller l'auberge! La vie de tous est en danger ce soir!

— Qu'est-ce que tu racontes?

— Le loup-garou! Son collier est brisé! Laissez-moi passer!

Enfin, devant l'air de Seth, un des gardes céda.

— Très bien. Restez ici pendant que je conduis le garçon chez Wilson.

Ses collègues protestèrent, mais le garde ne s'en occupa pas. Il amena Seth chez le Gardien à un rythme trop lent pour le jeune homme. Le soleil se couchait derrière la cime des arbres. La lune allait bientôt se lever, et tout serait perdu.

Toc, toc, toc.

Le garde frappa trois petits coups à peine audibles sur la porte de Wilson.

— Vous voulez rire? s'indigna Seth.

Seth poussa le garde et frappa à son tour.

TOC! TOC! TOC!

La porte s'ouvrit sur un Wilson en pyjama, un miroir à la main.

— Quoi? J'écoutais les nouvelles et…

— Monsieur Wilson… je…

— Seth? Entre, je t'en prie.

— Non, monsieur! C'est Emma. Son collier est brisé.

Wilson figea sur place. Puis, il commença à trembler. Il pointa le garde de sa main tremblante.

— Allez chercher vos hommes. Nous allons avoir besoin d'eux. Le processus a-t-il commencé, Seth ?

— Elle dit avoir mal.

— C'est normal. La densité de l'air change. Si seulement ce n'était pas sa première fois, elle se transformerait uniquement lorsque les rayons de la lune la toucheraient.

— Vous ne pouvez pas simplement lui mettre un autre collier ?

— C'est que je n'en ai pas. Vous ! Faites ce que je vous ai demandé !

Le garde obéit finalement aux ordres. Wilson leva son miroir devant lui.

— Miroir, miroir, laisse-moi discuter avec le directeur.

En un instant, le reflet de Gary apparut dans le miroir.

— Gary, s'empressa d'expliquer Wilson, le collier d'Emma est brisé. Contacte le Conseil des Sanctuaires pour savoir si l'on peut en obtenir un autre d'urgence.

— Très bien.

Gary disparut, et Wilson prit Seth par l'épaule.

— Seth, quand Emma sera évacuée de l'auberge, je t'ordonne de te mettre au lit. Reste dans la chambre avec Alan. Des phénix iront vous protéger.

— Mais je...

— Seth, obéis !

Wilson entraîna Seth avec lui. Une fois dans l'auberge, Seth et Wilson se dépêchèrent de gagner la chambre d'Emma. Le soleil avait presque complètement disparu. Craig souleva Emma, qui était maintenant blême, le visage convulsé par une douleur qu'elle était désormais incapable d'évacuer par sa bouche tellement elle lui faisait mal, et il la posa sur son épaule. Il regarda une dernière fois Seth et lui ordonna :

— Va te mettre au lit. Ne parle de cela à personne !

Seth retourna dans la chambre d'Alan. Ce dernier, assis sur son lit, regarda Seth sévèrement.

— Où étais-tu passé ?

Après avoir analysé le visage de Seth, il s'exclama :

— Que se passe-t-il ?

— Rien, mentit Seth. Il ne se passe rien.

Même s'il n'était pas tard, Seth se mit au lit. Il eut de la misère à dormir cette nuit-là, car il pensait à Emma et au calvaire qu'elle était en train de vivre.

*

Emma fut transportée à l'hôpital le lendemain. Seth aurait bien aimé la voir, mais Alicia lui confia qu'il valait mieux ne pas la déranger.

— Et elle n'a pas le droit de visite pendant un moment, ajouta la secrétaire.

Seth respecta cette règle. Emma avait besoin de repos.

Personne n'était au courant de l'événement de la veille, à part ceux qui avaient été impliqués directement. La disparition d'Emma à l'auberge passa inaperçue puisque personne ne la voyait jamais.

Les jours passèrent, et la fête de Seth arriva. Au petit matin, à l'école, Seth se rendit à la bibliothèque tandis que les autres allèrent dans leur cours de Fuite. À la grande surprise de Seth, Alicia l'attendait dans la bibliothèque.

— Viens, murmura-t-elle. Emma te réclame.

Alicia amena Seth à l'hôpital et surveilla la porte pendant que les deux jeunes discutaient tranquillement.

Emma était enfoncée dans une pile d'oreillers. Ses traits tirés montraient qu'elle avait encore besoin de repos.

— Joyeux anniversaire, dit-elle, quand Seth ferma la porte derrière lui.

— Merci.

— J'aurais voulu te donner un cadeau, mais je n'ai pas eu le temps de magasiner depuis… Enfin, depuis l'accident.

— Tu n'as pas à me faire de cadeau. Seule ton amitié compte.

Emma sourit. Ses cheveux en bataille laissaient entendre qu'elle ne s'était pas lavée depuis quelques jours. Quand elle tenta de se lever, elle grimaça, et Seth l'aida à s'asseoir dans son lit. La chambre comportait un autre lit vide.

— Il y avait quelqu'un avec moi. Il est sorti hier. Un pauvre monsieur qui avait mal à son œil. Son unique œil. Le pauvre, il a été momentanément aveugle.

Seth éclata de rire. Emma voulut en faire autant mais il s'avéra que rire lui était douloureux.

— Les examens commencent bientôt ?

— Ouais, malheureusement. Je me sens prêt, mais j'ai quand même peur d'échouer.

— C'est toujours comme ça. Ne t'inquiète pas.

La question franchit les lèvres de Seth ; la fameuse question qui l'obsédait depuis le fameux soir.

— Est-ce que tu as eu mal ?

Emma ne bougea pas pendant un moment. Seth comprenait qu'elle ne voulait pas en parler. Il voulut donc changer de sujet quand elle répondit :

— C'était atroce. J'avais l'impression que tout mon corps était en feu et que mes os se broyaient. La peur n'arrangeait rien. J'étais terrorisée.

— As-tu des souvenirs de ce que tu as fait cette nuit-là ?

— Je me souviens de tout. Heureusement, je n'ai fait de mal à personne. Il faut croire que les gardes me suivaient de près tout en étant bien cachés. La bonne nouvelle dans tout cela est que je vais avoir un nouveau collier et que je n'aurai plus mal lorsque la pleine lune sera haute dans le ciel.

— Comment ça ?

— Comme je ne m'étais jamais changée en loup-garou, la simple pression de l'air lors de la pleine lune était insupportable. Maintenant que mon corps sait à quoi s'attendre, je n'ai plus rien à craindre.

— Ça, c'est une bonne nouvelle.

Le visage d'Emma s'assombrit.

— Oui. Mais la mauvaise nouvelle est que je n'ai pas pu trouver le Traqueur. Sous ma forme animale, j'aurais pu l'anéantir !

Seth ne dit rien mais, au fond de lui, il avait osé espérer qu'Emma le débarrasse de son tourment.

— L'essentiel est que tu ailles bien, dit-il. Le reste se réglera avec le temps. Quand sors-tu de l'hôpital ?

— Aujourd'hui.

— Impossible !

— Je t'assure ! Une infirmière dormira dans ma chambre avec moi. J'aurai les mêmes soins. Je vais beaucoup mieux, ne t'inquiète pas. Dans deux jours, je n'aurai plus de douleur.

— Pourquoi ne pas attendre deux jours pour sortir, dans ce cas ?

— Tu verras.

— Je verrai quoi ?

Emma lui lança un sourire énigmatique.

Ce soir-là, après l'école, Seth voulut retourner visiter Emma, mais Fay le tira de force jusqu'à l'auberge. Quand il entra, il faisait tout noir.

— Bon Dieu, que se passe-t-il ici ?

Les lampes à l'huile se rallumèrent d'un coup, et des gens quittèrent leur cachette. Sur le coup, Seth crut que c'était une attaque. Jusqu'à ce qu'il entende le :

— SURPRISE !

Une fillette en chaise roulante sortit alors de la salle de bain et sourit à Seth.

— Voilà pourquoi je voulais sortir de l'hôpital.

Seth s'approcha d'Emma. Si elle n'avait pas été en si piteux état, il l'aurait embrassée.

— Merci, dit-il.

— Ce n'est rien, voyons.

— Non, tu as raison. Ce n'est rien en comparaison du défi qui t'attend.

— Lequel ?

— Monter l'escalier en chaise roulante !

Une infirmière quitta à son tour la salle de bain.

— C'est elle qui va me monter dans ses bras. Toi, Seth, tu monteras mon fauteuil.

L'infirmière à trois yeux salua Seth. Ce dernier, heureux, décida de prendre part à la fête.

Il n'y avait pas de musique, et tout était très simple. Un joli gâteau qui représentait un but de Capture l'Humain, préparé par Yvon, soulignait pleinement l'événement.

Il devait être passé minuit quand Seth et Alan allèrent se coucher. Ils étaient les derniers à quitter la salle principale de l'auberge. Même Yvon était parti avant eux. Seth s'endormit immédiatement lorsque sa tête toucha l'oreiller...

*

Les examens de fin d'année s'avérèrent plus faciles que Seth ne l'avait prévu. Il étudia chaque soir pour s'assurer de réussir le lendemain. En conséquence, il était sûr de n'avoir aucun échec.

Emma était désormais remise de ses malaises et portait son nouveau collier. Malheureusement, Seth n'avait plus le temps d'aller la voir à cause des épreuves de fin d'année.

Le dernier examen arriva, et Seth était soulagé. La veille, il avait étudié avec acharnement en compagnie d'Alan. Tous deux, chacun dans son lit, un livre ouvert sur leurs genoux, révisaient en silence.

— Tu comprends quelque chose ? demanda Alan.

— Oui, tout. Qu'est-ce que tu ne comprends pas ?

— Le fonctionnement du Monstre-ô-mètre. Comment arrive-t-il à repérer un Monstre ?

— C'est simple : il y a un lien magique qui relie chaque Monstre à la machine. Quand la Source du Monstre se développe chez la personne, le Monstre-ô-mètre reçoit le signal.

— Ah ! C'est beaucoup plus simple quand c'est toi qui l'expliques.

— Ce n'est pas plus simple, Alan. C'est que, moi, tu m'écoutes.

— Tu marques un point.

Ils reprirent leur étude. Alan posa de plus en plus de questions à Seth. Quand il eut terminé, Alan ferma son cahier et le posa sur sa table de chevet.

— J'éteins ma lampe, d'accord ?

— D'accord.

Alan s'endormit en moins de temps qu'il n'en faut pour tourner une page. Malgré la fatigue qui le rongeait, Seth décida de lire une dernière fois ses notes. Afin d'être prêt pour demain. De réussir... son... examen...

Il marchait dans la forêt, lentement. Des gardes se promenaient un peu partout. Il devait se montrer stratégique. Il pouvait utiliser son camouflage, certes, mais il voulait garder ses forces pour transporter l'appât.

Un phénix le repéra. Quand la bête fonça sur lui, Seth leva une main poilue et trancha la tête de l'oiseau en un rien de temps. L'oiseau prit feu, et un amas de cendres tomba sur le sol.

Tant pis pour les indices. De toute façon, c'était ce soir que tout se décidait.

Seth s'approcha de la lisière de la forêt. Un garde passa tout près. Aussi vif que dans ses jeunes années, Seth plaqua une main sur la bouche du garde tandis que son autre main transperçait son cœur.

Sans faire de bruit, Seth tira le cadavre dans la forêt. Il s'empara des vêtements de l'homme, se défit de ses vieux habits et quitta sa cachette.

Voilà un déguisement parfait! Quand les gardes passaient à côté de Seth, grâce à la pénombre, ils ne voyaient pas le poil qui recouvrait son visage et qui lui donnait une allure de chien.

Ses derniers plans n'ayant pas fonctionné, Seth avait décidé de jouer le tout pour le tout. Il savait qu'en ce moment même, le jeune garçon voyait exactement ce que lui voyait. Il allait donc le faire venir à lui en prenant l'appât.

Depuis quelques jours, Seth avait épié le garçon pour tenter de le connaître. Il avait alors remarqué une certaine complicité assez étrange entre lui et la jeune fille. La très jeune fille. Il devait donc se servir de cette arme.

Comme chaque soir, les gardes parcouraient exactement le même trajet. Seth connaissait par cœur celui de l'homme à qui il avait volé l'habit. Il devait donc prendre son mal en patience. Dans quelques heures, il aurait mangé le Monstre. Dans quelques heures, il pourrait s'attaquer à une autre victime.

L'odeur du jeune garçon lui remplissait les narines. La pulsion était telle qu'il avait de la misère à se contrôler. Il devait à tout prix rester dans le rôle du garde. Oui, il jouait un jeu. Bientôt, le garçon serait mis en échec !

Il vit l'auberge. Toutes les lumières étaient éteintes. Il ne lui restait que quelques pas à franchir avant d'entrer dans le bâtiment lorsqu'une voix retentit :

— Qu'est-ce que tu fais là ?

Seth sursauta, la main tendue pour tourner la poignée de la porte. Il se retourna et vit trois gardes marcher vers lui. Il se racla la gorge, espérant pouvoir cacher sa voix un peu trop rauque.

— Je voulais aller me chercher quelque chose à boire.

— Pas pendant ton quart de travail, ordonna l'homme. Et puis, si tu as soif, tu n'as qu'à aller au Terrain Pavé. Il y a des bouteilles d'eau pour nous, là-bas.

— Merci.

Seth voulut aller se chercher une bouteille d'eau, afin de bien jouer son rôle, mais le garde l'arrêta une fois de plus.

— J'ai dit pas pendant ton quart de travail ! Tu sais que notre mission est importante. La bête ne doit pas pénétrer dans l'auberge. Un garde de moins, et tout peut échouer.

Il ne pouvait pas mieux dire.

Seth reprit sa route. À son deuxième tour, il entrerait dans l'auberge, même s'il lui fallait tuer le garde et ses deux acolytes.

Sur son chemin, Seth remarqua d'autres phénix. Ces sales bêtes lui enlevaient beaucoup de possibilités. Si elles n'avaient pas été là, il aurait été facile pour Seth de crier que la créature se trouvait dans la forêt. Il aurait ainsi détourné l'attention des gardes et aurait pu se faufiler dans l'auberge…

S'assurant qu'il n'y avait aucun autre surveillant dans les parages, Seth se précipita dans la forêt et tua les trois phénix qui le dévisageaient. Le dernier poussa un cri d'alerte. Seth se dépêcha de sortir de la forêt et ne bougea plus. Quelques sentinelles, dont l'homme qui lui avait parlé devant l'auberge, arrivèrent devant lui.

— C'était par là, dit Seth, pointant les ténèbres de la forêt.

— Suivez-moi vous trois, ordonna le garde aux trois soldats qui l'avaient accompagné jusqu'ici.

Seth continua son chemin mais plus rapidement. Une fois devant l'auberge, il ouvrit la porte, et personne ne l'empêcha d'entrer. Il s'introduisit alors dans le bâtiment.

Les tables vides faisaient pitié. L'alcool, derrière le bar, appelait Seth. Un petit remontant ne ferait pas de tort…

Non ! Il devait rester concentré sur sa mission. Rien au monde ne devait lui barrer la route.

De toute manière, la pulsion en lui ne lui aurait pas permis d'ingurgiter de l'alcool. Dans le bâtiment, l'odeur était si forte que Seth se léchait les lèvres.

Il vit une porte et l'ouvrit : les toilettes. Non, le garçon n'était pas là. Il balaya l'auberge du regard et vit l'escalier. Oui, les chambres devaient se trouver au deuxième étage !

Sur la pointe des pieds, Seth monta jusqu'en haut. Le long corridor sentait le jeune à plein nez. Il était tout près… Si près du but…

Reniflant l'air, Seth se laissa guider par son odorat. Il se retrouva devant une porte de chambre. L'odeur était à son comble. Lentement, Seth ouvrit la porte…

Il y avait deux garçons dans la chambre. L'un d'eux dormait paisiblement tandis que l'autre bougeait sauvagement. Non, Seth ne pouvait pas tenter d'atteindre le garçon. Il repéra un petit objet cylindrique, à moitié caché derrière le bureau, invisible pour les occupants de cette chambre. Il était placé de la même façon que la fois où il était venu détruire le collier. L'odeur lui parvenait, et il eut un rictus de dégoût. Même si elle n'était pas intense à cette distance, cette fragrance était atroce. Cet Objet Magique déclencherait une alarme si bruyante qu'elle réveillerait tout le Sanctuaire si Seth avait le malheur de mettre un pied dans la chambre. Puis, les gardes formeraient un cercle autour de l'auberge et, même avec son camouflage, il serait difficile de quitter le village sans être vu... et sans se faire tuer.

Après avoir pris une dernière bouffée d'air, Seth referma la porte. Il devait maintenant trouver la fille.

Il alla ouvrir une autre porte. Il y avait bel et bien une fille à l'intérieur de la chambre. Dans son dos, il y avait des ailes de Fée. Non, ce n'était pas elle. Doucement, Seth ferma la porte.

Il ouvrit quelques portes encore mais sans trouver la bonne. Finalement, il la dénicha. La jeune fille dormait à poings fermés. Seth s'approcha d'elle. Il arracha alors un morceau de son pantalon et tendit ses mains au-dessus de la jeune fille. Quand elle ouvrit les yeux, la pauvre était déjà bâillonnée.

Elle commença à se débattre. Seth prit alors une lampe à l'huile et, avec le manche, l'assomma. La jeune fille devint inerte. Par précaution, Seth enleva son manteau et y enfouit sa victime, attachant les manches ensemble. De cette manière, la jeune fille se retrouvait bâillonnée et ligotée. Comme si elle ne pesait rien, Seth la lança sur son épaule.

Il s'apprêta à quitter l'auberge quand il se rappela juste à temps qu'il devait se camoufler. Il se concentra un moment. Ensuite, il eut la sensation de devenir comme du liquide. Il était maintenant transparent. Et il avait fait en sorte que la fille et le manteau le deviennent aussi.

Une fois dehors, Seth remarqua que les gardes n'étaient pas encore revenus. Il marcha silencieusement jusqu'au terrain de jeu.

Des bruits de pas se firent entendre. Seth s'arrêta et regarda dans toutes les directions. Finalement, il aperçut Wilson qui courait vers la forêt en disant :

— Laissez-moi faire. Occupez-vous du cadavre.

Ils avaient donc retrouvé le cadavre du garde. Les choses allaient plus vite que Seth ne l'avait prévu. Sentant que le sortilège de camouflage faiblissait, il reprit sa marche.

Une fois arrivé sur le terrain, il alla déposer la jeune fille dans la grotte. Il n'eut même pas le temps de l'annuler par lui-même que son camouflage se dissipa. Il ne pourrait plus l'utiliser pour un bout de temps.

Seth regarda en direction de l'auberge. Même s'il ne la voyait pas, il savait, grâce à l'odeur du garçon, qu'elle se trouvait droit devant lui, à environ un kilomètre.

— Viens à moi, Seth, murmura Seth.

Comme s'il venait de recevoir une décharge électrique, le vrai Seth se réveilla en sueur dans sa chambre. Ses couvertures pêle-mêle laissaient entendre qu'il avait énormément bougé.

Le cœur battant, Seth repensa à son rêve. Il ressentait la même sensation que celle qui l'avait envahi la dernière fois avec Gurt : ce n'était pas un rêve.

Pris de panique, Seth se leva et voulut réveiller Alan. Il se résigna à la toute dernière minute. Tout ce qui était en train d'arriver était sa responsabilité ; c'était à lui de subir les conséquences de ses gestes ou de son inaction.

La peur le rongeant de l'intérieur, Seth réussit à sortir de sa chambre. Tremblant, il marcha sur la pointe des pieds pour ne réveiller personne. Mais ses craintes étaient déjà fondées avant d'arriver à destination : la porte de la chambre sept était ouverte. Seth, les larmes aux yeux, continua tout de même son chemin, même si l'espoir n'existait plus en lui.

Une fois devant la chambre, il réprima un sanglot. Les rayons de la lune laissaient voir un lit vide qui avait été habité il y avait à peine quelques minutes.

Emma était en danger de mort, cela ne faisait aucun doute! Mais que pouvait-il faire? Il n'était qu'un pauvre jeune homme sans défense!

Tout était sa faute. C'était lui qui avait attiré Fabrice ici, il le savait. La peur se mêla alors à un sentiment de courage, et ce qui devait être fait s'imposa à Seth.

Il regarda par la fenêtre. Aucun garde. C'était à lui de jouer, lui seul.

Il allait sauver Emma.

Il allait libérer son amie.

Il allait traquer la bête.

Le Traqueur

Le cœur battant, Seth resta un moment dans la chambre. Devait-il aller chercher de l'aide ? Alan et Fay pourraient être utiles. Il se décida donc à aller les chercher lorsque la voix de Fay retentit dans sa tête.

« Non, Seth, tu restes ici ! l'imagina-t-il s'exclamer. Alan et moi allons chercher de l'aide. Wilson et Gary s'en occuperont ! »

Wilson et Gary ! C'était à eux que Seth devait parler en premier ! Si des gens à Monstrum pouvaient l'aider, c'était bien eux ! Sauf que les minutes pour Emma s'écoulaient... Combien de temps lui restait-il avant que Fabrice ne la dévore ? Après tout, ne mangeait-il pas les Monstres selon le bestiaire de Wilson ?

La réalité s'imposa donc à Seth : Fabrice l'avait bien eu. Si Seth perdait trop de temps, Emma mourrait. Mais, s'il courait jusqu'au terrain de Capture l'Humain, peut-être aurait-il une chance de sauver son amie, d'empêcher Fabrice de lui faire du tort, de sauver Monstrum du Traqueur.

Lentement, Seth quitta la chambre et descendit l'escalier. Il aurait aimé qu'Yvon soit là ; Seth lui aurait demandé d'aller porter un message au directeur et au Gardien. Mais l'auberge était vide. Peut-être que, s'il croisait quelqu'un sur sa route, il pourrait toujours leur faire le message.

Mais les chances qu'il croise quelqu'un sur son chemin étaient minces : les gardes avaient disparu.

Seth ouvrit la porte de l'auberge. Le vent lui fouetta le visage. Le jeune homme regretta de ne pas s'être habillé. Aller se battre en pyjama... Oh, et puis tant pis ! Fabrice n'allait pas le juger, ou quoi que ce soit ! Seth devait sauver Emma, point final.

Seth se mit à courir en regardant partout. La petite lueur d'espoir de trouver quelqu'un pour l'aider subsistait toujours en lui. Il pouvait sans doute hurler à l'aide, mais que ferait Fabrice s'il l'entendait ? Dévorerait-il Emma ?

Cette pensée était insupportable. Seth devait absolument la chasser de sa tête. Emma n'était pas morte.

Le chemin pour se rendre au terrain ne lui avait jamais semblé aussi long. À mi-chemin, il reçut une goutte d'eau sur le visage. Plus il avançait, et plus il mouillait fort. Mais Seth s'en moquait. Il ne songeait qu'à Emma. Le visage de la jeune fille émergea dans sa tête, souriant. Seth s'accrocha à cette image comme un naufragé se cramponne à une bouée de sauvetage.

La course devint délicate lorsque le sol se transforma en boue. Seth glissa à plusieurs reprises et fut bien vite recouvert de boue. Ce fut quand il se leva pour une troisième fois qu'il l'aperçut enfin, dans le lointain...

Le terrain de jeu.

Redoublant d'effort, Seth gagna le terrain et se dirigea vers l'une des grottes. Il savait qu'Emma s'y trouvait, car il l'avait vu dans son rêve...

Un éclair déchira le ciel, et Seth distingua une masse sombre étendue sur le sol dans la caverne. Seth entra et fut heureux de voir la poitrine d'Emma se lever et s'abaisser au rythme de sa respiration.

— Tiens bon, Emma. Je vais te sortir de là !

Seth regarda autour de lui. Aucune trace du Traqueur. Peut-être que Wilson l'avait déjà arrêté. Mais Seth n'osa pas compter sur cet espoir.

Emma émit un léger grognement.

— Oui… Tiens bon. Tiens bon !

Délicatement pour ne pas la blesser, Seth la prit dans ses bras. Il devait quitter le terrain de jeu avant que Fabrice ne revienne. Avant qu'il risque sa vie… et celle d'Emma.

Avant même qu'il ait pu mettre un pied hors de la grotte, une masse sombre s'abaissa devant l'ouverture. Seth sut immédiatement de qui il s'agissait. Il déposa donc Emma aussi délicatement que lorsqu'il l'avait prise.

Fabrice ressemblait à un chien plus que jamais. Sa figure était recouverte de longs poils noirs, identiques à ceux qui couvraient son torse nu. Ses mains se terminaient en de longues griffes pointues, et ses dents, saillantes, n'annonçaient rien de bon.

— Tu es venu seul, Seth Langlois, aboya Fabrice. C'est bien. C'est même très bien.

— Que voulez-vous de moi ?

La peur rongeait Seth, mais il essayait de le cacher. Fabrice éclata de rire.

— Ce que je veux de toi ? Te manger, bien sûr ! Ta chair est si exceptionnelle que je ne peux pas te laisser partir.

— Que voulez-vous dire ?

— Tu goûtes à la fois l'Humain et le Monstre…

Le Traqueur se lécha les lèvres, et un filet de bave coula sur son menton.

— Tu n'es pas comme les autres. Tu es… *différent*.

Fabrice fit un pas en avant. Dans un élan de courage, Seth s'écria :

— N'approchez pas !

Étonnamment, Fabrice cessa d'avancer.

— Tu veux jouer au chat et à la souris, Seth Langlois ? Très bien. Mais dois-je te rappeler que tu es dans une grotte qui n'a qu'une seule sortie ?

— Laissez-moi sortir, et nous pourrons jouer, dans ce cas.

Fabrice s'esclaffa à nouveau.

— Tu me crois plus stupide que je le suis. J'aime quand mes victimes se sentent prises au piège…

— Mais je ne me sens pas comme ça, mentit Seth. Je suis très à l'aise !

— C'est pour ça que tu transpires la peur ? Je ressens tes craintes, Seth. De toute manière, tu ne peux pas me mentir. Nous sommes liés.

Le cœur de Seth battait désormais tellement fort que ce dernier se demanda s'il n'allait pas quitter sa poitrine.

— Tu es une énigme, Seth Langlois. Même pour moi.

— Que savez-vous sur moi ?

Le seul moyen pour Seth de rester en vie était de gagner du temps. Il devait à tout prix étirer la conversation avec Fabrice. Plus ils parlaient, plus Seth avait la chance de trouver une solution.

— Je sais beaucoup de choses sur toi, jeune homme. Tu es le *Monstre qui n'en est pas un*. Pourtant, tu vis dans un Sanctuaire de Monstres, tu as des amis Monstres… Ta place n'est pourtant pas ici.

— Où est ma place ?

— Dans le monde des Humains. Et dans mon estomac.

Fabrice éclata de rire à sa propre remarque. Seth l'accompagna, mais d'un rire sarcastique.

— Si ma place se trouve dans le monde des Humains, pourquoi suis-je ici?

— Car le Monstre-ô-mètre t'a *choisi*.

Dehors, les éclairs devenaient plus intenses tandis que le tonnerre se répercutait contre les parois de la caverne.

— Cessons le petit jeu, tu veux? Viens vers moi, je ne te ferai pas de mal. Tu ne vas rien sentir...

— Wilson sait que je suis ici! Il viendra me chercher tôt ou tard!

— Ne mens pas! J'ai vu Wilson! Il est en ce moment même dans la forêt en train de s'occuper d'un cadavre. Un garde que j'ai moi-même tué.

— Pourquoi tuer des innocents?

— Qui parle de tuer des innocents? Je ne fais que me nourrir. Est-ce mal lorsqu'un lion tue une gazelle? Est-ce mal lorsqu'un oiseau prend un ver de terre? Est-ce mal lorsqu'un serpent mange une souris? Non. Pourtant, je fais la même chose qu'eux : je mange ce que j'ai toujours mangé. Qui peut m'en blâmer, à part ma victime?

Fabrice bondit sur Seth. C'était la fin. Seth s'attendait à sentir les griffes de Fabrice lui déchiqueter la nuque. Il s'attendait à voir un éclair de lumière blanche avant le noir total. Il s'attendait à mourir sur-le-champ.

Était-ce un coup de chance ou un instinct? Seth ne le savait pas. Au moment où Fabrice avait décidé de fondre sur sa proie, les jambes de Seth devinrent si molles que ce dernier tomba par terre, laissant l'homme-chien faucher l'air au-dessus de sa tête pour finalement s'écraser contre le mur de la grotte. Seth se releva aussitôt et sortit de la caverne en courant.

Il fit seulement quelques pas avant de faire volte-face pour voir ce que faisait Fabrice. Il ne pouvait pas s'en aller comme ça et abandonner Emma avec ce monstre. Non, l'heure de vérité était arrivée.

— Viens ! railla Seth. Viens, petit chien-chien !

— Ne te vante pas, aboya Fabrice. Tu as eu de la chance. Uniquement de la chance, tu comprends ?

— Viens quand même ! Viens défier ma chance !

Fabrice se releva péniblement. Seuls les éclairs permettaient à Seth de voir le Traqueur avancer vers lui. Quand il fut hors de la grotte, Seth savait ce qui lui restait à faire. Il ne pouvait pas battre ce Traqueur à lui seul, c'était impossible. Toutefois, s'il pouvait amener Fabrice vers le village, loin d'Emma, et que les villageois venaient lui prêter main forte, ils auraient une chance de vaincre la bête.

Fabrice se mit à quatre pattes. Seth savait ce qu'il allait faire et, sous la pluie battante, la peur l'envahit à nouveau. Il n'atteindrait pas le village avant Fabrice, il le savait. Un chien courait plus vite qu'un humain.

Le Traqueur chargea. Seth se raidit et, au dernier moment, sauta par-dessus le monstre. Fabrice n'était pas vaincu pour autant. Il tourna et chargea de nouveau, avant que Seth ne soit prêt...

L'impact fut violent. Seth sentit une explosion de douleur dans ses côtes. Quand il fut allongé dans l'herbe mouillée, Fabrice le maintint fermement au sol. La bête gifla Seth qui sentit un liquide chaud couler sur son menton. Sa lèvre devait être fendue.

— Ta fin est proche, garçon. Comme tu n'as pas voulu m'écouter, elle sera lente et brutale !

Fabrice ouvrit la bouche, et ses crocs se rapprochèrent du cou de Seth. Ce dernier sentit l'haleine pestilentielle du Traqueur et voulut vomir.

— PAS DE ÇA ICI !

Quelque chose arracha Fabrice du corps étendu de Seth. L'homme-chien fut projeté à une bonne dizaine de mètres du garçon. Un bras puissant souleva Seth et le mit sur pied. Seth reconnut alors son sauveur.

— Va te mettre à l'abri au village, ordonna Flint. Je m'occupe du Traqueur.

Seth se retourna vers la grotte. Il ne pouvait pas laisser Emma là. Il décida donc d'aller la chercher.

— Que fais-tu ? grommela Flint. Va au village !

— Je ne peux pas ! Retenez le Traqueur pendant que je sauve Emma !

La gargouille vit Emma et acquiesça. Fabrice sauta sur le bloc de pierre et se mit à bombarder Flint de coups de griffes. Seth se rappela que Fabrice avait détruit deux gargouilles déjà. Flint ne serait sûrement pas à la hauteur...

Une autre silhouette apparut. Flant ! Venu porter main forte à son frère. Les deux gargouilles se battaient contre l'homme-chien. Seth arriva à la grotte. Il voulut prendre Emma, mais une voix l'en empêcha.

— Retournez à votre poste ! dit une voix que Seth connaissait très bien.

Rassuré, Seth vit alors Wilson, Alicia, Gary, Josh, Triade, Light, Walter, et bien d'autres personnes, lui venir en aide. Les gargouilles s'envolèrent pour retourner à l'arche.

— Vous croyez qu'une bande de lamentables Monstres comme vous vont pouvoir m'arrêter ? se moqua Fabrice. *Je suis un Traqueur* ! Vous n'êtes pas en mesure de me vaincre.

— Vous avez sans doute raison, dit Wilson, calmement. C'est pourquoi je suis allé chercher de l'aide.

Le sol se mit alors à trembler, et la horde de centaures arriva bruyamment sur les lieux, arc à la main. La peur traversa le regard de Fabrice. Seth fut heureux de le voir ainsi. Il allait perdre, les Monstres gagneraient.

Toutefois, Fabrice joua sa dernière carte.

— Vous vous êtes abaissés à respecter les Monstres, centaures? Vous êtes plus lamentables qu'eux!

— Ne nous traite pas de lamentables! répondit spontanément Centaurus.

— Je ne fais que dire la vérité! Autrefois, les centaures faisaient ce qu'il leur plaisait. Personne ne leur dictait de lois. Aujourd'hui, vous voilà devant moi, sous les ordres de Wilson!

Certains centaures commencèrent à baisser leur arc. La panique monta dans le cœur de Seth. Si Fabrice arrivait à faire changer d'idée aux centaures, tout serait perdu.

— Wilson ne nous oblige d'aucune façon, vociféra Centaurus. Nous avons nous-mêmes choisi de lui prêter main forte! Tu n'es plus sur ton territoire, Traqueur.

Fabrice perdit patience. Il se jeta sur Centaurus. Aussitôt, des flèches fusèrent vers la bête. Les Monstres se dispersèrent et attaquèrent l'homme-chien à leur manière.

Wilson chercha Seth un moment. Quand il le vit dans la grotte, le Gardien courut vers lui.

— Tu vas bien, Seth?

— Oui, je vais bien. Sauf qu'Emma…

Seth pointa un doigt tremblotant sur le loup-garou, et Wilson s'accroupit. Il l'examina un moment pendant que Seth suivait l'action des yeux.

Fabrice repoussait les centaures du mieux qu'il pouvait. Mais ces derniers, plus agiles que l'homme-chien, avaient toujours une bonne idée en tête et revenaient à la charge.

Alicia volait dans les airs. Elle s'empara d'une flèche qui s'était fichée dans le sol et, avec une agilité hors du commun, elle lança la flèche qui se planta dans l'œil de Fabrice.

L'homme-chien se lamenta.

— Elle va bien, dit Wilson, attirant de nouveau l'attention de Seth. Elle est juste assommée.

Le cœur de Seth bondit de joie. Emma allait bien. Et le Traqueur allait mourir. Tout allait bientôt se régler.

L'orage faisait toujours rage. Les coups de tonnerre camou-flaient un peu les cris de guerre aux oreilles des villageois endormis. Seth savait fort bien que certains d'entre eux devaient s'être réveillés et se demandaient sans doute ce qui se passait.

Wilson attrapa Seth par les épaules.

— Écoute-moi bien, Seth, dit-il. Tu devras être fort, très fort! La douleur sera sans doute insoutenable, mais tu n'as pas le choix. Ce n'est pas nous qui décidons.

— De quoi parlez-vous?

Wilson jeta un regard au Traqueur, l'air paniqué. Fabrice était désormais à quatre pattes sur le sol, le visage en sang. L'homme-chien n'avait plus de force. Il allait bientôt mourir, tout le monde le savait.

— Désolé, murmura Wilson.

Un centaure décocha une flèche au Traqueur, qui se planta dans le front de la bête. Ce fut alors instantané.

Une douleur insoutenable transperça le bras de Seth. Ce dernier, pris au dépourvu, tomba à genoux et se saisit le bras. Avec horreur, Seth sentit un liquide poisseux sur sa main. Son bras saignait…

Plus le temps passait et plus la douleur augmentait. Le sang devenait de plus en plus sombre, et la morsure du chien, celle que Seth avait cru imaginer, brûlait. Tout le monde se rassembla devant la grotte, fixant désespéré-ment Seth. Ils voulaient bien l'aider, mais il n'y avait rien à faire.

Seth tremblait de tout son corps. Il sentait des larmes couler sur ses joues. Ses cris camouflaient le tonnerre, et il n'apercevait plus les éclairs, car il avait fermé ses yeux.

La douleur sembla enfin diminuer, mais ce n'était pas tout à fait ça... C'étaient les forces de Seth qui diminuaient. Il voyait les Ténèbres derrière ses paupières closes. Les Ténèbres qui l'enveloppaient de plus en plus...

Seth n'était plus conscient de rien lorsque son corps s'effondra sur le sol de la grotte...

*

— Il bouge !

— Sans blague ? Il bouge depuis un bon moment, tu sais.

— Non, mais là il ne bouge *plus*.

— C'est normal, il se réveille !

Seth n'ouvrit pas les yeux tout de suite. Il entendait des voix mais n'arrivait pas à saisir ce qu'elles disaient, comme si elles parlaient une langue étrangère.

Au lieu de se concentrer sur les voix, Seth décida plutôt de se concentrer sur ses sens. Il entendait, c'était déjà bien. Son corps reposait sur quelque chose de mou et confortable ; il avait donc encore le sens du toucher. Il renifla, et l'odeur de propreté emplit ses narines. L'odorat fonctionnait donc très bien. Il avait un goût pâteux dans la bouche. Même si ce n'était pas bon, il fut content de savoir qu'il pouvait toujours goûter. Il ouvrit donc les yeux pour savoir si la vue lui obéissait toujours.

Trois silhouettes floues étaient penchées au-dessus de Seth. La lumière lui donna mal aux yeux, et Seth tendit une main pour s'en protéger. Peu à peu, sa vision s'éclaircit.

Seth tenta de s'asseoir, mais la douleur l'en empêcha.

— Doucement, Seth, fit Fay. Ne bouge pas trop.

Seth regarda ses amis à tour de rôle et leur sourit.

— Tu as l'air en forme, se moqua Alan.

— Mieux que toi, en tout cas, répliqua Seth.

Pachy sourit à cette remarque et lança un regard à Alan. Ce dernier éclata de rire.

— Quoi? Il est réveillé?

Des bruits de pas précipités s'approchèrent alors du lit. Seth comprit alors qu'il se trouvait à l'hôpital du Sanctuaire.

— Poussez-vous! Poussez-vous!

Une infirmière apparut dans le champ de vision de Seth. Ses traits tirés et ses poches sous les yeux montraient qu'elle n'avait pas dormi de la nuit.

— Ah! dit-elle, souriant malgré la fatigue. Monsieur Langlois! Craig Wilson sera heureux d'apprendre que vous êtes réveillé.

À l'annonce du nom du Gardien, Seth se souvint de tout. Il ouvrit grands les yeux et s'exclama :

— Emma? Où est Emma? Va-t-elle bien?

— Calmez-vous, ordonna gentiment l'infirmière. Emma va très bien. Elle a seulement une petite migraine. Une fois qu'elle sera sur pied, elle pourra sortir de l'hôpital.

Seth tourna la tête, espérant voir Emma sur le lit à côté du sien. Mais il n'y avait aucun autre lit.

— Elle n'est pas dans cette chambre-ci, monsieur Langlois. Elle est quelques étages plus bas.

Seth ferma les yeux. Il revoyait Fabrice... Il se souvenait d'avoir ressenti une douleur atroce.

— Qu'est-il advenu du Traqueur?

— Il est mort, expliqua l'infirmière. Les centaures en sont venus à bout.

Une vague de soulagement déferla en Seth. Il n'y avait plus aucun danger. Tout était fini. Sa vie et celle de tous les Monstres du Sanctuaire n'étaient plus en danger.

— Reposez-vous, monsieur Langlois. Tenez, voici une lettre de monsieur Wilson. Vous l'ouvrirez quand vous serez seul.

Seth voulut prendre l'enveloppe, mais son bras était trop lourd. L'infirmière la déposa sur sa table de chevet avant de quitter la chambre.

— Le Traqueur est bien... *mort*? demanda finalement Pachy.

— Il semblerait.

Les trois visiteurs, devant le malade, échangèrent des regards.

— Nous ne sommes au courant de rien, Seth, expliqua Fay. Wilson n'a rien voulu nous expliquer. Il a dit que tu le ferais si tu le voulais.

Silence. Tous regardaient Seth dans l'espoir que ce dernier leur raconte tout.

— Je suis trop faible pour me plonger dans un aussi important récit, avoua Seth. Peut-être plus tard.

Alan ne fit pas le moindre effort pour cacher sa déception.

— On croyait que tu nous aurais tout dit, Seth. Nous sommes amis, non?

— Ce n'est pas une question d'amitié. Je veux voir Emma d'abord.

— Parlant d'Emma, reprit Alan, un peu sur la défensive, comment se fait-il qu'elle soit impliquée dans tout cela?

Seth leur avoua alors que, depuis un bon moment, il allait tenir compagnie à Emma. C'était une jeune fille gentille qui ne voulait aucun mal à personne. À cause de sa relation secrète avec elle, leur expliqua Seth, le Traqueur l'avait choisie comme cible.

— Il t'a donc tendu un piège, c'est ça? résuma Pachy. Il espérait te coincer pour pouvoir te tuer?

— Oui. Mais rien de tout ça n'a fonctionné.

Nouveau silence.

— On ne veut pas te tordre un bras, Seth, mais nous devons nous dépêcher, dit Fay. Si tu veux nous dire quelque chose...

— Pas maintenant.

Fay hocha la tête.

— Très bien. On accepte ton choix. On va revenir te voir ce soir.

Les trois se levèrent. Seth fronça les sourcils. Venaient-ils ici seulement pour savoir ce qui s'était passé?

— Où allez-vous?

— À notre examen de Science de la Magie.

— Ah... d'accord.

Et ils quittèrent la pièce.

Seth resta allongé un moment sans rien faire. Il testa son bras plusieurs fois. Chaque fois qu'il le levait, il trouvait l'exercice de moins en moins difficile. Il fit le même exercice avec son autre bras... celui qui avait saigné.

Étrangement, c'était ce bras-là qui faisait le moins mal. Un pansement couvrait tout l'avant-bras de Seth. Le garçon l'examina un moment, se demandant bien ce qui avait pu se passer la veille au soir.

Il se souvint alors de la lettre de Wilson. Il saisit l'enveloppe et l'ouvrit. La lettre n'était pas bien longue, mais très claire.

Seth,
Je te dois beaucoup d'explications, je le sais. C'est pourquoi,
lorsque tu sortiras de l'hôpital, tu pourras venir me voir. Quand

tu veux, je ne te donne pas de date. Je suis désolé de ne pas t'avoir mis au courant de tout plus tôt.

Craig Wilson

P.-S. : Tu as été très fort.

Seth se rappela que Wilson lui avait demandé d'être fort. Mais en quoi Seth avait-il été fort? Après tout, il s'était effondré sous la douleur, il avait même perdu connaissance! Toutefois, le Gardien le voyait comme quelqu'un de fort. Était-ce un compliment? Seth espérait que oui, même s'il ne le comprenait pas.

*

Quelques jours plus tard, Seth fut autorisé à quitter l'hôpital. Avec ses amis, il se rendit à l'auberge. Seth ne leur avait encore rien raconté. Il voulait voir Emma d'abord.

Une fois dans l'auberge, Seth s'excusa auprès de ses amis. Seul, il monta l'escalier et rejoignit Emma dans sa chambre.

Seth fut surpris de trouver la jeune fille debout, en train de faire sa valise.

— Que fais-tu? s'étonna Seth.

— Je prépare mon déménagement. Ce soir, tu auras de nouveau ta chambre, et je vivrai chez Alicia.

Seth se souvint alors de ce détail.

— Merci, dit alors Emma.

— Merci pour quoi?

— Pour m'avoir porté secours. Wilson m'a dit qu'à son arrivée, tu étais là et tu veillais sur moi. Sans toi, j'ignore ce qui serait advenu de moi.

— Tu m'as aidé quand je voulais lire le bestiaire de Wilson; je devais te rendre la pareille.

Emma sourit et donna un baiser sur la joue de Seth.

— Alors, ton examen de Science de la Magie?

— Je ne l'ai pas fait, bien sûr. Mon professeur, Walter Drainville, est venu me voir à l'hôpital et il m'a dit que, comme j'ai obtenu de bonnes notes cette année, il me fait tout de même passer en deuxième année.

— As-tu réellement eu de bonnes notes toute l'année?

— Pas vraiment.

Ils éclatèrent de rire. Quand le silence revint, Seth sentit une tension dans l'air.

— Tu as le droit de tout savoir, Emma.

— Effectivement. Mais je ne te demanderai jamais de tout me raconter; c'est à toi de choisir le bon moment.

Seth se laissa tomber sur le lit et lui raconta tout. Emma l'écouta attentivement, sans l'interrompre. Seth ignorait combien de fois il allait faire ce récit, mais en parler à Emma lui fit le plus grand bien.

— Qu'aurais-je fait sans toi? commenta Emma, quand Seth eut terminé.

— Rien, puisque le Traqueur ne serait pas venu ici.

— Tu crois toujours qu'il était à Monstrum pour te tuer?

— Oui, il m'a tendu un piège, après tout.

Seth se leva, serra Emma dans ses bras et quitta sa chambre. Il vit que ses amis l'attendaient au bout du corridor.

— Venez, leur dit Seth.

Il les emmena dans la chambre d'Alan. Même si cela ne lui tentait pas, il allait narrer son histoire une deuxième fois. Ses amis avaient le droit de tout savoir.

*

La fin de juin était arrivée. Les matchs de Capture l'Humain avaient repris. Malheureusement, Seth ne pouvait plus y prendre part puisque courir lui faisait mal. Au grand étonnement de tous, Pachyderme le remplaça et prouva son talent à tout le monde.

Pour la première fois en trois ans, les Infensus vécurent la défaite lors du championnat. Ce furent les Servators qui gagnèrent. Une équipe de recrues avait battu une équipe de vétérans.

Les événements précédents avaient eu un aspect positif : Emma avait enfin fait éclater sa coquille. Maintenant, elle passait le plus clair de son temps dehors avec ses nouvelles amies.

Au grand bonheur de Seth, personne ne savait réellement ce qui était arrivé le soir de la mort de Fabrice. Certes, plusieurs rumeurs circulaient dans le Sanctuaire, mais seuls ceux qui avaient participé à l'événement, ou à qui Seth avait voulu en parler, connaissaient la véritable histoire.

Seth croyait qu'il ne pouvait pas vivre de plus grand bonheur après avoir vu son équipe gagner la finale de Capture l'Humain. Mais, ce soir-là, il fut plus heureux que jamais. Gurt avait repris ses fonctions en tant que chien de garde du Sanctuaire. Mieux entraîné que jamais, aucun Traqueur n'avait plus la possibilité d'entrer dans Monstrum.

Le 25 juin, Seth se leva avec un goût d'amertume dans la bouche. Il lui restait encore une chose à faire. Au fond de lui, il ne voulait pas recevoir toutes les explications sur ce qui était arrivé, mais il ne souhaitait pas non plus rester dans l'ignorance. Wilson l'attendait toujours, il le savait, et repousser le rendez-vous n'arrangerait rien à son humeur.

Après avoir déjeuné, Seth se rendit donc jusqu'à la maison du Gardien. Il cogna trois coups. La porte s'ouvrit sur un Wilson au sourire bienveillant.

— Entre, Seth.

Seth entra dans la maison. Wilson l'emmena dans la cuisine. Une belle pièce d'une couleur saumon avec de vieilles armoires.

— Tu veux quelque chose à boire ? Un thé ? Du café ?

— Non, merci.

— Moi, je vais me prendre un bon thé !

Wilson se prépara une tasse de thé avant de s'asseoir à la table avec Seth. Le Gardien prit une gorgée avant de parler.

— Je sais que tu dois être fatigué de répéter ton histoire, Seth, mais je dois tout savoir, dans les moindres détails. Ainsi, seulement, je pourrai tout mettre en ordre afin de pouvoir t'expliquer ce qui s'est passé.

Pour être franc, Seth s'y attendait. Il prit alors une profonde inspiration et raconta toute l'histoire à Wilson. Ce dernier l'écouta, les mains jointes devant lui. Par moment, il arrêtait le jeune homme pour lui demander quelques précisions sur un détail que Seth avait peut-être considéré comme anodin.

Vint alors le moment où Seth avait pénétré dans la maison de Wilson. Le Gardien écouta Seth lui relater son intrusion dans sa demeure sans broncher.

Puis, il raconta son rêve. Une fois encore, Wilson l'écouta d'une oreille attentive. Quand Seth eut terminé, Wilson le regarda un bon moment.

— Maintenant, veux-tu quelque chose à boire ?

— Non.

Le Gardien écarta ses mains et approcha sa chaise de celle de Seth. L'heure des révélations avait sonné.

— Commençons par le début, Seth : les Traqueurs. De nature, les Traqueurs sont obsédés et même psychopathes. Ils doivent tout faire selon un plan précis pour s'assurer une jouissance lors de la mort de leur victime. Les Traqueurs ne peuvent chasser qu'une seule proie à la fois. Ils peuvent attaquer d'autres personnes, certes, mais la première personne mordue reste leur véritable proie. Imagine-toi une liste de noms, pour comprendre. Quand un Traqueur mord une personne, celle-ci se classe première sur la liste. Il en mord ensuite une autre ; elle se classe donc deuxième, et le Traqueur s'occupe toujours du numéro un d'abord. Oui, il peut agir sur sa deuxième proie, mais la tuer ne le dérange pas.

— Emma n'a donc jamais vraiment été en danger ? Fabrice l'aurait gardée pour m'attirer, peu importe le nombre de personnes qui m'auraient accompagné ?

— En effet. Cependant, Emma n'était pas en danger *imminent*. Il savait que tu viendrais, et seulement ça lui importait. Ou, si jamais tu n'y étais pas allé et que Gary s'y était rendu à ta place, à ce moment, Fabrice aurait sans doute tué Emma.

Seth se croisa les bras.

— Je suis désolé, Seth. Si je t'avais raconté toutes mes craintes avant aujourd'hui, si je t'avais appris tout ce qu'il fallait savoir sur les Traqueurs au bon moment, peut-être aurais-tu agi de la bonne manière. Tout ce qui est arrivé relève uniquement de ma responsabilité. Ne te sens pas coupable.

— Mais… pourquoi est-ce que Fabrice n'est pas venu me tuer *moi* dans l'auberge ?

— Ah, voilà un point que je peux t'expliquer avec certitude. Vois-tu, Seth, j'avais très peur pour toi. Après l'arrivée d'Emma, Gary et moi avions eu une importante conversation sur les protections dont nous disposions contre le Traqueur. Tu dois comprendre, Seth, que les loups-garous et les Traqueurs font partie de la même famille et qu'ils se détestent mutuellement. Donc, quand Emma est entrée dans le Sanctuaire, certaines protections sont devenues… dangereuses pour sa sécurité, et nous avons dû les lever.

» J'ai cherché pendant un moment quel serait le meilleur moyen pour te protéger. L'idée m'est venue subitement, lors du mois de février. J'ai donc profité d'un de tes jours de classe pour aller cacher un Objet Magique dans la chambre que tu partageais avec Alan. Cette Alarme, invisible pour la plupart d'entre nous, une fois activée se déclencherait lorsqu'un Monstre au caractère méchant mettrait un pied dans votre chambre. Bien sûr, Fabrice l'a repérée puisque je l'avais coincée derrière le bureau d'Alan, bien en vue. De plus, l'Alarme émet une odeur que Fabrice a dû capter. Concernant Emma, heureusement, sa chambre se trouvait assez loin de la vôtre pour qu'elle ne soit pas dérangée pas la fragrance de l'Alarme. Et je ne pouvais pas mettre l'Objet Magique à l'entrée de l'auberge puisqu'il se déclencherait aussi au passage d'Emma.

— Dans ce cas, pourquoi ne pas avoir envoyé Emma chez Alicia comme vous vouliez le faire ?

— Parce que tu ne devais pas rester seul dans ta chambre. La morsure que tu avais n'était pas normale, Seth. Fabrice aurait pu l'utiliser contre toi pour te faire souffrir et te forcer à quitter l'auberge en pleine nuit pour aller à l'hôpital. Au moins, en te faisant partager la chambre d'Alan, je m'assurais que quelqu'un te surveillerait et irait chercher de l'aide pour toi en cas de besoin. Et, je t'avoue que je croyais Emma en sécurité puisque Fabrice se concentrait uniquement sur toi.

— Mais pourquoi s'en est-il pris à Emma ?

— Ah… Je crois que Fabrice avait bien des raisons pour utiliser cette jeune fille. La première, il va s'en dire, est parce qu'elle est ton amie. S'il avait capturé quelqu'un que tu ne connaissais pas, tu n'aurais sans doute pas volé à son secours. La deuxième est sans doute due au fait qu'Emma est un loup-garou et constituait donc un otage de rêve. Après t'avoir mangé, si nous l'avions trouvé, il aurait pu menacer de tuer Emma ou se sauver avec elle, et briser son collier lors de la pleine lune. La troisième raison est la haine que les loups-garous et les Traqueurs entretiennent les uns envers les autres, comme je te l'ai déjà mentionné. Il voyait sans doute là une occasion en or d'assouvir son désir de te tuer et d'éliminer un loup-garou.

Seth hocha la tête pendant que Wilson prenait une gorgée de son thé avant de continuer.

— Maintenant, concentrons-nous sur ton aventure à partir de ton voyage de l'été dernier. Tu es allé à Cuba et tu t'es fait mordre par Fabrice. Tu as d'abord cru qu'il ne t'avait pas mordu puisque tu n'avais ressenti aucune douleur ni décelé aucune marque de morsure. Ce qui était parfaitement normal. Vois-tu, Seth, la bave des Traqueurs a des caractéristiques bien spéciales. Elle peut annuler une douleur et refermer les plaies. Par contre, le mal était déjà fait. La bave avait enclenché un autre processus en toi.

» Oui, Seth, tu as été connecté à Fabrice parce qu'il t'a mordu. C'est sa salive qui vous unissait. Quand tu rêvais de lui, c'est parce qu'il le voulait. Autrement dit, il se servait de toi. Tu étais, en quelque sorte, son jouet.

» Puis, il y a eu l'attaque de la dame à l'aéroport. Tu as sans doute remarqué que certains des symptômes que tu as vécus le soir de l'attaque — l'apparition de la morsure et la perte de ton sang — sont similaires aux siens. Quoi de plus normal puisque c'était Fabrice qui avait agressé la pauvre dame et l'avait sacrifiée pour t'atteindre.

» Par la suite, Fabrice est resté tranquille un moment, le temps de parcourir tout le chemin qui vous séparait. Quand il a réussi, il s'est servi de toi à nouveau. Il t'a fait voir l'attaque de

Gurt pour que tu saches qu'il était là, pour que tu saches qu'il était puissant. Il voulait que tu aies peur et que, inconsciemment, tu te jettes dans la gueule du loup. Ce que, malheureusement, tu as fait.

» Fabrice ne voulait sans doute pas que Gary, moi ou un autre membre du personnel du Sanctuaire, soient au courant de son existence. Tout ce qu'il voulait, c'était d'entrer discrètement dans le Sanctuaire, de te tuer, puis de s'en prendre à une autre victime.

» Tu te souviens sans doute de ce que je t'ai dit le soir de l'Halloween : que tu étais en sécurité pour un moment. Tu t'es également posé des questions sur la signification de cette phrase, j'en suis sûr. Eh bien, c'est assez simple : les Traqueurs hibernent. C'est pourquoi Fabrice n'a rien tenté pendant l'hiver ; il dormait.

» L'hiver a passé, et tu te croyais alors sans doute hors de danger. Jusqu'au match de Capture l'Humain. À ce moment, Fabrice n'a pas réussi à faire exactement ce qu'il voulait. En fait, il a simplement réalisé une partie de son plan : éloigner Flint et Flant de l'arche pour pouvoir entrer. Mais il a dû combattre les deux autres gargouilles, et je suis heureux de cela. Le bruit de la bataille nous a permis de comprendre à temps qu'il se passait quelque chose de grave. Et Fabrice savait que nous avions tous entendu. C'est pourquoi il s'est dévoilé si facilement. Il a décidé de jouer le tout pour le tout. Heureusement, là encore, tu as été sauvé.

» Il y a également eu le mystère du collier d'Emma. Je crois que Fabrice espérait qu'Emma crée une diversion pour qu'il puisse te manger en paix. Il a alors brisé son collier et a attendu patiemment la pleine lune. Malheureusement pour lui, les phénix t'ont protégé.

» Tu connais la suite, Seth. Tu as rêvé, ou plutôt vu, que Fabrice enlevait Emma, qu'il l'emmenait au terrain de jeu. Tu as alors voulu sauver ton amie, ce qui est très compréhensif. Voilà une autre de mes erreurs. Si je t'avais tout expliqué cela auparavant, tu n'aurais pas foncé tête baissée vers Fabrice.

Wilson arrêta de parler un moment, rassemblant ses pensées. Seth ne bougea plus. Il attendait la suite.

— Une autre chose que tu dois savoir, Seth, c'est que tu ne t'es jamais introduit par effraction chez moi, sois-en rassuré. Ma maison bénéficie d'une grande protection ; j'ai immédiatement su que tu t'y trouvais quand tu en as franchi le seuil. Comprenant que tu cherchais quelque chose, je t'ai laissé faire. Et la feuille manquante du Bestiaire était, comme tu t'en doutes maintenant, un effet du sort qui protège ma maison. Si tu vérifies dans le livre maintenant, tu y trouveras la page indemne.

— Pourquoi m'avez-vous laissé entrer dans votre demeure ?

— Je l'ai dit, tu cherchais quelque chose, et je voulais te laisser faire. Je savais que tu étais effrayé par les événements qui s'étaient produits lors de ton match de Capture l'Humain contre les Meritorius. Et je savais pertinemment que tu m'avais entendu parler avec Yvon et Gary la veille.

— Vous aviez donc comploté en quelque sorte pour que j'aille lire sur les Traqueurs dans votre maison ?

— Oui, mais ça ne s'est pas terminé comme je l'avais prévu. Vois-tu, j'espérais que tu aies suffisamment peur pour venir me demander de l'aide. Ce que tu n'as visiblement pas fait.

Wilson prit une autre gorgée de son thé. Il devait être froid à présent.

— Les éléments qui te manquaient sur la page du livre étaient cruciaux pour que tu comprennes tout, Seth. Et, si tu avais tout compris avant, peut-être que rien de tout cela ne serait arrivé. Ceci est mon erreur, pardonne-moi.

— J'ai ma part de responsabilité également, dit Seth. Si je n'avais pas voulu garder mon secret pour être *comme les autres*, peut-être qu'il aurait été possible d'arrêter Fabrice avant même qu'il entre à Monstrum.

Wilson sourit.

— Je vois que tu es un garçon très intelligent. Mais tu as encore beaucoup de choses à apprendre. Rien au monde n'aurait empêché Fabrice d'entrer dans Monstrum. La pulsion, le désir de te tuer, tout cela était trop fort pour lui. N'oublie pas que Fabrice agissait comme un animal sauvage. Rien ne peut empêcher un lion de tuer s'il en meurt d'envie.

Un silence s'installa dans la salle. Wilson vida sa tasse de thé et fixa Seth. Le jeune garçon avait encore quelques questions.

— Monsieur, est-ce que l'odeur que Gurt avait sentie sur moi était bel et bien celle du Traqueur ?

— Non.

Seth fronça les sourcils.

— Non ?

— Non. C'était ton odeur. En fait, une partie de ton odeur qui était plus forte, stimulée par la bave de Fabrice. Bref, ton odeur représentait le lien qui vous unissait, Fabrice et toi.

Il y eut un silence. Wilson laissa à Seth le temps d'absorber toutes ces nouvelles connaissances.

— La prochaine fois, dit le Gardien, je ne me priverai pas pour te parler de mes craintes, Seth. Tu as maintenant 18 ans.

Seth leva les yeux vers Wilson.

— Ce n'est pas l'âge qui définit la maturité et la conscience de quelqu'un, lança Seth au visage du singe.

Puis, Wilson prononça une phrase, une simple phrase qui eut un effet monstre sur Seth, une phrase qui en disait plus qu'elle n'y paraissait :

— Tu as raison, c'est la force qui détermine tout cela.

Puis, comme en écho, Seth revoyait Wilson qui le tenait par les épaules en lui disant d'être fort.

Les yeux du vieil homme croisèrent ceux de Seth. Visiblement, le jeune garçon ne devait pas paraître rassuré totalement car Wilson fronça les sourcils et demanda :

— Y a-t-il autre chose que tu voudrais savoir, Seth ?

— Euh... eh bien... oui. Quand je suis arrivé devant Fabrice, il a dit qu'il voulait me manger parce que ma chair était exceptionnelle, que je goûtais à la fois le Monstre et l'Humain.

Wilson ouvrit grand les yeux et regarda un point au-dessus de la tête de Seth avant de croiser à nouveau son regard.

— Je vois, murmura le Gardien.

— Que voulait-il dire ?

— Vois-tu, Seth, tu es le *Monstre qui n'en est pas un*. Tu es un véritable mystère pour nous tous. Habituellement, lorsque le Monstre-ô-mètre détecte un Monstre, cela signifie que la personne en question perd totalement son côté Humain. Il semblerait que toi, Seth, tu ne l'aies pas entièrement perdu. Néanmoins, la partie Monstre en toi est là, sinon le Monstre-ô-mètre ne t'aurait pas détecté.

— Et si la machine avait fait une erreur ?

Wilson soupira.

— J'ignore combien de fois je devrai répéter cela, mais le Monstre-ô-mètre ne peut pas faire d'erreur.

*

Le soleil était haut dans le ciel quand Seth, Fay, Alan et Pachy décidèrent de se promener un peu. Ils marchèrent pendant une heure. Seth leur raconta tout ce que Wilson lui avait dit. Pachy enregistra tout dans sa mémoire, tandis qu'Alan et Fay écoutèrent seulement pour savoir.

Ils arrivèrent devant le sentier. Seth demanda à ses amis de l'attendre là, et ils obéirent. Seth fit l'ascension du chemin seul, heureux de pouvoir y retourner à nouveau. Il n'avait pas osé les appeler à sa sortie de l'hôpital, et il ignorait pourquoi. Mais, aujourd'hui, la voix de ses parents le réconforterait.

Une fois devant le téléphone, Seth décrocha le combiné et composa le numéro à toute vitesse. Son cœur se serra lorsque sa mère répondit :

— Oui ?

— Maman ?

— Seth ?! C'est bien toi ?

— Oui, c'est moi…

— Comment vas-tu ?

— Bien, merci. Et toi, comment tu vas ?

— Très bien.

— Et papa ?

— Il va bien lui aussi.

Seth aurait pu écouter sa mère lui parler pendant des heures et des heures. Mais il savait qu'il ne pouvait pas prendre autant de temps. Il lui expliqua qu'il pouvait maintenant appeler, que le système téléphonique avait finalement été réparé.

— Ça a été long ! se lamenta Kim.

— Je sais. Les réparateurs ne trouvaient pas le problème. Pour eux, tout était normal. Ils ont découvert que c'était dû à des radiations de je-ne-sais-pas-quoi, inoffensives pour les humains, mais qui bloquent les signaux…

Par chance, sa mère crut ses paroles.

— Ton année? Comment s'est-elle passée?

— Tranquille. J'ai réussi dans toutes mes matières, maman. Je monte en deuxième année l'an prochain!

— Je suis fière de toi!

Seth parla également à son père. Après 35 minutes, Seth prétendit qu'il devait raccrocher, qu'il avait d'autres choses à faire.

Quand il déposa le combiné, son cœur chavira. Ses parents l'aimaient; il le savait maintenant. Au départ, il croyait que Gabriel et Kim préféraient l'argent à leur fils, mais il avait tort. Seth avait la chance d'avoir des parents extraordinaires qui voulaient seulement le bien de leur petit garçon.

Après avoir essuyé ses larmes, Seth retourna voir ses amis, le cœur léger. Il devait paraître très heureux, car Fay lui dit :

— Tu sembles différent, tout à coup.

— Possible!

Seth regarda le ciel. Aucun nuage à l'horizon. Il espérait que sa vie soit ainsi : claire et belle. Mais il savait qu'une vie sans embûche dans le monde des Monstres n'existait pas...

— J'ai hâte, pas vous? demanda Fay.

— De quoi parles-tu? voulut savoir Alan.

Un sourire s'élargit sur le visage de Fay.

— Bientôt, nous allons avoir nos réponses pour le Transfert! Peut-être que nous allons passer notre deuxième année d'étude en France!

Seth avait complètement oublié ce détail. Pachy, Alan et Fay se lancèrent dans une grande discussion sur les merveilles que la France contenait. Après un moment, ils se rendirent compte que Seth ne parlait pas. À vrai dire, il ne les écoutait même pas. Fay bouscula amicalement Seth pour qu'il lui porte attention.

— Ça va, Seth ?

— Oh oui !

Il regarda à nouveau le ciel en pensant à ses parents, fiers de lui.

— Ça ne pourrait pas aller mieux.

Seth prit enfin part à leur discussion.

Ce soir-là, Seth se coucha de bonne heure. Les révélations de Wilson se répétaient en boucle dans sa tête.

Toutefois, Seth sentait le bonheur monter en lui. Le Traqueur était mort. Il n'y avait plus aucun danger pour le moment.

Seth s'étira. Puis, dans un dernier bâillement, le Monstre s'endormit paisiblement...

Ne manquez pas la suite

La réponse

La lune commençait à céder du terrain au soleil tandis que tout le monde dormait au village. Enfin, presque tout le monde. La pénombre s'éclaircissait peu à peu, et le ciel complètement dégagé de nuages laissait entendre qu'une belle journée était sur le point de commencer. Un jeune garçon, assis sur son lit, regardait par la fenêtre et contemplait ce spectacle. La course du soleil autour de la terre, repoussant l'obscurité… La Lumière contre les Ténèbres.

Seth Langlois n'arrivait pas à dormir et il ignorait pourquoi. L'explication la plus probable était qu'il faisait de l'insomnie, voilà tout. Mais Seth avait peur que ce soit autre chose. Quelque chose de… *sombre*.

Le jeune garçon secoua sa tête pour la énième fois depuis la veille. Au fond de sa mémoire, il revoyait certaines images de ses anciens rêves. Pourquoi venaient-ils le troubler maintenant? Après tout, ses rêves n'étaient plus vraiment importants, et il avait dormi depuis le fameux événement. Mais ce soir, c'était différent…

Par chance, c'était l'été. Seth savait pertinemment que ses amis ne le réveilleraient pas et qu'il pourrait dormir une bonne partie de la matinée. Sauf que Seth ne voulait pas gâcher sa journée.

Abattu, Seth se laissa tomber sur son matelas et ferma les yeux. Il tenta de se forcer à dormir, en vain. Il monta les couvertures à son cou et fixa le plafond.

Inexplicablement, il songea à ses parents, qui se trouvaient à des kilomètres. En effet, Seth ne vivait plus chez ses parents. Non, ce n'avait pas été un choix personnel, mais plutôt une obligation. Parce que Seth ne pouvait pas vivre parmi ses proches et risquer de les mettre en danger.

Seth était un Monstre et il vivait à Monstrum, le Sanctuaire des Monstres. Il devait rester là pour encore quatre ans avant de pouvoir retourner dans le monde des Humains. Sa seule sortie serait cette année pour le Transfert.

La fin de sa première année à Monstrum n'avait pas été de tout repos. Seth avait dû se mesurer à un Traqueur, une créature redoutable qui ne reculerait devant rien pour traquer et tuer sa proie. Par chance, la deuxième année semblait vouloir démarrer du bon pied. Surtout si Seth était accepté à Prodige, le Sanctuaire de France, pour y étudier un an.

Seth eut l'impression de cligner des yeux. Cependant, il sut qu'il s'était finalement endormi, car lorsqu'il souleva ses paupières, le soleil entrait à flot dans la chambre, et un énorme brouhaha s'élevait de la salle à manger de l'auberge Freak, l'auberge dans laquelle il devait vivre pour ses cinq années d'études. Après s'être réveillé et avoir fait sa toilette, Seth sortit de sa chambre et descendit l'escalier pour gagner la salle principale de l'auberge.

Il devait y avoir une dizaine de personnes. En plus de Seth, il y avait deux hommes qui affichaient une allure normale. Tous les autres possédaient une anomalie assez voyante. Certains avaient des membres en trop, une peau différente (soit verte, bleue, mauve ou avec des écailles), une grandeur et une grosseur anormales. Il y avait un satyre, assis sur un banc, une bouteille d'alcool dans la main.

Les satyres étaient réputés pour leur consommation excessive d'alcool. Presque chaque jour, Seth passait devant une taverne, et un satyre, toujours le même, s'y trouvait depuis le matin. Seth croyait même que l'homme-bouc n'en sortait jamais.

À première vue, Alan, Pachyderme et Fay, les trois meilleurs amis de Seth, ne se trouvaient pas à l'auberge. Seth regarda sa montre. Il était 12 h 30. Ils devaient être partis au parc pour relaxer.

La porte de l'auberge s'ouvrit, et deux hommes et une femme entrèrent. L'un des hommes était très petit, l'autre avait des poils blancs sur le visage et ressemblait à un singe. La femme, quant à elle, portait de magnifiques ailes transparentes dans son dos, avait les oreilles pointues et de magnifiques yeux mauves.

— Gary, Gary, Gary, disait l'homme au visage de singe, qui était le Gardien du Sanctuaire. Tu portes trop attention aux stéréotypes.

— Je ne porte pas attention aux stéréotypes, se défendit l'homme minuscule. C'est eux qui se révèlent véridiques. Et ce n'est *pas* un stéréotype.

— Que veux-tu qu'il lui arrive là-bas? demanda Alicia, la femme Fée.

— Je ne sais pas, avoua Gary. Sauf que je crois que nous devrions garder un œil sur lui.

Alicia pointa une table, et le trio alla s'y asseoir. Quand elle tira sa chaise, Alicia balaya la salle du regard et vit Seth. Aussitôt, son visage rayonna, et elle lui fit signe de venir.

— Seth! s'exclama-t-elle quand il fut près d'eux. Comment vas-tu?

— Bonjour, fit Seth. Je vais bien, merci...

— Prends une chaise, voyons!

— Non, je dois trouver Alan, Fay et Pachy...

— Ils vont revenir ici. Nous les avons croisés sur notre chemin; ils se dépêchaient de finir ce qu'ils avaient à faire. Sauf que j'ignore ce qu'ils tramaient.

Est-ce que ses amis se dépêchaient pour terminer leur besogne avant son réveil? Pourquoi? Et, surtout, que mijotaient-ils?

Seth se résigna donc. Il vit une chaise vide et s'en empara. Il s'installa à côté d'Alicia.

— As-tu hâte? demanda Wilson, le Gardien.

— Hâte pour quoi? demanda Seth.

Alicia fit la moue.

— Avoir ta réponse pour le Transfert!

— Ah! Oui, je crois que j'ai hâte.

— Tu *crois* avoir hâte? se moqua Gary. Les jeunes de nos jours, ils ne savent vraiment pas ce qui leur fait plaisir.

Seth s'apprêta à répliquer, mais Alicia prit les devants.

— Nous allons régler cette question aujourd'hui même. Je crois bien que tu seras accepté. Comme tous les autres, d'ailleurs.

— Génial.

Il s'apprêta à quitter, mais Wilson posa une main sur son épaule, l'obligeant à se rasseoir.

— Ça va, Seth? demanda le Gardien, les sourcils froncés.

— Oui. Je me suis réveillé il n'y a pas longtemps; il est normal que j'aie l'air fatigué...

— Ce n'est pas de ça que je veux parler. *Ça va*, Seth?

Le jeune homme avait déjà compris ce que Craig Wilson insinuait. Par contre, il ne voulait pas aborder le sujet. Se remémorer tous les risques qu'il avait fait courir aux Monstres habitant le Sanctuaire Monstrum lui était insupportable. Il hocha donc la tête.

Wilson le lâcha et s'installa confortablement dans sa chaise. Le barman, Yvon, vint les voir pour prendre leur commande. Quand ce fut fait, il se hâta de retourner derrière son bar pour tout préparer.

— Tu sais, il n'y a pas de mal à avoir des remords, continua Wilson, sans regarder Seth. Mais il faut savoir cesser de vivre dans le passé. Ce qui est fait est fait.

Lentement, le regard du singe croisa celui de Seth.

— Va de l'avant, ajouta Wilson.

Une fois de plus, Seth hocha la tête. Il se leva et quitta la table. Plusieurs têtes se tournaient vers lui. L'histoire de ce qui s'était passé avec le Traqueur avait fait le tour du Sanctuaire il y avait déjà un moment, mais tout le monde était encore impressionné et sous le choc.

Seth sortit de l'auberge. La lumière du jour l'aveugla un instant, mais le bonheur de voir les maisons éparpillées dans le village chassa la douleur de ses yeux. Où pouvaient bien être ses amis?

De jeunes garçons cyclopes jouaient ensemble devant l'auberge. Avec des bâtons en guise d'épées, les jeunes croyaient former une armée à eux seuls. Seth ne leur porta pas une grande attention. Il avait vu une silhouette familière passer entre deux demeures, et il s'était précipité à la rencontre de cette dernière. Pas de doute, il l'avait très bien reconnue.

— Emma!

La jeune loup-garou se retourna. Son collier, qui l'empêchait de se transformer lors de la pleine lune, reflétait la lumière du soleil. Les trois amies d'Emma, dont l'une avait la peau recouverte d'écailles de poisson, s'arrêtèrent également.

— Seth! Comment vas-tu?

— Bien, toi?

— Je vais bien, merci.

— Je me demandais si tu n'avais pas vu Fay, Alan et Pachy...

— Oui. Ils étaient au Terrain Pavé. Alan parlait de se «dépêcher avant qu'il n'arrive».

Une pierre tomba dans le ventre de Seth. Ses amis voulaient donc réellement avoir l'esprit tranquille, loin de lui, le Monstre qui n'en était pas un, celui qui avait failli tuer Emma par l'intermédiaire du Traqueur?

— Merci.

Seth tourna les talons. Non, il n'irait pas à la recherche de ses amis. S'ils voulaient la paix, ils l'auraient. Il n'était pas du genre à vouloir s'imposer dans un groupe.

Abattu, il se laissa tomber sur un banc. Finalement, le monde des Monstres était très différent de celui des Humains. Dans le monde des Humains, Seth était très apprécié par tout le monde. Pourquoi? Parce qu'il était riche. Tous voulaient être son ami pour bénéficier indirectement de son argent. Là-bas, Seth n'avait que deux amis, deux *vrais* amis : Joanne et Tommy. Tandis que, dans le monde des Monstres, à présent, personne ne semblait plus s'intéresser à lui puisque tous étaient habitués au fait qu'il soit le Monstre qui n'en est pas un. Maintenant, ceux qu'il croyait être ses amis l'abandonnaient.

— Pourquoi as-tu l'air si triste? demanda une voix.

Seth releva la tête et vit Dave Bilodeau, un garçon avec qui il jouait à Capture l'Humain. Tous deux faisaient partie de l'équipe des Servators, dont Alan était le capitaine.

Capture l'Humain était un sport très populaire chez les Monstres. Quoique facile, ce sport pouvait durer des heures. Sur un immense terrain, deux équipes devaient s'affronter. La première qui marquait trois points gagnait. Mais cela pouvait prendre du temps ! Il y avait deux grottes, une à chaque extrémité du terrain, qui servaient de buts. Un robot-humain, Barney, devait être effrayé par les Monstres pour aller se réfugier dans une grotte, marquant un point. Le plus difficile était de s'assurer que Barney se déplace dans la bonne direction. Par bonheur, l'année précédente, les Servators avaient gagné le championnat.

— Non, mentit Seth, je vais bien.

Dave prit place aux côtés de son coéquipier.

— Sais-tu où est Alan ? Je dois lui parler.

— Non, je ne le sais pas, s'empressa de répondre Seth.

— Dommage. Pourrais-tu lui faire un message de ma part ?

Seth se mordit la lèvre inférieure.

— Oui, évidemment.

S'il accepte que je lui parle, pensa Seth.

— J'ai oublié de vous dire que je m'étais inscrit au Transfert étudiant. Si je suis accepté, je vais en France. Vous devrez vous trouver une autre personne pour…

— Oh, ce n'est pas un problème. L'équipe des Servators ne verra peut-être pas le jour, cette année.

Dave se raidit.

— Pourquoi dis-tu cela ?

— Parce qu'Alan et moi sommes également inscrits au Transfert. Si nous sommes tous acceptés, je doute fort que les Servators trouvent assez de joueurs pour prendre part à la nouvelle saison.

Dave hocha la tête.

— Il faudra donc prévenir Annie et Jilian, fit-il.

— Ouais. Elles auront une année pour s'entraîner.

Seth vit au loin Alan, Fay et Pachyderme entrer dans l'auberge. Il se leva, s'étira.

— Je dois y aller, dit-il à Dave.

— D'accord. On se revoit une autre fois!

Après avoir acquiescé, Seth se dépêcha de se diriger dans la direction opposée à celle de l'auberge. Se tenir le plus loin possible de ceux qu'il croyait être ses amis ne lui ferait pas de tort.

Pourquoi agissaient-ils ainsi? N'avaient-ils pas vécu une grande aventure ensemble qui avait eu comme effet de resserrer les liens d'amitié qui s'étaient développés? Il fallait croire que Seth s'était fait des idées jusqu'à maintenant.

Seth entra dans un magasin qui avait pour nom Bobine de fil, un magasin de haute couture. La caissière parlait ouvertement avec sa cliente. Les deux femmes semblaient surexcitées. Seth se dégoûta lorsqu'il remarqua qu'il espionnait la discussion.

— Il ne s'y attend pas? demanda la cliente.

— Pas du tout! Ce sera une énorme surprise pour lui!

La cliente paya ses vêtements.

— Pourquoi nous ne l'avons pas fait l'an dernier, déjà?

— Car il était parti chercher Seth Langlois.

Machinalement, lorsqu'il entendit son nom, Seth s'empressa de se cacher à la vue des deux dames qui ne l'avaient toujours pas aperçu.

— Ce fameux Seth, fit la vendeuse. Que ferions-nous s'il n'était pas là?

La cliente parut offusquée.

— C'est lui qui a conduit le Traqueur ici!

— On a tous fait des erreurs, il ne faut pas le blâmer!

Les femmes s'examinèrent un moment. Puis, elles reprirent leur discussion.

— Qui l'organise?

— Un peu tout le monde. Je sais qu'il y a des jeunes impliqués dans tout cela. Ils sont venus me voir ce matin pour me passer une commande.

— Comment ferons-nous pour nous assurer qu'il n'ira pas là-bas?

— Alicia s'en charge. En ce moment, elle est censée être à l'auberge Freak. Dans exactement... (elle consulta sa montre) 16 minutes, elle l'emmènera chez lui, et ils commenceront à préparer la paperasse pour la nouvelle année scolaire.

Seth bougea et, malencontreusement, fit tomber un vêtement. Le cintre de métal frappa le sol de plein fouet, et les deux femmes se raidirent.

— Qui est là? demanda la caissière.

Le cœur de Seth battait la chamade. Il devait sortir du magasin sans se faire repérer.

— Montrez-vous!

Silencieux et immobile, Seth croisa les doigts pour que les dames détournent leur attention. Après quelques secondes, la cliente reprit la parole.

— C'est à quelle heure?

— Je... Venez en arrière-boutique, je vous donnerai plus de détails.

Les deux femmes quittèrent la boutique, et Seth en profita pour sortir de sa cachette et du magasin. À peine fut-il dehors qu'il regretta sa décision : Alan, Fay et Pachyderme sortaient de l'auberge. Par chance, ils n'avaient pas remarqué Seth. Cependant, en les voyant regarder à droite et à gauche, Seth comprit qu'ils le cherchaient.

Remerciements

Tout d'abord, je voudrais remercier toute ma famille, en com-
mençant par mes parents, Manon Pronovost et Éric Brassard,
ainsi que mes sœurs, Cindy Beaupré et Katy Pronovost-
Brassard, qui m'ont toujours soutenu peu importe la situation.
Merci à mes amis qui m'ont inconsciemment donné beaucoup
d'idées à inclure dans mes histoires. Un merci spécial pour
Robert Dehin et Patrice Cazeault qui furent les premiers à lire
les aventures de mon petit Monstre. Leurs commentaires furent
constructifs et ont aidé Monstrum à atteindre son plein potentiel. Et, surtout, un énorme merci à Seth Langlois qui m'a donné
carte blanche pour vous raconter son histoire…

www.ada-inc.com
info@ada-inc.com

www.facebook.com/EditionsAdA

www.twitter.com/EditionsAdA